Warmteleer

Ir. A.J.M.v.Kimmenaede

Warmteleer

voor technici

6de druk
Deze druk is zonder
bezwaar bruikbaar naast
de voorgaande

Stam Technische Boeken

Culemborg

EUROPESE EDUCATIEVE UITGEVERS GROEP

Annecy-Plantyn
Cheltenham-Thornes/Stam
Culemborg-Educaboek
Deurne/Antwerpen-Plantyn
Porz/Köln-Stam
Vevey-Delta

© 1976 Stam Technische Boeken B. V.
ISBN 90 11 39404 6, Educaboek B.V.,
Industrieweg 1, Culemborg, The Netherlands.

First published 1963.

Druk: N.I.C.I. België.

Bindwerk: Boekbinderij J.A. v.d. Sanden B.V., Culemborg.

IV

WOORD VOORAF

Bij de derde druk

Op verzoek van velen is in deze derde druk uitsluitend gebruik gemaakt van het internationale eenhedenstelsel (SI). De tabellen en vraagstukken moesten daardoor iets worden gewijzigd. Van het *h-s*-diagram voor water en waterdamp is een nauwkeuriger berekend exemplaar (Ernst Smidt — Springer Verlag) aan dit boek toegevoegd. Dit diagram is voorzien van volumelijnen en van een millimeter verdeling, waardoor de aflezing wordt vereenvoudigd.
De symbolen zijn aangepast aan het normblad NEN 1224 (gewijzigd in december 1968) en aan NEN 3021. Hierin is b.v. de ,,graad Kelvin'' met symbool °K vervangen door ,,Kelvin'' met symbool K.
Gaarne heb ik voldaan aan de wensen van een aantal collega's om de tweede hoofdwet enigszins anders op te zetten, de pijlaanduiding bij arbeid en warmte te laten vervallen en de begrippen anergie en exergie toe te lichten.

Leiden, augustus 1969.   A.J.M. van Kimmenaede

Bij de vierde, vijfde en zesde druk

Behoudens enige kleine correcties zijn deze drukken geheel ongewijzigd.

Haarlem, december 1976   A.J.M. van Kimmenaede

Symbolen

Symbool	Betekenis
A	absorptiecoëfficiënt, oppervlak
B	anergie
b	anergie per massaeenheid
C	stralingsgetal, constante
C_z	stralingsgetal van een absoluut zwart lichaam
c	soortelijke warmte, compressieverhouding, snelheid
c_p, c_v, c_m, c_k	soortelijke warmte bij constante druk, constant volume, gemiddelde soortelijke warmte en kritieke snelheid
d	diameter
E	exergie, stralingsenergie
E_p, E_k	potentiële energie, kinetische energie
e	grondtal van de natuurlijke logaritme, exergie per massa-eenheid
F	kracht
G	gewicht
g	gravitatie
H	enthalpie
h	enthalpie per massaeenheid
k	transmissiecoëfficiënt, verhouding van c_p en c_v
l	lengte
m	massa
N	newton
n	toerental, exponent in de wetten van Poisson.
P_i, P_e	indicateurvermogen, effectief vermogen
p, p_i, p_e, p_k	druk, geïndiceerde druk, effectieve druk, kritieke druk
Q	warmtehoeveelheid
q	vloeistofwarmte, warmtestroomdichtheid
R	gasconstante
r	verdampingswarmte, straal
S	entropie
s	entropie per massaeenheid, oververhittingswarmte, weglengte
T, T_v	temperatuur in K, verdampingstemperatuur in K
t, t_v	temperatuur in °C, verdampingstemperatuur in °C
U	inwendige energie

Symbool	Betekenis
u	inwendige energie per massaeenheid
V	volume
v	volume per massaeenheid
v_k	kritieke volume
W	arbeid
W_i	indicateurarbeid
x	dampgehalte, lengteafmeting
z	tijdsduur
α	hoek, warmteoverdrachtscoëfficiënt, drukverhouding
β	hoek
γ	soortelijk gewicht
δ	wanddikte
ε	emissiefactor, drukverhouding
$\eta, \eta_v, \eta_m, \eta_{th}, \eta_i$	rendement, volumetrisch, mechanisch, thermisch en isentroop (inwendig) rendement
λ	golflengte, warmtegeleidingscoëfficiënt
ρ	soortelijke massa, volumeverhouding
Φ	warmtestroom
ato, ata, atm	overdruk, absolute druk, natuurkundige atmosfeer
f	functie
ln	natuurlijke logarithme
m_n^3	normaal m^3

Belangrijkste formules

$$\frac{pV}{T} = C \tag{2.1}$$

$$pV = mRT \tag{2.5}$$

wet van Boyle-
Gay Lussac

$$R = c_p - c_v \tag{3.4}$$

gasconstante

$$W = \int_1^2 p\,dV \tag{3.3}$$

volumearbeid

$$Q = U_2 - U_1 + W \tag{3.1}$$

$$dQ = dU + dW \tag{3.5}$$

$$dQ = mc_v dT + p\,dV \tag{3.7}$$

$$dQ = mc_p dT - V\,dp \tag{3.8}$$

$$dQ = dH - V\,dp \tag{10.1}$$

eerste hoofdwet

$$U_2 - U_1 = mc_v(T_2 - T_1) \tag{3.2}$$

verandering van de inwendige energie

$$Q = mc_p(T_2 - T_1) \tag{4.3}$$

$$Q = \frac{k}{k-1}p(V_2 - V_1) \tag{4.4}$$

$$W = p(V_2 - V_1) \tag{4.1}$$

$$W = mR(T_2 - T_1) \tag{4.2}$$

isobaar

$$Q = mc_v(T_2 - T_1) \tag{4.6}$$

$$Q = \frac{1}{k-1}V(p_2 - p_1) \tag{4.7}$$

$$W = 0 \tag{4.5}$$

isochoor

$$Q = W = pV\ln\frac{V_2}{V_1} \tag{4.10}$$

$$Q = W = mRT\ln\frac{V_2}{V_1} \tag{4.9}$$

isotherm

$$Q = 0 \tag{4.11}$$

$$W = -mc_v(T_2 - T_1) \tag{4.12}$$

$$W = \frac{-1}{k-1}(p_2V_2 - p_1V_1) \tag{4.13}$$

adiabaat

$$Q = mc(T_2 - T_1) \tag{4.18}$$

$$W = \frac{-1}{n-1}(p_2V_2 - p_1V_1) \tag{4.21}$$

$$Q = \frac{k-n}{k-1}W \tag{4.22}$$

$$n = \frac{c - c_p}{c - c_v} \tag{4.19}$$

polytroop

$$n = 0 \qquad c = c_p$$

isobaar

VIII

$n = \pm\infty \quad c = c_v$ isochoor

$n = 1 \quad\quad c = \pm\infty$ isotherm

$n = k \quad\quad c = 0$ adiabaat

$$pV^n = C \tag{4.17}$$

$$TV^{n-1} = C \tag{4.23}$$

$$\frac{T^n}{p^{n-1}} = C \tag{4.24}$$

$\left.\right\}$ wetten van Poisson

$$W_i = nW = -\int_1^2 V\,dp \tag{5.3}$$

$$W_i = \frac{-n}{n-1}(p_2 V_{\text{gel.}} - p_1 V_{\text{aang}}) \tag{5.7}$$

$$W_i = \frac{-nmR}{n-1}(T_2 - T_1) \tag{5.2}$$

$\left.\right\}$ indicateurarbeid

$$\eta = \frac{\Sigma W}{\Sigma Q_+} = \frac{\Sigma Q}{\Sigma Q_+} = \frac{Q_1 - Q_2}{Q_1} \tag{6.2}$$

rendement pos. kring-proces

$$\varepsilon = \frac{Q_2}{W} = \frac{Q_2}{Q_1 - Q_2} \tag{6.10}$$

koudefactor

$$H = U + pV \tag{8.1}$$

enthalpie

$$Q = \Delta H + W_i + \Delta E_k + \Delta E_p \tag{8.2}$$

energievergelijking voor open systemen

$$W_i = H_1 - H_2 \tag{8.4}$$

turbine

$$Q = H_2 - H_1 \tag{8.6}$$

ketel

$$W_i = -(h_2 - h_1) = -v(p_2 - p_1) \tag{8.7}$$

pomp

$$S_2 - S_1 = \int_1^2 \frac{dQ}{T} \tag{9.2}$$

entropieverandering

$$S_1 = S_2 \tag{9.4}$$

isentroop

$$S_2 > S_1 \tag{9.7}$$

niet omk. adiabaat

$$S_2 - S_1 = mc\ln\frac{T_2}{T_1} \tag{9.8}$$

polytrope toestandsver-andering

$$s_2 - s_1 = c\ln\frac{T_v}{T_1} + \frac{r}{T_v} + c_p\ln\frac{T_2}{T_v} \tag{9.19}$$

entropieverandering bij overgang vloeistof-damp

$$h_2 - h_1 = c_p(T_2 - T_1) \tag{10.3}$$

enthalpieverandering van een ideaal gas

$$h_2 - h_1 = c(T_v - T_1) + r + c_p(T_2 - T_v) \tag{10.4}$$

enthalpieverandering bij overgang vloeistof-damp

$$\eta_i = \frac{\Delta H_{\text{n.o.}}}{\Delta H_{\text{o.}}}$$

(11.1)   isentroop rend. bij expansiemachines

$$\eta_i = \frac{\Delta H_{\text{o}}}{\Delta H_{\text{n.o.}}}$$

(11.5)   isentroop rend. bij compressie

$$h_1 = h_2$$

(11.8)   smoren

$$E + B = C$$

(11.10)   som van exergie en anergie is constant

$$\Phi = kA(T_1 - T_2)$$

(16.4)   warmteoverdracht door een vlakke wand

$$k = \frac{1}{\dfrac{1}{\alpha_1} + \dfrac{1}{\alpha_2} + \Sigma\dfrac{\delta}{\lambda}}$$

(16.5)   transmissiecoëfficiënt

$$\Phi = \frac{T_1 - T_2}{\dfrac{1}{\alpha_i A_i} + \dfrac{1}{\alpha_u A_u} + \Sigma\dfrac{\ln(r_u : r_i)}{2\pi\lambda}}$$

(16.6)   warmteoverdracht door een pijpwand

$$\Phi = kA\,\frac{\Delta T_{max} - \Delta T_{min}}{\ln\dfrac{\Delta T_{max}}{\Delta T_{min}}}$$

(16.7)   warmtestroom bij gelijk- resp. tegenstroom

$$q = C_{1.2}\left\{\left(\frac{T_1}{100}\right)^4 - \left(\frac{T_2}{100}\right)^4\right\}$$

(16.7)   technische stralingswet

HOOFDSTUK V   Indicateurarbeid

HOOFDSTUK VI   Kringprocessen

HOOFDSTUK VII   Niet-omkeerbare toestandsveranderingen

HOOFDSTUK VIII   Open systemen

HOOFDSTUK IX De tweede hoofdwet van de warmteleer

HOOFDSTUK X Enthalpie

HOOFDSTUK XI Niet-omkeerbare processen in open systemen

HOOFDSTUK XII Het kringproces in een turbine-installatie

XIV

HOOFDSTUK I

Algemene begrippen

I.1. Eenhedenstelsels

De meest gebruikte eenhedenstelsels zijn:
I Het technische eenhedenstelsel;
II Het internationale eenhedenstelsel, afgekort SI (Système International d'Unités). Dit wordt ook wel het praktische-, het MKS- of het Giorgistelsel genoemd.
Een eenhedenstelsel wordt gevormd door een aantal vrij gekozen grond-eenheden en de daaruit afgeleide eenheden. Grondeenheden die in beide stelsels voorkomen zijn:
1 de lengte-eenheid: 1 meter (1 m);
2 de tijdseenheid : 1 seconde (1 s).
In het technische stelsel is ook de eenheid van kracht een grondeenheid. Het is de kracht die het standaardkilogram (dat te Parijs wordt bewaard) in het veld van de aarde ondervindt. Deze kracht, die men het gewicht van het lichaam noemt, blijkt echter afhankelijk te zijn van de breedtegraad, zodat deze krachteenheid niet overal dezelfde waarde heeft. Aan de eis dat het eenhedenstelsel „absoluut" moet zijn, d.w.z. dat de grondeenheden dezelfde grootte moeten hebben onafhankelijk van de plaats op aarde, wordt in dit stelsel dus niet voldaan.
Om dit nadeel te ondervangen heeft men afgezien van het gewicht van het kilogram als eenheid van kracht en een nieuw eenhedenstelsel (II) ontworpen, waarin als derde grondeenheid de massa van het standaardkilogram als eenheid van massa is gekozen. De massa van een hoeveelheid stof is volgens de theorie van Newton een onveranderlijke grootheid; de waarde ervan is dus overal op aarde dezelfde. Om verwarring te voorkomen wordt, ter onderscheiding van de kilogrammassa uit het SI die met kg wordt aangeduid, de kilogramkracht van het technische stelsel als kgf geschreven.

1

In het technische stelsel is de eenheid van massa een afgeleide eenheid (uit $F = m\,a$), in het SI is de eenheid van kracht een afgeleide eenheid. Deze laatste eenheid (kgm/s^2) wordt de newton (symbool N) genoemd.

De newton is de kracht die aan een lichaam waarvan de massa 1 kg bedraagt, een versnelling geeft van $1m/s^2$.

Bij de vrije val is de kracht die op hetzelfde lichaam werkt 1 kgf en de versnelling die het lichaam krijgt g (genormaliseerde waarde is $9,80665 \ m/s^2$).

Hieruit volgt dat 1 kgf = ca. 9,81 N.

In dit boek zal gebruik worden gemaakt van SI-eenheden.

De arbeid wordt daarbij uitgedrukt in newtonmeter (Nm) en het vermogen in watt (W).

De newtonmeter is gelijk aan de eenheid van elektrische arbeid, de joule (J). Voor de eenheid van arbeid kan dus worden geschreven Nm, J of Ws, voor de eenheid van vermogen Nm/s, J/s of W.

Zijn de gebruikte grootheden zeer klein of zeer groot ten opzichte van de bijbehorende eenheid, dan kan men gebruik maken van onderstaande internationaal aanvaarde voorvoegsels.

voorvoegsel	afkorting	betekenis	voorvoegsel	afkorting	betekenis
tera	T	10^{+12}	milli	m	10^{-3}
giga	G	10^{+9}	micro	μ	10^{-6}
mega	M	10^{+6}	nana	n	10^{-9}
kilo	k	10^{+3}	pico	p	10^{-12}
deci	d	10^{-1}	femto	f	10^{-15}
centi	c	10^{-2}	atto	a	10^{-18}

In de praktijk zijn er nog een aantal eenheden en hulpeenheden in gebruik die niet in het SI passen.

Het is derhalve onvermijdelijk dat omrekeningen zullen moeten plaatsvinden.

Zo zal men dikwijls de kcal als warmte-eenheid aantreffen. Uit proefnemingen is gebleken dat bij de omzetting van een zekere hoeveelheid arbeid, altijd dezelfde hoeveelheid warmte ontstaat.

Het verband tussen arbeid en warmte is bepaald met de klassieke proef van Joule waarbij werd gevonden dat:

1 kcal = 427 kgfm

Het getal 427 noemt men daarom het *mechanisch warmte-equivalent*.
Het geeft aan hoeveel arbeidseenheden overeenkomen met de eenheid van warmte.
Men kan dus schrijven:

$$1 \text{ kcal} = 427 \text{ kgfm} = 427 \cdot 9{,}81 \text{ J} = 4{,}19 \text{ kJ}$$

In het SI worden warmte en arbeid in dezelfde eenheid uitgedrukt en vervalt dus de omrekeningsfactor 427.
Voor een vermogen, uitgedrukt in pk kan worden geschreven:

$$1 \text{ pk} = 75 \text{ kgfm/s} = 75 \cdot 9{,}81 \text{ J/s} = 736 \text{ J/s} = 736 \text{ W} = 0{,}736 \text{ kW}$$

Verdere bijzonderheden betreffende de eenhedenstelsels kan men vinden in de normaalbladen NEN333, NEN1221 t/m NEN1224.

I.2. Druk

De eenheid van druk in het SI (N/m^2) is te klein voor praktisch gebruik. Men heeft daarom een nieuwe eenheid ingevoerd (de bar), die 10^5 maal zo groot is.

$$1 \text{ bar} = 10^5 \text{ N/m}^2 = 1{,}02 \text{ kgf/cm}^2$$

Deze eenheid komt dus ongeveer overeen met de atmosferische druk.
Meetinstrumenten geven altijd de druk aan ten opzichte van de atmosferische druk. Uit de gemeten overdruk of onderdruk kan dan met behulp van de barometerstand de absolute druk worden berekend.
In het *technische* eenhedenstelsel wordt overdruk aangegeven met ato en absolute druk met ata.
In de techniek is de barometerstand meestal niet belangrijk. Onder ato verstaat men dan ook de overdruk t.o.v. de technische atmosfeer, die overeenkomt met 1 kgf/cm^2.
De fout die hierbij wordt gemaakt is verwaarloosbaar klein. Slechts bij het meten van onderdrukken en kleine overdrukken heeft het zin de barometerstand in rekening te brengen. Met onderstaande gegevens kunnen de noodzakelijke omrekeningen worden uitgevoerd.

$$1 \text{ kgf/cm}^2 = 10\,000 \text{ kgf/m}^2 = 10\,000 \text{ mm H}_2\text{O} = 735{,}5 \text{ mm Hg} =$$

$$= 0{,}981 \text{ bar}$$

$$1 \text{ atm} = 760 \text{ mm Hg} = 1{,}033 \text{ kgf/cm}^2 = 10\,330 \text{ kgf/m}^2 = 1{,}013 \text{ bar}$$

3

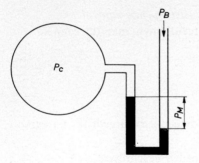

Fig. 1.1

Toepassing

Een vacuümmeter, aangesloten op een condensor, wijst een onderdruk van 515 mm Hg aan. Wat is de absolute druk in de condensor in kgf/cm² en in kN/m² en wat is het vacuüm in procenten, wanneer de barometerstand 710 mm Hg bedraagt?

Oplossing

Uit fig. 1.1, volgt:

$$p_B = p_c + p_M$$

$$p_c = p_B - p_M$$

$$p_c = 710 - 515 = 195 \text{ mm Hg} = \frac{195}{735,5} \text{ kgf/cm}^2 = \textbf{0,265 kgf/cm}^2$$

$$p_c = 0,265 \cdot 0,981 = 0,260 \text{ bar} = \textbf{26,0 kN/m}^2$$

Berekent men de onderdruk t.o.v. de technische atmosfeer, dan komt men tot:

$$p_c = 735,5 - 515,0 = \textbf{220,5 mm Hg i.p.v. 195 mm Hg}$$

Men maakt hiermee een fout van ca. 13 %. De druk van de buitenlucht op 1 kgf/cm² stellen is hier dus niet toelaatbaar.
Het vacuüm kan ook worden uitgedrukt in procenten van de druk van de buitenlucht.

$$\text{Vacuüm} = \frac{515}{710} \cdot 100 \% = \textbf{72,5 \%}.$$

I.3. Soortelijke warmte van vaste stoffen, vloeistoffen en gassen

Onder de soortelijke warmte c van een stof verstaat men de warmtehoeveelheid die nodig is om 1 kg van de betreffende stof één kelvin (voorheen graad kelvin) in temperatuur te doen stijgen.

Derhalve wordt c uitgedrukt in kJ/kg K.

Wordt een hoeveelheid stof waarvan de massa m is en de soortelijke warmte c verwarmd van t_1 tot t_2 dan is de toe te voeren warmte:

$$Q_{1-2} = m \, c \, (t_2 - t_1)$$

4

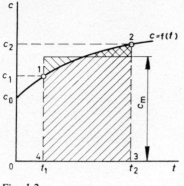

Fig. 1.2

De soortelijke warmte is geen constante; zij neemt gewoonlijk toe met het toenemen van druk en temperatuur.
De invloed van een verandering van de druk is meestal gering, zodat we kunnen schrijven:

$$c = f(t)$$

Deze functie kan met voldoende nauwkeurigheid worden voorgesteld door een vergelijking van de gedaante:

$$c = a + bt + ct^2 \dots$$

De coëfficiënten worden empirisch bepaald. Het aantal termen hangt af van de gewenste nauwkeurigheid.
Wordt 1 kg van een stof waarvan $c = f(t)$ gegeven is (fig. 1.2) verwarmd van t_1 tot t_2 dan geldt:

$$Q_{1-2} = \int_1^2 c \, dt \triangleq \text{opp. } 1\text{-}2\text{-}3\text{-}4$$

Door de integratie uit te voeren kan Q_{1-2} worden bepaald.

Is c_m de gemiddelde waarde van de soortelijke warmte voor het beschouwde temperatuurgebied dan moet

$$c_m(t_2 - t_1) = \int_1^2 c \, dt$$

$$\boxed{c_m = \frac{1}{t_2 - t_1} \int_1^2 c \, dt} \tag{1.1}$$

De gemiddelde waarde van de soortelijke warmte is de constante soortelijke warmte c_m die, vermenigvuldigd met het temperatuurverschil $(t_2 - t_1)$ de werkelijk toe te voeren warmtehoeveelheid levert.

5

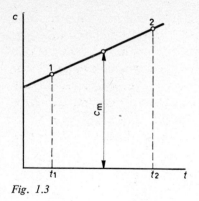

Fig. 1.3

Nu is in fig. 1.2:

opp. 1-2-3-4 = opp. c_0-2-3-0 − opp. c_0-1-4-0

ofwel:

$$Q_{1-2} = \int_1^2 c\,dt = \int_0^2 c\,dt - \int_0^1 c\,dt$$

$$c_m(t_2 - t_1) = c_{m2}\,t_2 - c_{m1}\,t_1$$

waarin c_{m1} de gemiddelde waarde van c voorstelt tussen 0 °C en t_1 en c_{m2} de gemiddelde waarde van c tussen 0 °C en t_2

$$c_m = \frac{1}{t_2 - t_1}\left[c_{m2}t_2 - c_{m1}t_1\right] \tag{1.2}$$

Voor verschillende stoffen is de gemiddelde soortelijke warmte tussen 0 °C en t in tabellen of grafieken vastgelegd. Daarin zijn c_{m1} en c_{m2} direct af te lezen, zodat c_m met (1.2) kan worden berekend.
Voor benaderende berekeningen kan het verloop van de soortelijke warmte als rechtlijnig worden beschouwd (fig. 1.3).
In dat geval is:

$$c_m = \frac{c_1 + c_2}{2}$$

Wordt de soortelijke warmte *van een gas* bepaald, dan blijkt de uitkomst afhankelijk te zijn van de wijze waarop de proef wordt uitgevoerd.

Twee bijzonder belangrijke gevallen zijn:
1   Verwarming van het gas bij constant volume. De druk van het gas neemt hierbij toe. Voor de soortelijke warmte schrijven we c_v.

6

2   Verwarming van het gas bij constante druk*. Dit is te realiseren door het gas te brengen in een cilinder afgesloten door een zuiger die zich wrijvingsloos kan bewegen. Bij warmtetoevoer neemt het volume toe, waarbij de zuiger zich tegen de uitwendige druk in verplaatst en — in tegenstelling tot het gelijkvolumeproces — door het gas arbeid wordt geleverd. Hierdoor is er meer warmte nodig om het gas één graad in temperatuur te doen stijgen dan in geval 1, zodat $c_p > c_v$.

Verkrijgt een massa m een temperatuurverhoging Δt dan is de toe te voeren warmte:

$$Q = m\,c_v\,\Delta t \quad \text{als} \quad V \text{ constant is}$$

$$Q = m\,c_p\,\Delta t \quad \text{als} \quad p \text{ constant is}$$

Voor eenatomige gassen zijn c_p en c_v als constant te beschouwen. Bij meeratomige gassen zijn c_p en c_v afhankelijk van temperatuur en druk. Bij tweeatomige gassen is tot ca. 20 bar de invloed van de druk gering.

I.4.   Soortelijke massa, soortelijk volume

Onder de soortelijke massa ρ van een stof verstaat men de massa per volume-eenheid.

Is van een stof met massa m het volume V dan is derhalve

$$\rho = \frac{m}{V} \tag{1.3}$$

Bij gassen noemt men dit wel de *dichtheid*.
Het soortelijk volume v — de reciproke waarde van ρ — wordt uitgedrukt in m^3/kg.

$$v = \frac{1}{\rho} = \frac{V}{m}$$

$$V = mv$$

Bij vaste stoffen en vloeistoffen is de invloed van druk en temperatuur op het volume dus op ρ resp. v gering, bij gassen daarentegen zeer groot. In het laatste geval zullen dus, bij een opgave van ρ, v of V, de druk en temperatuur moeten worden vermeld.

---

* Als bij vaste stoffen en vloeistoffen een soortelijke warmte c wordt opgegeven, is dit eigenlijk c_p. Daar bij deze stoffen de volumeverandering bij verwarming zeer klein is, geldt dat $c_p \approx c_v = c$.

Meestal wordt daarvoor 0 °C en 760 mm Hg genomen. Men spreekt dan van ,,normale omstandigheden''.*

Het volume van 1 m³ gas, genomen bij ,,normale omstandigheden'' noemt men een normaal kubieke meter, afgekort 1 m_n^3 **.

In het technische stelsel wordt het soortelijk gewicht γ gedefinieerd als het quotiënt van gewicht en volume, uitgedrukt in kgf/m³.

De hiervoor opgestelde tabellen kunnen ook worden gebruikt om de waarde van ρ af te lezen. Immers het gewicht van een stof in kgf komt overeen met de massa ervan in kg, zodat ρ en γ numeriek gelijk zijn.

Het zijn echter wel volkomen verschillende eenheden (1 kgf/m³ $\neq$ 1 kg/m³). In het SI is:

$$\gamma = \frac{G}{V} \left[\frac{N}{m^3} \right]$$

Met $G = mg$ volgt hieruit dat:

$$\boxed{\gamma = \rho g} \qquad (1.4)$$

I.5. Verbrandingswaarde, stookwaarde

Onder de verbrandingswaarde van een vaste of vloeibare brandstof verstaat men de warmtehoeveelheid die vrijkomt bij de volledige verbranding van 1 kg brandstof.
De verbrandingswaarde wordt met een proef bepaald. Hierbij vindt condensatie plaats van de, in de verbrandingsgassen aanwezige waterdamp en komt dus condensatiewarmte vrij.

In de praktijk ontwijken de verbrandingsgassen echter steeds met een zo hoge temperatuur dat er geen condensatie optreedt. De verbrandingswaarde is dan ook geen juiste maatstaf voor de hoeveelheid warmte die voor praktische doeleinden uit de brandstof wordt verkregen. Men rekent daarom met de z.g. *stookwaarde* van de brandstof. (Ook wel onderste verbrandingswaarde genoemd).

De stookwaarde is te definiëren als de verbrandingswaarde minus de condensatie-warmte van de in de verbrandingsgassen aanwezige waterdamp.
Bij gasvormige brandstoffen wordt de stookwaarde niet per kg maar per m³ opgegeven. Om de stookwaarde van verschillende gassen gemakkelijk te kunnen vergelijken, wordt het volume genomen bij normale omstandigheden (kJ/m_n^3).

---

*Men kent ook nog een technische normaaltoestand. Hierbij is de druk eveneens 760 mm Hg, de temperatuur echter 15 °C i.p.v. 0 °C.

** In het SI kan zowel de veelgebruikte schrijfwijze Nm³ als nm³ aanleiding geven tot verwarring. N is immers het symbool voor newton, n van het voorvoegsel nana.

I.6. Rendement

Bij de omzetting van warmte in arbeid gaat een groot deel van de toegevoerde energie verloren. Bij motoren b.v. wordt door het koelwater en de uitlaatgassen warmte naar de omgeving afgevoerd.

Men tracht uiteraard machines te ontwerpen waarbij deze omzetting zo gunstig mogelijk verloopt. Als criterium hiervoor gebruikt men het thermisch rendement η.

Dit is de verhouding tussen de geleverde arbeid en de hiervoor benodigde hoeveelheid warmte.

$$\boxed{\eta = \frac{W}{Q}} \qquad (1.5)$$

De hoeveelheid warmte die per tijdseenheid in arbeid wordt omgezet, wordt het indicateurvermogen P_i genoemd.

De hoeveelheid arbeid die per tijdseenheid aan de as vrijkomt, noemt men het effectieve vermogen P_e.

Bij een motor is $P_e < P_i$ t.g.v. de wrijving tussen de bewegende delen van de machine.

Het mechanisch rendement is dan:

$$\eta_m = \frac{P_e}{P_i}$$

Bij een compressor daarentegen is $P_e > P_i$, zodat in het bovengenoemde quotiënt teller en noemer verwisseld moeten worden.

I.7. Eigenschappen van stoom

Wordt aan water in een ketel warmte toegevoerd dan wordt dit omgezet in stoom van een bepaalde druk p en temperatuur t. Onder de enthalpie h van deze stoom verstaat men het aantal kJ dat nodig is om uit 1 kg water van 0 °C bij constante druk stoom van bovengenoemde druk p en temperatuur t te vormen. Aan de voorwaarde dat bij de warmtetoevoer de druk constant moet blijven wordt in een ketel voldaan.

De totaal toe te voeren warmte kan als volgt worden verdeeld:

1 de *vloeistofwarmte q*. Hieronder verstaat men het aantal kJ dat nodig is om 1 kg water van 0 °C te verwarmen tot de verzadigingstemperatuur t_v.

2 de *verdampingswarmte r*. Dit is het aantal kJ nodig om 1 kg water met een temperatuur t_v om te zetten in verzadigde stoom van dezelfde temperatuur.

3 de *oververhittingswarmte s*. Wordt verzadigde stoom bij constante druk verwarmd dan stijgt de temperatuur en gaat de stoom over in onverzadigde damp. Men spreekt dan van overhitte stoom.

9

De vloeistofwarmte $q = ct_v$. Bij 15 °C is de soortelijke warmte $c = 4{,}19$ kJ/kg, bij hogere temperaturen neemt c toe. Tot ca. 150 °C is de afwijking echter niet groot, zodat gemakshalve met $c = 4{,}2$ kan worden gerekend.

De enthalpie van de vloeistof op kooktemperatuur:

$$h_{vl} = q \approx 4{,}2 \, t_v$$

De enthalpie van de verzadigde stoom:

$$h_d = q + r$$

Naarmate de druk op de vloeistof hoger is stijgt de verzadigingstemperatuur (dus de vloeistofwarmte) en neemt de verdampingswarmte af.

Beschouwt men keteldrukken tussen 5 bar en 100 bar, dan blijkt de som van deze beide (h_d) echter nagenoeg constant te zijn.

Het is mogelijk dat in stoom met temperatuur t_v waterdruppeltjes aanwezig zijn. Men spreekt dan van „natte stoom". Onder het vochtgehalte hiervan verstaat men het aantal kg water dat per kg natte stoom aanwezig is.

Is dit getal 0,15 dan is het stoomgehalte derhalve 0,85.

Is het stoomgehalte x dan kan voor de enthalpie van natte stoom worden geschreven:

$$h = q + x r$$

of:

$$h = x h_d + (1 - x) h_{vl}$$

De oververhittingswarmte is het produkt van de soortelijke warmte c_p en de temperatuurstijging van de verzadigde stoom.

De waarde van c_p is afhankelijk van druk en temperatuur, zodat steeds met een gemiddelde waarde zal moeten worden gerekend. Wordt de stoom tot een temperatuur t oververhit dan is de enthalpie van de oververhitte stoom:

$$h = q + r + c_p(t - t_v)$$

Dit is echter niet de warmte die in de ketel moet worden toegevoerd; het voedingswater wordt immers niet met 0 °C maar met een veel hogere temperatuur aan de ketel toegevoerd. Men heeft daarom het begrip *vormingswarmte* ingevoerd. Hieronder verstaat men het aantal kJ dat nodig is om 1 kg stoom van een bepaalde druk en temperatuur te vormen uit het voedingswater zoals dat aan de ketel wordt toegevoerd.

Is de temperatuur van het voedingswater b.v. 50 °C dan kan de vormingswarmte worden gevonden door de enthalpie van de stoom met 210 kJ te verminderen.

Toepassing

Een ketel met een rendement van 85 % levert per uur 2,5 ton stoom van 8 bar.

Bereken de per uur toe te voeren hoeveelheid brandstof als:
1 de ketel natte stoom levert met een vochtgehalte van 10 %;
2 de ketel stoom levert die 50 °C is oververhit.

Gegeven: $t_v = 170$ °C, $r = 2\,050$ kJ/kg, voedingswatertemperatuur 60 °C. Stookwaarde van de brandstof 40 MJ/kg.
Soortelijke warmte van de oververhitte stoom $c_p = 2,1$ kJ/kg K.

Oplossing

1 $h = q + xr = 170 \cdot 4,2 + 0,9 \cdot 2\,050 = 2\,559$ kJ/kg
Vormingswarmte: $2\,559 - 60 \cdot 4,2 = 2\,307$ kJ/kg

Brandstofhoeveelheid: $\dfrac{2500 \cdot 2307}{40 \cdot 10^3 \cdot 0,85} = \mathbf{170}$ kg/h.

2 $h = q + r + c_p\,(t - t_v) = 170 \cdot 4,2 + 2\,050 + 2,1\,(220 - 170) = 2\,869$ kJ/kg
Vormingswarmte: $2\,869 - 60 \cdot 4,2 = 2\,617$ kJ/kg

Brandstofhoeveelheid: $\dfrac{2500 \cdot 2617}{40 \cdot 10^3 \cdot 0,85} = \mathbf{192}$ kJ/h.

I.8. Vraagstukken

1. De druk in een waterleiding wordt gemeten met een open U-buis gevuld met kwik. Als de druk in de leiding 2,5 bar bedraagt, de barometerstand 1 000 mbar en de afstand tussen de aansluiting op de leiding en het laagste kwikniveau 50 cm is, hoeveel cm bedraagt dan het niveauverschil in beide benen?

2. De overdruk in een luchtleiding wordt gemeten met een open U-buis gevuld met een vloeistof waarvan het soortelijk gewicht 20 kN/m^3 bedraagt.
    Wat is de absolute druk van de lucht uitgedrukt in kN/m^2 als het niveauverschil tussen de beide benen 45 cm is en de barometerstand 1 000 mbar?

3. Een stalen onderdeel van 3 kg en 650 °C wordt bij het harden in een oliebad gedompeld waarin zich 100 kg olie van 10 °C bevindt. Wanneer de soortelijke warmte van het staal 0,5 kJ/kg K bedraagt en de temperatuurstijging van het oliebad 6 °C is, wat is dan de soortelijke warmte van de olie?

4. Als de soortelijke warmte afhankelijk is van de temperatuur volgens $c = a + b \cdot t$, waarın $a = 0,8$ kJ/kg K, $b = 0,0125$ kJ/kg K^2 en t de temperatuur in °C, hoeveel warmte kost het dan om 2,5 kg van de desbetreffende stof van 60 °C op 400 °C te brengen?

5. Een as van 50 mm diameter draait met 3 600 omw/min. De asdruk is 1 500 N, de wrijvingscoëfficiënt $\mu = 0,03$. Hoe groot is het vermogen dat verloren gaat? Als de wrijvingswarmte volledig door olie van 50 °C moet worden afgevoerd, hoeveel liter moet men dan per minuut toevoeren als de eindtemperatuur 60 °C bedraagt? $c_{\text{olie}} = 1,7$ kJ/kg K, $\rho_{\text{olie}} = 900$ kg/m^3.

6. Door een pomp, aangedreven door een dieselmotor, wordt 50 m³ water per uur 90 m omhoog gebracht. Als in pomp en leidingen geen verliezen optreden en het rendement van de dieselmotor 30 % bedraagt, bereken dan het brandstofverbruik in kg per uur. De stookwaarde van de brandstof is 40 MJ/kg. $\rho_w = 1\,000$ kg/m³, $g = 9,8$ m/s².

7. Door een scheepsturbine van 10 MW wordt d.m.v. een tandwielkast met een mechanisch rendement van 96 % de schroefas aangedreven. Als de aan deze kast toegevoerde smeerolie een temperatuurstijging van 10 °C verkrijgt, hoeveel ton olie moet dan per uur worden toegevoerd? Soortelijke warmte van de olie is 1,7 kJ/kg K.

8. Als per uur 1 250 kg tin in een elektrische oven, waarvan het rendement 90 % is, gesmolten moet worden, hoeveel kJ wordt dan elke 15 minuten uit het net opgenomen? Van het tin, dat met 22 °C in de oven wordt gebracht, is het smeltpunt 232 °C, de smeltingswarmte 55 kJ/kg, de soortelijke warmte 0,23 kJ/kg K.

9. Het vermogen van een motor wordt met een waterrem gemeten. De geleverde energie wordt hierbij volledig in warmte omgezet en door het water opgenomen. Bereken het vermogen van de motor als het water een temperatuurstijging van 10 °C verkrijgt en er 12 ton water per minuut door de rem stroomt. $c_w = 4,2$ kJ/kgK.

10. Van een scheepsdieselmotor is het brandstofverbruik 60 g/MJ. Wat is het rendement van de motor als de stookwaarde van de brandstof 40 MJ/kg bedraagt?

11. Voor een turbine-installatie van 10 MW worden per uur 5 400 kg kolen met een stookwaarde van 30 MJ/kg verbruikt. Wat is het totaal rendement van de installatie?

12. Een oliegestookte ketel met een rendement van 90 % levert stoom van 19,6 bar. Als de verdampingstemperatuur 210 °C bedraagt en de verdampingswarmte 1 890 kJ/kg, hoeveel liter olie is dan nodig om:
    a 25 ton stoom te vormen met een vochtgehalte van 10 %;
    b 25 ton stoom te vormen die 100 °C oververhit is.
    Gegeven: soortelijk massa olie 0,9 kg/dm³, soortelijke warmte van de oververhitte stoom 2,5 kJ/kg K, stookwaarde van de olie 40 MJ/kg, voedingswatertemperatuur 120 °C.

13. Als in een ketel, die propaan als brandstof gebruikt, uit water van 20 °C 500 kg verzadigde stoom van 10 bar gevormd moet worden, hoeveel m_n^3 propaan is daarvoor dan nodig, en wat is de stookwaarde per m_n^3 mengsel (propaan + verbrandingslucht)?
    Gegeven: stookwaarde propaan 100MJ/m_n^3

    Benodigde lucht voor de verbranding: 25m_n^3 per m_n^3 propaan

    Verdampingstemperatuur bij 10 bar: 180 °C.
    Verdampingswarmte bij 10 bar: 2 010 kJ/kg.
    Bij de verbranding gaat 20 % van de ontwikkelde warmte verloren.

14. Een ketel levert 25 ton stoom per uur. De vormingswarmte van de stoom is 2 500 kJ/kg de stookwaarde van de brandstof 30 MJ/kg. In een turbine worden per kg stoom 850 kJ in nuttige mechanische arbeid omgezet. De turbine drijft een generator aan met een rendement van 90 %. Wat is het vermogen van de turbine en dat van de generator in kW?
    Bereken het brandstofverbruik in kg per uur als het ketelrendement 83,5 % bedraagt.

HOOFDSTUK II

Gassen

II.1. Algemeen

Het is bekend dat door warmtetoevoer, alle stoffen bij een bepaalde druk en temperatuur in de gasvorm kunnen overgaan. De verdampingstemperatuur en -druk — ook wel verzadigingstemperatuur en -druk genoemd — zijn van elkaar afhankelijk. Een gasvormige stof in het verzadigingspunt, noemt men een verzadigde damp.

Wordt verzadigde damp bij constante druk verwarmd, dan wordt deze onverzadigd (oververhit). Bij sterke oververhitting spreekt men van een gas.

Een gas dat oneindig ver van het verzadigingspunt verwijderd is, kan als ideaal worden beschouwd. Voor deze gassen geldt de bekende wet van Boyle-Gay Lussac.

Verzadigde damp, oververhitte damp en een gas zijn verschillende toestanden van een stof in de gasfase. Een scherpe grens tussen deze drie is niet te trekken. Ook onverzadigde dampen volgen de wet van Boyle-Gay Lussac en wel des te beter naarmate ze verder van het verzadigingspunt zijn verwijderd.

II.2. Wet van Boyle-Gay Lussac

Deze wet, ook wel de gaswet genoemd, luidt:

Voor een bepaalde hoeveelheid gas is het produkt van druk en volume gedeeld door de absolute temperatuur constant.

$$\boxed{\frac{pV}{T} = C} \tag{2.1}$$

Tussen twee willekeurige toestanden van een bepaalde hoeveelheid gas bestaat dus de volgende betrekking:

$$\frac{p_1 V_1}{T_1} = \frac{p_2 V_2}{T_2}$$

Is tijdens de toestandsverandering een van de drie factoren T, p of V constant, dan verkrijgt men achtereenvolgens:

De wet van Boyle:

$$\boxed{p_1 V_1 = p_2 V_2} \quad (T \text{ is constant}) \tag{2.2}$$

Eerste wet van Gay-Lussac:

$$\boxed{\frac{V_1}{T_1} = \frac{V_2}{T_2}} \quad (p \text{ is constant}) \tag{2.3}$$

Tweede wet van Gay-Lussac:

$$\boxed{\frac{p_1}{T_1} = \frac{p_2}{T_2}} \quad (V \text{ is constant}) \tag{2.4}$$

Is de hoeveelheid gas 1 kg, dan is V het volume van 1 kg en dus per definitie het soortelijk volume v.

$$\frac{pv}{T} = C$$

Deze constante noemt men de specifieke gasconstante, die met R wordt aangegeven.

R is afhankelijk van de aard van het gas en kan door nauwkeurige meting van p, v en T worden bepaald (tabel I).

Is de massa van een gas m, dan is $V = mv$, zodat:

$$\frac{p(V/m)}{T} = R$$

of:

$$\boxed{pV = mRT} \tag{2.5}$$

Een vergelijking die het verband weergeeft tussen druk, temperatuur en volume van een stof, noemt men een *toestandsvergelijking*. Formule (2.5) is dus de toestandsvergelijking van een ideaal gas.

In deze vergelijking moet men:

p uitdrukken in N/m^2
V uitdrukken in m^3
m uitdrukken in kg
T uitdrukken in K

De eenheid van R is derhalve: Nm/kg K (J/kg K).

Genoemde wetten gelden alleen voor ideale gassen. Een gas dat zodanig verdund is, dat de onderlinge aantrekkingskracht van de moleculen alsmede

14

het eigen volume van de moleculen verwaarloosd kan worden, kan als ideaal worden beschouwd.

In werkelijkheid zal geen enkel gas volkomen voldoen aan de wet van Boyle-Gay Lussac.

Ze vertonen alle afwijkingen, maar deze zijn kleiner naarmate het soortelijk volume groter en de druk lager is.

Voor 1 kg van een ideaal gas geldt dat $\dfrac{pv}{RT} = 1$

Voor lucht bij verschillende drukken en temperaturen is deze waarde uit fig. 2.1 te bepalen.

Uit de grafiek blijkt duidelijk dat geen grote fout gemaakt wordt door lucht, bij niet te hoge drukken, als een ideaal gas te beschouwen. Hetzelfde geldt voor alle een- en twee-atomige gassen, zoals helium, argon, zuurstof, stikstof, waterstof en koolmonoxyde.

II.3. Absolute gasconstante R_a

We beschouwen 1 kilomol (kmol) van een ideaal gas, d.w.z. evenveel kg als de molaire massa bedraagt.

Voor een gas met een molaire massa M dus M kg.

De gaswet luidt dan:

$$pV = MRT$$

$$MR = \frac{pV}{T}$$

Fig. 2.1

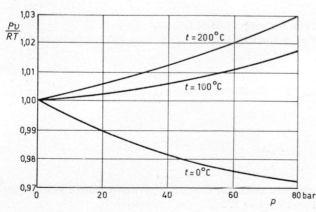

15

Volgens de wet van Avogadro heeft 1 kmol van elk willekeurig gas bij dezelfde druk en temperatuur hetzelfde volume. Bij 0 °C en 760 mm Hg is dit 22,4 m³ Het product MR heeft dus voor elk gas dezelfde waarde.

We noemen MR de absolute gasconstante R_a.

Deze wordt uitgedrukt in Nm/kmol K (J/kmol K).

Nemen we b.v. 1 kmol zuurstof (32 kg) bij 0 °C en 760 mm Hg dan is:

$$R_a = \frac{pV}{T} = \frac{1{,}013 \cdot 10^5 \cdot 22{,}4}{273} = 8\ 315 \text{ Nm/kmol K*}$$

Hiermee kan de gasconstante R van elk ideaal gas worden berekend door 8315 te delen door de molaire massa van het betreffende gas.

Voor reële gassen is het product van R (uit tabel I) en de molaire massa niet precies 8315 maar de afwijkingen zijn klein.

Opmerking:

Door Van der Waals is een toestandsvergelijking opgesteld voor reële gassen waarin door een term b rekening is gehouden met het eigen volume van de moleculen en door een factor $\frac{a}{v^2}$ met de onderlinge aantrekkingskracht.

Zowel a als b zijn constanten die alleen van de aard van het gas afhankelijk zijn.

De vergelijking

$$\left(p + \frac{a}{v^2}\right)(v - b) = RT$$

geldt nu ook voor gassen in de nabijheid van de verzadigingstoestand, hoewel ook deze betrekking niet geheel in overeenstemming is met het gedrag van een reëel gas. Ook door andere onderzoekers zijn (vaak ingewikkelde) vergelijkingen opgesteld. Voor practisch rekenen maakt men gebruik van tabellen die op grond van deze vergelijkingen zijn opgesteld. Een zeer goed overzicht van het verband tussen de verschillende toestandsgrootheden kan worden verkregen door de grootheden grafisch uit te zetten.

Toepassing 1

1 m³ lucht van 15 °C en 760 mm Hg weegt 12,65 N ($g = 9{,}8$ m/s²).

Wat is het soortelijk gewicht en de soortelijke massa bij 15 °C en 720 mm Hg?

Oplossing

Wordt de druk van 1 m³ lucht bij constante temperatuur (15 °C) verlaagd van 760 mm Hg tot 720 mm Hg dan geldt:

$$p_1 V_1 = p_2 V_2$$

$$V_2 = \frac{p_1 V_1}{p_2} = \frac{760}{720} = 1{,}055 \text{ m}^3.$$

---

* Dezelfde uitkomst wordt uiteraard verkregen door 32 te vermenigvuldigen met de gasconstante van zuurstof ($R = 259{,}9$ J/kg K).

Omrekening van de druk in N/m^2 is hier niet noodzakelijk omdat in de vergelijking alleen de drukverhouding voorkomt. Het gewicht is 12,65 N gebleven, zodat het soortelijk gewicht gelijk is aan:

$$\gamma = \frac{G}{V_2} = \frac{12,65}{1,055} = 12,0 \text{ N/m}^3.$$

De soortelijke massa $\rho = \dfrac{\gamma}{g} = \dfrac{12,0}{9,8} = 1,22$ kg/m^3.

Toepassing 2

Verbrandingsgassen die met 1 250 °C uit de vuurhaard stromen, hebben na de ketel nog een temperatuur van 200 °C. Bereken de volumevermindering indien het volume van de gassen in de vuurhaard 5 000 m³ bedroeg en de druk geen verandering heeft ondergaan.

Oplossing

Heeft de index 2 betrekking op de toestand na de ketel dan is:

$$V_2 = \frac{T_2}{T_1} V_1 = \frac{473}{1523} 5000 = 1550 \text{ m}^3.$$

De volumevermindering is dus 5 000 − 1 550 = **3 450** m³.

Toepassing 3

50 l lucht met een druk van 1 bar en 17 °C wordt gecomprimeerd tot 9 bar, waarbij het volume daalt tot 10 l.
Bepaal:
1 De hoeveelheid lucht in kg. $R = 287$ J/kg K.
2 De eindtemperatuur van de lucht.
3 Het aantal m³ lucht betrokken op 0 °C en 760 mm Hg.
4 De soortelijke massa in de eindtoestand.

Oplossing

1 $m = \dfrac{p_1 V_1}{R T_1} = \dfrac{10^5 \cdot 0,05}{287 \cdot 290} = 0,06$ kg

2 $T_2 = \dfrac{p_2 V_2}{mR} = \dfrac{9 \cdot 10^5 \cdot 0,01}{0,06 \cdot 287} = 523$ K

3 Geeft men de nieuwe toestand aan met de index 0 dan is:

$$V_0 = \frac{mRT_0}{p_0} = \frac{0,06 \cdot 287 \cdot 273}{101\ 300} = 0,0464 \text{ m}^3.$$

Dit is natuurlijk ook te berekenen uit:

$$\frac{p_0 V_0}{T_0} = \frac{p_1 V_1}{T_1}$$

$$V_0 = \frac{p_1 V_1}{T_1} \frac{T_0}{p_0} = \frac{105 \cdot 0,05}{290} \cdot \frac{273}{101\ 300} = 0,0464 \text{ m}^3.$$

4 $\rho = \dfrac{m}{V} = \dfrac{0,06}{0,01} = 6,0$ kg/m^3

17

II.4. Vraagstukken

1. Een compressor zuigt lucht aan met een onderdruk van 0,1 bar. De barometerstand is 750 mm Hg. Als bij de compressie de temperatuur constant blijft en het volume verkleind wordt tot op $\frac{1}{4}$ van de oorspronkelijke waarde, wat is dan de aanwijziging van een manometer in bar aan het einde van de compressieslag?

2. Bij expansie van 1 kg van een gas met soortelijke massa 1,55 kg/m³ blijft de temperatuur constant. Als de begindruk driemaal zo groot is als de einddruk, hoeveel bedraagt dan het eindvolume?

3. In de luchtverhitter van een ketel wordt 5 000 m³ lucht per uur verwarmd van 20 °C tot 250 °C. Hierbij treedt geen drukverlies op. Bereken de volumetoename in procenten alsmede het percentage waarmee de zijde van een vierkant luchtkanaal moet worden vergroot als de eis wordt gesteld dat de luchtsnelheid vóór en na de luchtverhitter dezelfde moet zijn.

4. Een ketel heeft een rooster van 25 m² waarop per m² 150 kg kolen per uur worden verbrand.
   Per kg kolen ontstaan bij de verbranding 15 m_n^3 rookgassen die met 150 °C en een druk van 700 mm Hg de ketel verlaten. Bepaal de snelheid van de gassen als het beschikbare oppervlak voor de doorstroming 5,2 m² bedraagt.

5. Van een gas is bekend dat de soortelijke massa bij 0 °C en 1 bar 1,5 kg/m³ bedraagt. Bereken:
   a De gasconstante R.
   b De druk die het gas uitoefent indien 2,73 kg hiervan zich bevindt in een vat van 20 dm³ bij een temperatuur van 27 °C.

6. In een vat van 5 m³ bevindt zich een gas dat van 0 °C tot 82 °C wordt verwarmd. Hierbij blijft de druk constant doordat het gas door een veiligheid kan ontwijken. Hoeveel procent van de oorspronkelijke hoeveelheid blijft in het vat achter?

7. In een cilinder van 50 l, afgesloten door een zuiger, bevindt zich een gas van 27 °C waarvan de soortelijke warmte c_p 1,0 kJ/kg K bedraagt en de soortelijke massa 1,5 kg/m³. Als, door het verplaatsen van de zuiger, het volume gehalveerd wordt, hoeveel kJ moet men dan afvoeren om de druk van het gas constant te houden en wat is de soortelijke massa in de eindtoestand?

8. In een zuurstoffles bevindt zich 50 l zuurstof van 17 °C en 150 bar. $R = 260$ J/kg K.
   a Bereken de hoeveelheid zuurstof.
   b Hoe hoog kan de temperatuur oplopen voordat de druk 180 bar geworden is?
   c Als de helft van de zuurstof verbruikt is, wat is dan de druk bij een temperatuur van 17 °C resp. 0 °C en wat is de soortelijke massa?

9. Een ruimte is gevuld met 10 m³ lucht van 9 bar en 132 °C. $R = 287$ J/kg K. Bereken:
   a De temperatuur die de lucht verkrijgt als men het volume verdubbelt en de druk verdrievoudigt.

18

b He aantal m^3_n lucht dat daarmee overeenkomt.

c De soortelijke massa van de lucht in de gegeven toestand.

d De temperatuur waarbij lucht van 9 bar een soortelijke massa heeft van 6,15 kg/m³.

10. Van een oven die met gas wordt verwarmd is bekend dat het gas met een temperatuur van 20 °C en een overdruk van 500 mm H_2O wordt toegevoerd. De barometerstand is 750 mm Hg.

Bereken de stookwaarde van het gas per m³ als de stookwaarde per m^3_n 17 000 kJ bedraagt.

11. Een ketel met een rendement van 80 % verbruikt 200 kg olie per uur waarvan de stookwaarde 40 MJ/kg bedraagt.

Bij de verbranding ontstaan per kg olie 15 m^3_n rookgassen ($R = 280$ J/kg K) die met

160 °C en een druk van 1 bar de ketel verlaten. Berekcn:

a De hoeveelheid rookgassen in kg/h.

b De soortelijke massa hiervan zowel bij 0 °C en 760 mm Hg als direct na de ketel.

c Het oppervlak van het rookkanaal na de ketel als de gassnelheid er 4 m/s bedraagt.

d De stoomproduktie van de ketel per uur als voor de vormingswarmte van de stoom 3 000 kJ/kg wordt gerekend.

12. Een gasmotor van 500 kW gebruikt per uur 650 m³ gas van 1 bar en 30 °C.

De stookwaarde hiervan is 13 000 kJ/m^3_n.

Wat is het brandstofverbruik per uur van een gas met een stookwaarde van 30 MJ/m^3_n, dat aangezogen wordt met een temperatuur van 47 °C en een druk van 0,85 bar?

Het rendement van de motor blijft gelijk.

Wat is in het laatste geval het gasverbruik in m^3_n per MJ en wat is het rendement van de motor?

3. Een ballon wordt volledig gevuld met 250 m³ helium van 20 °C en 75 cm Hg. Op grote hoogte is de temperatuur van het gas −23 °C, de druk 50 cm Hg en de soortelijke massa 0,128 kg/m³. Hoeveel m³ helium, betrokken op de begintoestand, zijn uit de ballon ontweken als de diameter gelijk is gebleven en wat is de gasconstante R?

GASMENGSELS

II.5. Wet van Dalton

Aardgas, lucht, verbrandingsgassen van diverse brandstoffen zijn mengsels van verschillende gassen. Hiervoor geldt de wet van Dalton die aldus geformuleerd kan worden:

De druk die een gasmengsel in een ruimte met volume V uitoefent is de som van de drukken die elk van de gassen zou uitoefenen wanneer het zich alleen — bij dezelfde temperatuur — in deze ruimte zou bevinden.

De druk die door elk gas afzonderlijk wordt uitgeoefend, noemt men de partiële druk van het gas.

De druk p van een gasmengsel is dus de som van de partiële drukken.

$$\boxed{p = p_1 + p_2 + \dots + p_n}$$ (2.6)

In een gasmengsel hebben de afzonderlijke gassen dezelfde temperatuur en hetzelfde volume (namelijk het totaal beschikbare volume V) maar de drukken zijn verschillend (p_1, p_2 enz.).

Voor één van de gassen uit het mengsel geldt:

$$p_1 V = m_1 R_1 T \qquad \text{(a)}$$

Voor het mengsel is:

$$pV = m R_m T \qquad \text{(b)}$$

waarin:

$$m = m_1 + m_2 + \dots + m_n \qquad \text{(c)}$$

Wordt één van de gassen van het mengsel bij constante temperatuur gecomprimeerd tot de druk p van het mengsel, dan verandert het volume van V tot V_1. Dan geldt:

$$p V_1 = m_1 R_1 T \qquad \text{(d)}$$

Uit (a) en (d) volgt:

$$p_1 V = p V_1 \rightarrow \frac{p_1}{V_1} = \frac{p}{V}$$

Voor een tweede gas geldt:

$$p_2 V = p V_2 \rightarrow \frac{p_2}{V_2} = \frac{p}{V}$$

zodat:

$$\boxed{p_1 : p_2 : \dots \, p_n = V_1 : V_2 : \dots : V_n}$$ (2.7)

De partiële drukken verhouden zich als de volumina.

Zijn de volumina niet bekend, dan kunnen de partiële drukken worden bepaald door deling van de overeenkomstige leden van vergelijking (a) en (b).

$$\frac{p_1}{p} = \frac{m_1 R_1}{m R_m}$$

$$\boxed{p_1 = \frac{m_1 R_1}{m R_m} \, p}$$ (2.8)

Voor een tweede gas van dit gasmengsel geldt:

$$p_2 = \frac{m_2 R_2}{m R_m} \, p$$

II.6. Gasconstante van gasmengsels

We gaan hierbij uit van de wet van Dalton:

$$p = p_1 + p_2 + \dots + p_n$$

Substitutie van p_1 enz. uit (a) en p uit (b) levert:

$$\frac{mR_mT}{V} = \frac{m_1R_1T}{V} + \frac{m_2R_2T}{V} + \dots + \frac{m_nR_nT}{V}$$

$$\boxed{R_m = \frac{m_1}{m}R_1 + \frac{m_2}{m}R_2 + \dots \frac{m_n}{m}R_n} \tag{2.9}$$

Ook geldt:

$$m = m_1 + m_2 + \dots + m_n$$

De massa's berekend uit (b) en (d) hierin gesubstitueerd levert:

$$\frac{pV}{R_mT} = \frac{pV_1}{R_1T} + \frac{pV_2}{R_2T} + \dots + \frac{pV_n}{R_nT}$$

of na vermenigvuldiging van alle termen met $\dfrac{T}{pV}$:

$$\boxed{\frac{1}{R_m} = \frac{V_1}{V}\frac{1}{R_1} + \frac{V_2}{V}\frac{1}{R_2} + \dots + \frac{V_n}{V}\frac{1}{R_n}} \tag{2.10}$$

Is de massaverhouding bekend dan kan R_m met (2.9) worden berekend en is de volumeverhouding bekend dan kan R_m met (2.10) worden berekend.

II.7. Massa- en volumeverhoudingen

Volgens (d) is:

$$m_1 : m_2 : \dots : m_n = \frac{pV_1}{R_1T} : \frac{pV_2}{R_2T} : \dots : \frac{pV_n}{R_nT} = \frac{V_1}{R_1} \cdot \frac{V_2}{R_2} : \dots : \frac{V_n}{R_n}$$

$$\boxed{m_1 : m_2 : \dots : m_n = \frac{V_1}{V}\frac{1}{R_1} : \frac{V_2}{V}\frac{1}{R_2} : \dots : \frac{V_n}{V}\frac{1}{R_n}} \tag{2.11}$$

Uit (d) volgt ook dat:

$$V_1 : V_2 : \dots : V_n = \frac{m_1R_1T}{p} : \frac{m_2R_2T}{p} : \dots \frac{m_nR_nT}{p}$$

$$V_1 : V_2 : \dots : V_n = \frac{m_1}{m} R_1 : \frac{m_2}{m} R_2 : \dots : \frac{m_n}{m} R_n \qquad (2.12)$$

Met behulp van (2.11) en (2.12) kunnen massa- en volumeverhouding worden berekend als de volumeverhouding resp. massaverhouding gegeven is.

Toepassing

Een gasmonster bestaat uit 30 % kooldioxide (CO_2) 15 % waterstof (H_2) en 55 % stikstof (N_2).
De percentages hebben betrekking op het volume. Bepaal de massaverhouding, de gasconstante van het mengsel en de soortelijke massa bij 10 °C en 1 bar. $R_{CO_2} = 189$ J/kg K, $R_{H_2} = 4123$ J/kg K, $R_{N_2} = 297$ J/kg K.

Oplossing

$$m_1 : m_2 : m_3 = \frac{V_1}{V} \frac{1}{R_1} : \frac{V_2}{V} \frac{1}{R_2} : \frac{V_3}{V} \frac{1}{R_3} =$$

$$= \frac{30}{100} \cdot \frac{1}{189} : \frac{15}{100} \cdot \frac{1}{4123} : \frac{55}{100} \cdot \frac{1}{297}$$

$$m_1 : m_2 : m_3 = \mathbf{15{,}9 : 0{,}364 : 18{,}5.}$$

De gasconstante is te berekenen uit (2.9) of (2.10). Volgens (2.10) is:

$$\frac{1}{Rm} = \frac{V_1}{V} \frac{1}{R_1} + \frac{V_2}{V} \frac{1}{R_2} + \frac{V_3}{V} \frac{1}{R_3}$$

$$Rm = \mathbf{288} \text{ J/kg K.}$$

De soortelijke massa is:

$$\rho = \frac{m}{V} = \frac{p}{RT} = \frac{10^5}{288 \cdot 283} = \mathbf{1{,}23} \text{ kg/m}^3$$

II.8. Vraagstukken

14. In een ruimte van 50 l worden achtereenvolgens samengebracht 25 l gas van 8 bar, 30 l gas van 12 bar en 30 l van 10 bar. De temperatuur van de gassen is gelijk. Bepaal de einddruk in bar.

15. Twee vaten van 50 l en 75 l, gevuld met gas van dezelfde temperatuur, kunnen met elkaar in verbinding worden gebracht. Als de druk in het eerste vat 50 bar bedraagt, die in het tweede 30 bar, wat wordt dan de einddruk wanneer de verbinding tot stand is gebracht?

16. Een ballon van 5 l inhoud wordt gevuld met 3 l lucht van 100 kN/m² en 57 °C en 4 l koolzuur van 175 kN/m² en dezelfde temperatuur. Bepaal de verhouding van de partiële drukken, de massa- en volumeverhouding en de gasconstante van het mengsel. Bereken de partiële drukken als de temperatuur 0 °C bedraagt.
$R_l = 287$ J/kg K, $R_K = 189$ J/kg K.

17. De massa van lucht bestaat voor 24 procent uit zuurstof, en voor 76 procent uit stikstof. Bepaal de gasconstante van het mengsel, de partiële drukken en de volumeverhouding als de druk van de lucht 200 kN/m² is.
$R_z = 260$ J/kg K, $R_s = 297$ J/kg K.

18. 1 m_n^3 van een gas ($R = 520$ J/kg K) wordt gemengd met 5 m_n^3 lucht ($R = 287$ J/kg K). Bepaal de gasconstante van het mengsel, de massa's en de soortelijke massa bij 20 °C en 760 mm Hg.

19. Tien kg gas ($R = 297$ J/kg K) wordt gemengd met 5 kg van een ander gas, waarvan $R = 519$ J/kg K. De temperatuur van de gassen is gelijk. Bepaal de volumeverhouding, de gasconstante van het mengsel en de soortelijke massa bij 0 °C en 1 bar. Wat zijn de partiële drukken, wanneer de druk van het mengsel 2 bar bedraagt?

20. In een vat van 5 m³ bevindt zich lucht met een temperatuur van 20 °C en een druk van 2 bar. Men vult het vat verder met zoveel propaangas van 20 °C dat het mengsel tenslotte een druk van 10 bar verkrijgt.
De stookwaarde van het propaan is 45 MJ/kg. Bepaal de partiële drukken, de massa- en volumeverhouding, de gasconstante van het mengsel, de stookwaarde van het mengsel in MJ per m_n^3 en de soortelijke massa van het propaangas bij 0 °C en 76 cm Hg.
$R_l = 287$ J/kg K, $R_p = 189$ J/kg K.

HOOFDSTUK III

De eerste hoofdwet

III.1. Inleiding

Energie kan in verschillende vormen voorkomen o.a. als magnetische energie, als stralingsenergie, als kinetische of potentiële energie, als thermische energie (warmte)* enz.

Volgens een ervaringswet, de wet van behoud van energie, kan geen energie verloren gaan en omgekeerd kan er geen energie uit het niets ontstaan.

Wel is het mogelijk de ene vorm van energie in een andere te doen overgaan. Zo kan mechanische energie worden omgezet in thermische energie (wrijving) of in elektrische energie (generator), chemische energie in thermische energie (verbranding van brandstof) of in elektrische energie (galvanisch element). Bij al deze omzettingen geldt de wet van behoud van energie.

De technische warmteleer behandelt de problemen die samenhangen met de omzetting van thermische energie in mechanische en omgekeerd.

Hierbij gaat men uit van twee hoofdwetten. Deze kunnen niet worden bewezen, maar ze ontlenen hun kracht aan het feit dat geen enkel experiment met deze twee hoofdwetten en de daaruit afgeleide wetten ooit in tegenspraak is geweest. De wet van behoud van energie staat in de warmteleer bekend als de eerste hoofdwet. De tweede hoofdwet drukt uit dat het onmogelijk is om een gegeven warmtehoeveelheid volledig in arbeid om te zetten. Steeds zal een gedeelte van de toegevoerde energie ongebruikt moeten worden afgevoerd. Alvorens op de eerste hoofdwet in te gaan, zullen enige algemene begrippen nader worden omschreven.

Onder een *systeem* verstaat men een deel van de ruimte waarbinnen zich een stof bevindt waarvan het gedrag en de eigenschappen onderzocht zullen

---

* De uitspraak dat warmte een vorm van energie is steunt voornamelijk op de proeven ter bepaling van het mechanisch warmte-equivalent.

24

worden. Zoals bekend bestaat er geen principiëel verschil tussen arbeid en warmte. Als aan een systeem arbeid en/of warmte is toegevoerd kan men dit korter formuleren door te spreken van „energie is aan het systeem toegevoerd''. Daarbij wordt dan in het midden gelaten op welke wijze dit is geschied; door warmtetoevoer, door toevoer van arbeid of door beide.

Wordt aan een systeem energie toe- of afgevoerd, dan zijn begin- en eindtoestand verschillend. Voor het uitvoeren van een berekening is het noodzakelijk deze toestanden te kennen.

Onder de *toestand* van een systeem verstaat men de waarde, die bepaalde karakteristieke grootheden op het beschouwde ogenblik hebben. Deze grootheden worden daarom *toestandsgrootheden* genoemd. Ze moeten de eigenschap bezitten onafhankelijk te zijn van de wijze waarop de eindtoestand werd bereikt en op de een of andere manier meetbaar zijn, zodat men er een getalwaarde van kan opgeven. Druk, temperatuur en volume zijn bekende voorbeelden hiervan. Daarnaast kent men nog andere z.g. „afgeleide'' toestandsgrootheden zoals de inwendige energie U, de entropie S en de enthalpie H.

Verandert de toestand van een systeem dan moet men, om de overgedragen energie te kunnen berekenen, de *begrenzingen* van het systeem van te voren nauwkeurig vastleggen, want slechts arbeids- en warmtehoeveelheden, die de grenslijn passeren, zijn van belang.* De begrenzing kan o.a. bestaan uit een vaste wand (een gesloten vat) of uit een cilinderwand en een zuiger (fig. 3.1). In het laatste geval kan, omdat het mogelijk is de grenslijn te verplaatsen, arbeid aan het systeem worden toegevoerd of ervan worden afgevoerd.

In beide gevallen spreekt men van een *gesloten systeem* omdat dezelfde hoeveelheid stof binnen de gestelde grenzen blijft.

Bij *open systemen* wisselt de stof die zich binnen de grenslijnen van het systeem bevindt, voortdurend, b.v. stoom die door een turbine stroomt of water dat aan een ketel wordt toegevoerd en deze als stoom weer verlaat.

De grootheden die de toestand van een systeem bepalen, zijn niet alle onaf-

Fig. 3.1

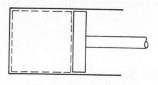

— — — — grenslijnen

---

* Zijn er in een systeem dat van zijn omgeving volkomen is geïsoleerd temperatuurverschillen, dan zal er na enige tijd, t.g.v. inwendige warmte-overdracht, een evenwichtstoestand bereikt zijn. Op de term Q heeft deze warmte-overdracht echter geen invloed aangezien er geen warmte de grenslijn gepasseerd is.

hankelijk van elkaar. Zo heeft men voor *gesloten* systemen experimenteel bepaald dat het, wanneer het systeem in evenwicht is, nodig en voldoende is twee *van elkaar onafhankelijke* toestandsgrootheden te geven. Elke andere is dan van deze twee afhankelijk.

Zijn dus b.v. *T* en *V* bekend, dan ligt de toestand van het systeem vast en daarmee alle grootheden die daarvan afhangen, zoals *p*, *U*, *S* en *H*.

(Waarom is de toestand van een kokende vloeistof niet vastgelegd door zijn druk en temperatuur?)

De berekening van open systemen is gecompliceerder omdat, behalve de reeds genoemde ,,thermodynamische'' toestandsgrootheden, nu ook de z.g. ,,mechanische'' toestandsgrootheden in de beschouwing moeten worden betrokken. De mechanische toestand kan worden vastgelegd wanneer de toe- en afvoersnelheden van de stof t.o.v. de grenslijn (kinetische energie) en de plaats in het zwaartekrachtveld (potentiële energie) gegeven zijn.

In X.5 zal hierop nader worden ingegaan. De mechanische toestandsgrootheden zijn onafhankelijk van elkaar en van de thermodynamische toestandsgrootheden.

Onder *de omgeving* verstaat men alles wat zich buiten de aangenomen grenslijnen bevindt.

III.2. De eerste hoofdwet

Wordt aan een *gesloten* systeem energie, in welke vorm dan ook, toegevoerd, dan wordt deze energie teruggevonden als een stijging van de energie van het systeem.

Volgens de wet van behoud van energie kan nu eenmaal geen energie verloren gaan.

Men zegt nu dat de inwendige energie *U* van het systeem is toegenomen. Is deze in de begintoestand U_1 en in de eindtoestand U_2, dan is $(U_2 - U_1)$ gelijk aan de toegevoerde energie.

Bij energie-afvoer is $(U_2 - U_1)$ uiteraard negatief.

Wordt de energie toegevoerd in de vorm van een warmtehoeveelheid *Q* en een hoeveelheid arbeid *W* dan geldt dus dat:

$$Q + W = U_2 - U_1$$

Voor *Q* en *W* moeten dan positieve waarden worden ingevuld.

Bij de meeste technische processen echter is het doel het *leveren* van arbeid ten koste van warmte (brandstof) die aan het systeem wordt toegevoerd.

De tekens worden nu zo gekozen dat in dit ,,normale'' geval de waarden van *Q* en *W* positief worden.

Wordt dus warmte aan het systeem toegevoerd, dan moet voor *Q* een positieve waarde worden ingevuld, bij warmteafvoer een negatieve waarde.

De waarde van W is positief wanneer arbeid door het systeem wordt geleverd en negatief wanneer arbeid op het systeem wordt verricht.

De eerste hoofdwet kan nu als volgt worden geschreven:

$$Q = U_2 - U_1 + W \qquad (3.1)$$

Deze vergelijking is de wiskundige vertaling van de wet van behoud van energie, toegepast op een gesloten systeem.

Alleen de energievormen, die in de werktuigbouwkunde van belang zijn, zijn hier in rekening gebracht.

Alle termen van deze vergelijking moeten natuurlijk in dezelfde eenheid worden uitgedrukt, b.v. kJ.

III.3. Inwendige energie

In het voorafgaande bleek dat een systeem in staat is energie op te nemen. Op een later tijdstip kan men deze energie weer vrijmaken, zodat, zoals bij een samengeperst gas, het systeem arbeid kan leveren zonder dat *gelijktijdig* van buiten af energie wordt toegevoerd. Deze energie is in het systeem aanwezig in de vorm van:

1   Kinetische energie van de moleculen, die bestaat uit translatie-energie bij gassen en vloeistoffen en vibratie-energie bij een stof in de vaste fase.
2   Potentiële energie van de moleculen, die zijn oorzaak vindt in de onderlinge aantrekkingskracht (cohesie).
    Deze is slechts merkbaar bij kleine onderlinge afstanden.
3   Intramoleculaire energie. Hiertoe rekent men alle energievormen die binnen het molecuul kunnen optreden.

De totale hoeveelheid energie noemt men de inwendige energie. Gezien de factoren waardoor deze bepaald wordt, is het duidelijk dat meting ervan niet mogelijk is. Men kan echter wel nagaan met welk bedrag de inwendige energie toe- of afneemt. En daar in (3.1) de term $U_2 - U_1$ voorkomt, is dit voldoende. De inwendige energie is afhankelijk van de toestand (pVT) van het systeem. Wanneer dit, na een aantal toestandsveranderingen te hebben ondergaan, weer in de begintoestand terugkeert, dan heeft ook de inwendige energie weer dezelfde waarde.

Door Joule werd proefondervindelijk vastgesteld dat de inwendige energie alleen afhankelijk is van de temperatuur van het gas. Bij deze proef werden twee gelijke vaten A en B in een goed geïsoleerde calorimeter geplaatst (fig. 3.2). In het vat A bevond zich een gas (lucht) met druk p_1 (22 bar), vat B was zo goed mogelijk luchtledig gemaakt ($p_2 = 0$). Bij openen van de verbindings-kraan C stroomt gas van A naar B tot een nieuwe evenwichtstoestand is

27

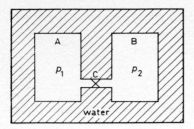

Fig. 3.2

bereikt. Beschouwen we nu de buitenste lijnen van de calorimeter als begrenzingen van het systeem, dan is de verrichte uitwendige arbeid nul, evenals de overgedragen warmtehoeveelheid (isolatie).

Volgens de eerste hoofdwet (3.1) moet dan $U_2 = U_1$ zijn.

Uit $U = f(pVT)$ en $f(pVT) = 0$ (toestandsvergelijking) kan p worden geëlimineerd. Dit levert $U = f(V, T)$

Uit het feit dat bij de proef het volume veranderde, maar bij meting geen temperatuursverandering van het water, dus van het gas, werd geconstateerd, trok Joule de volgende conclusie:

De inwendige energie U van een gas is onafhankelijk van het volume, maar alleen afhankelijk van de temperatuur.

Later bleek deze uitspraak alleen juist te zijn voor een ideaal gas, zoals bij de kinetische gastheorie wiskundig kan worden aangetoond.

Joule constateerde geen temperatuurverandering, omdat lucht van niet al te hoge druk, een ideaal gas goed benadert en de proefopstelling zodanig was dat zeer kleine temperatuurveranderingen van het gas niet konden worden waargenomen.

De uitkomst kan ook worden verklaard door te bedenken dat bij de voorstelling die men zich maakt over de moleculaire structuur van de materie, de intramoleculaire energie niet kan veranderen. Ook zijn bij een ideaal gas de onderlinge afstanden van de moleculen zo groot dat de cohesiekrachten kunnen worden verwaarloosd. Dit betekent dat de verandering van de potentiële energie van de moleculen nul gesteld kan worden. Alleen de kinetische energie kan dus veranderen en daar de temperatuur een maatstaf is voor de verandering hiervan zal de inwendige energie alleen van de temperatuur afhangen.

In fig. 3.3 zijn een aantal willekeurige toestandsveranderingen 1-2 aangegeven. Daar alle eindtoestanden op dezelfde isotherm zijn gelegen, is $U_2 - U_1$ voor elk proces hetzelfde. Het is dus onverschillig langs welke weg de waarde van $U_2 - U_1$ wordt bepaald.

Kiezen we hiervoor een constant volumeproces dan geldt volgens (3.1) dat:

$$Q = U_2 - U_1$$

28

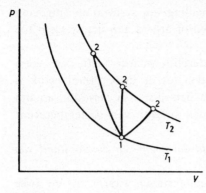

Fig. 3.3

Daar bij de toestandsverandering het volume niet verandert, is de uitwendige arbeid $W = 0$ en moet de stijging van de inwendige energie gelijk zijn aan de toegevoerde warmtehoeveelheid.

Als c_v constant wordt verondersteld dan is:

$$Q = mc_v(T_2 - T_1)$$

zodat ook:

$$\boxed{U_2 - U_1 = mc_v(T_2 - T_1)} \qquad (3.2)$$

Deze uitdrukking is voor een ideaal gas algemeen geldig.

De beperking tot een constant volumeproces is, zoals uit het bovenstaande duidelijk is, niet vereist.

Voor praktische doeleinden wordt dikwijls de inwendige energie in een bepaalde toestand nul gesteld ($U_0 = 0$). Voor de inwendige energie in willekeurige andere toestanden 1, 2, 3 enz. kan dan een tabel worden opgesteld. Strikt genomen stellen de getabelleerde waarden U_1, U_2 enz. dus voor $(U_1 - U_0)$, $(U_2 - U_0)$ enz. Bij de bepaling van het verschil valt U_0 weg; de keuze van de begintoestand U_0 is dus van geen belang.

III.4.   Omkeerbare en niet-omkeerbare processen

Van een systeem zegt men dat het in *thermodynamisch evenwicht* verkeert wanneer er geen veranderingen van druk en temperatuur meer optreden nadat men het systeem geïsoleerd heeft van zijn omgeving.

Onder ,,isolatie'' wordt dan een zodanige scheiding van systeem en omgeving verstaan, dat het onmogelijk is om warmte en/of arbeid aan het systeem toe te voeren of van het systeem af te voeren.

Wanneer de druk in een systeem niet overal dezelfde waarde heeft, dan zullen in het systeem zo lang veranderingen optreden tot de druk overal gelijk is geworden. Voor temperatuurverschillen geldt hetzelfde. Na verloop van tijd zijn ook deze verdwenen. Alleen dan kan men spreken van *de* temperatuur en *de* druk van het systeem.

In het volgende zal steeds worden verondersteld dat begin- en eindtoestand van het systeem evenwichtstoestanden zijn.

Een evenwichtstoestand kan in een coördinatenstelsel waarin op de twee assen toestandsgrootheden worden uitgezet, als een punt worden weergegeven. Indien men aanneemt dat er bij de toestandsverandering op ieder ogenblik evenwicht is, dan kunnen alle toestanden door punten worden weergegeven. Een dergelijk proces noemt men *omkeerbaar*.

Wordt een omkeerbare compressie van een gas op een willekeurig moment afgebroken en gevolgd door een omkeerbare expansie, dan worden hierbij precies dezelfde toestanden doorlopen, zodat compressie- en expansiekromme samenvallen.

Dit betekent dat de *op* het systeem verrichte arbeid bij de compressie gelijk is aan de *door* het systeem geleverde arbeid bij de expansie. Ook de warmtestroom verandert van richting; warmte die aan het systeem was toegevoerd, vloeit weer af naar de omgeving (of omgekeerd), zodat zowel systeem als omgeving zich na de toestandsverandering in precies dezelfde situatie bevindt als ervóór.

Om een toestandsverandering omkeerbaar te doen verlopen, moet aan de wijze waarop deze wordt uitgevoerd, bepaalde eisen worden gesteld.

Beschouwen we een volmaakt geïsoleerde cilinder waarvan de zuiger met een vliegwiel is verbonden. Tussen zuiger en cilinderdeksel bevindt zich een samengeperst gas. Is de druk hiervan hoger dan de atmosferische druk, dan zal de zuiger zich van het bovenste dode punt (b.d.p.) naar het o.d.p. bewegen. De arbeid die het gas daarbij verricht, wordt opgenomen door het vliegwiel dat hierdoor een zekere kinetische energie verkrijgt.

In het o.d.p. is deze energie maximaal en, als het proces omkeerbaar is, juist voldoende om het gas weer in de oorspronkelijke toestand terug te brengen. In werkelijkheid zal de zuiger het b.d.p. niet bereiken. Omdat de zuiger zich tijdens de expansie snel verplaatst, zal de druk vlak boven de zuiger lager zijn dan bij het cilinderdeksel, zodat in het gas wervelingen optreden. Het is duidelijk dat druk en temperatuur in de verschillende delen van het systeem tijdelijk verschillen zullen vertonen en het proces dus niet bestaat uit een serie evenwichtstoestanden. Een dergelijk proces noemt men *inwendig onomkeerbaar*.

Een niet omkeerbaar proces wordt in een toestandsdiagram weergegeven door

30

een stippellijn tussen begin- en eindpunt, daarmee aangevende dat de toestanden in de tussenliggende punten niet bepaald zijn.

Om een toestandsverandering omkeerbaar te doen verlopen moet er in elk stadium van het proces mechanisch evenwicht zijn. Dit betekent dat het verschil tussen de druk van het systeem en die van de omgeving oneindig klein moet zijn.

In het systeem ontstaan dan geen drukverschillen, geen wervelingen en de toestandsgrootheden hebben op elke plaats in het systeem dezelfde waarde.

Uit de wijze waarop de toestandsverandering moet worden uitgevoerd blijkt dat deze oneindig langzaam zal moeten verlopen. De in de praktijk voorkomende processen zijn dus vanzelfsprekend niet omkeerbaar.

Voor een toestandsverandering die inwendig omkeerbaar verloopt is een algemene formule voor de uitwendige arbeid op te stellen die in III.5 zal worden afgeleid.

In het vervolg zal, tenzij uitdrukkelijk anders vermeld, worden aangenomen dat de toestandsveranderingen inwendig omkeerbaar verlopen.

Deze benadering is, zoals verder zal blijken, in vele gevallen acceptabel.

Ook door de wrijving tussen zuiger en cilinder, in de draaipunten enz. gaat een deel van de expansiearbeid verloren. Processen waarbij mechanische wrijving optreedt, zijn niet omkeerbaar. Het is niet mogelijk de wrijvingsarbeid te benutten om het systeem weer in de oorspronkelijke toestand terug te brengen. In het algemeen zal er ook een warmtestroom plaatsvinden van systeem naar omgeving of omgekeerd. De warmte stroomt altijd van een plaats van hoge naar een plaats van lage temperatuur en dit proces is, zoals de ervaring leert, niet omkeerbaar. De overgang van warmte kan slechts omkeerbaar geschieden indien op elk moment het temperatuurverschil tussen systeem en omgeving oneindig klein is (thermisch evenwicht). De warmte-overdracht geschiedt daarbij eveneens oneindig langzaam, zodat een dergelijk proces in de praktijk niet te verwezenlijken is.

Een proces dat niet omkeerbaar is door een van de bovenvermelde oorzaken (mechanische wrijving, warmte-overdracht t.g.v. eindige temperatuurverschillen) noemt men *uitwendige onomkeerbaar*. Bij de bespreking van de tweede hoofdwet zal hierop nader worden ingegaan.

III.5. Uitwendige arbeid

In een cilinder afgesloten door een zuiger met oppervlak A bevindt zich een gas met druk p (fig. 3.4).

Is er evenwicht dan is de uitwendige kracht:

$$F = pA$$

31

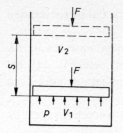

Fig. 3.4

Wanneer F constant is en aan het systeem wordt warmte toegevoerd, dan zal de zuiger zich naar boven bewegen.

Geschiedt dit wrijvingsloos dan is, bij een verplaatsing s van de zuiger, de door het gas verrichte arbeid:

$$W = Fs = pAs$$

Het product $A\,s$ is de volumeverandering die het gas ondergaat; de arbeid is derhalve druk $\times$ volumeverandering.

$$W = p(V_2 - V_1)$$

In een p-V-diagram (fig. 3.5) is 1-2 de toestandsverandering van het gas. De arbeid door het gas geleverd komt, rekening houdend met de gekozen schaalwaarden, overeen met het oppervlak 1-2-V_2-V_1.

Stel dat zich in de cilinder een gas bevindt dat expandeert van p_1, V_1 tot p_2, V_2, waarbij de toestandsverandering verloopt volgens de in fig. 3.6 aangegeven kromme. Is in een willekeurig punt van de kromme de druk p, dan is de kracht die het gas op de zuiger uitoefent $p\,A$.

Fig. 3.5

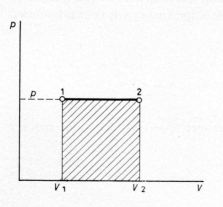

Fig. 3.6

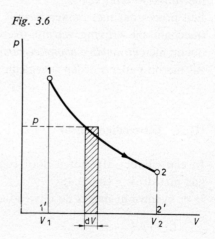

Bij evenwicht moet aan de andere zijde van de zuiger een kracht van dezelfde grootte werken. Wordt deze nu met een oneindig klein bedrag verminderd, dan is het evenwicht verbroken. Het gas zal de zuiger over een afstand ds verplaatsen tot een nieuwe evenwichtstoestand is bereikt.

Wordt de druk p gedurende deze oneindig kleine toestandsverandering constant verondersteld, dan is de verrichte arbeid:

$$\mathrm{d}W = pA\,\mathrm{d}s = p\,\mathrm{d}V$$

Wordt nu de kracht op de buitenzijde van de zuiger op een zodanige wijze verlaagd dat de uitwendige druk nooit meer dan een oneindig klein verschil vertoont met de gasdruk, dan is de totaal verrichte arbeid de som van al de oneindig kleine arbeidshoeveelheden.

$$\boxed{W = \int_{1}^{2} p\,\mathrm{d}V} \tag{3.3}$$

De wijze waarop de expansie plaats vond is juist zoals voor een omkeerbaar proces vereist was (zie III.4).

Vergelijking (3.3) is dus alleen geldig voor omkeerbare processen.

Het is duidelijk dat de arbeid die bij de expansie is geleverd, voorgesteld wordt door het oppervlak 1-2-2'-1' in fig. 3.6.

$$W = \int_{1}^{2} p\,\mathrm{d}V \cong \text{opp. } 1\text{-}2\text{-}2'\text{-}1'$$

Deze arbeid wordt wel de *volumearbeid* genoemd, ter onderscheiding van de later te bespreken indicateurarbeid.

De integraal kan worden opgelost indien gegeven is hoe tijdens de toestandsverandering het verband is tussen p en V met andere woorden als $p = f(V)$ bekend is.

Bij elk proces waarbij het volume groter wordt, wordt er arbeid door het gas verricht. De uitkomst van de integraal is dan positief.

Bij volumevermindering daarentegen levert (3.3) een negatieve waarde op, d.w.z. er is arbeid op het gas verricht.

Bij de berekeningen moet voor p de *absolute* druk worden ingevuld.

Worden in fig. 3.6 de punten 1 en 2 verbonden door een andere kromme dan heeft ook de arbeid een andere waarde. Men zegt daarom van de arbeid dat deze *afhankelijk is van de gevolgde weg.*

De arbeid W is dus geen toestandsgrootheid daar deze de eigenschap bezit alleen afhankelijk te zijn van begin- en eindtoestand (blz. 25)*.

---

* Ook Q is afhankelijk van de weg. Immers in $Q = U_2 - U_1 + W$ is U niet, maar W wel afhankelijk van de gevolgde weg.

Verloopt de toestandsverandering niet omkeerbaar dan kan deze in een p-V-diagram niet worden weergegeven, omdat de druk p in elk punt van het systeem niet dezelfde waarde heeft. Voor het berekenen van de arbeid moet nu worden uitgegaan van de uitwendige druk p_u op de zuiger.
Dan geldt:

$$W = \int_1^2 p_u \, dV$$

Is p_u constant dan is de arbeid gemakkelijk te bepalen.

In hoofdstuk VII zal op deze niet omkeerbare toestandsveranderingen nader worden ingegaan.

Wordt een systeem aan een zodanige serie toestandsveranderingen onderworpen, dat het tenslotte weer in de begintoestand terugkeert, dan spreekt men van een *kringproces*. De grafische voorstelling van een dergelijk proces zal dus altijd een gesloten figuur vormen.

In het willekeurige kringproces van fig. 3.7 is de arbeid positief langs de weg a-b-c, maar negatief langs c-d-a.

De arbeid door het systeem geleverd $\triangleq$ opp. a-b-c-e-f

De arbeid op het systeem verricht $\triangleq$ opp. c-d-a-f-e.

De nuttige (netto) arbeid door het systeem geleverd komt overeen met opp. abcd, dus met het oppervlak ingesloten door het kringproces. Voor deze arbeid kan men schrijven

$$W = \oint p \, dV$$

waarin het $\oint$ teken aangeeft dat de integratie over de gehele kringloop dient te geschieden (kringintegraal).

Men noemt dit een *rechtsomdraaiend* of *positief* kringproces. Wordt het kringproces in tegengestelde richting doorlopen, dan is $\oint p \, dV$ negatief en stelt het opp. abcd de netto arbeid voor die aan het systeem moet worden toegevoerd.

Fig. 3.7

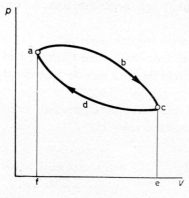

III.6. Het verband tussen R, c_p en c_v

Wordt een ideaal gas verwarmd van T_1 tot T_2 dan is de toe te voeren warmte hoeveelheid:

$Q = m c_v (T_2 - T_1)$ als het volume constant is en
$Q = m c_p (T_2 - T_1)$ als de druk constant wordt gehouden.

In het laatste geval stijgt het volume van het gas van V_1 tot V_2, zodat de arbeid door het gas verricht, gelijk is aan $p(V_2 - V_1)$.

Deze waarde moet gelijk zijn aan het verschil van de toegevoerde warmtehoeveelheden, daar in beide gevallen de temperatuurstijging even groot is en de inwendige energie dus met eenzelfde bedrag is toegenomen.

$$p(V_2 - V_1) = m c_p (T_2 - T_1) - m c_v (T_2 - T_1)$$

$$m R(T_2 - T_1) = m c_p (T_2 - T_1) - m c_v (T_2 - T_1)$$

$$\boxed{R = c_p - c_v} \tag{3.4}$$

In tabel I op blz. 290 zijn voor verschillende gassen R, c_p en c_v vermeld.

Aan de betrekking (3.4) wordt niet geheel voldaan, omdat de genoemde gassen niet volkomen ideaal zijn.

Voor de verhouding van c_p en c_v die bij berekeningen dikwijls voorkomt, wordt k geschreven.

Voor eenatomige gassen is $k \approx \frac{5}{3} = 1{,}67$
Voor tweeatomige gassen is $k \approx \frac{7}{5} = 1{,}4$
Voor drieatomige gassen is $k \approx \frac{8}{6} = 1{,}33$

Bij gassen met hetzelfde aantal atomen zijn de onderlinge verschillen in de k-waarde gering.

Bij meeratomige gassen zijn zowel c_p, c_v als k nog van de temperatuur afhankelijk.

III.7. Nadere uitwerking van de eerste hoofdwet

Zowel voor omkeerbare als niet omkeerbare processen geldt:

$$Q = U_2 - U_1 + W$$

Verandert de toestand slechts weinig, dan is de benodigde warmtehoeveelheid ook zeer klein evenals de geleverde arbeid. De eerste hoofdwet kan dan in de differentiaalvorm worden geschreven:

$$\boxed{dQ = dU + dW} \tag{3.5}$$

Voor een omkeerbaar proces is volgens (3.3) $dW = p dV$, zodat:

$$\boxed{dQ = dU + p dV} \tag{3.6}$$

Is het gas bovendien ideaal, dan kan men schrijven:

$$\boxed{dQ = mc_v\,dT + p\,dV}$$ (3.7)

Differentiatie van $pV = mRT$ levert:

$$p\,dV + V\,dp = mR\,dT$$

$$p\,dV = mR\,dT - V\,dp$$

Wordt $p\,dV$ gesubstitueerd in (3.7) dan geldt, met $R = c_p - c_v$:

$$dQ = mc_v\,dT + m(c_p - c_v)\,dT - V\,dp$$

$$\boxed{dQ = mc_p\,dT - V\,dp}$$ (3.8)

Dit is dus een tweede vergelijking waarin de eerste hoofdwet voor omkeerbare processen van ideale gassen tot uitdrukking wordt gebracht.

De termen van bovengenoemde vergelijkingen moeten in dezelfde eenheid worden uitgedrukt. We zullen daartoe:

p	uitdrukken in kN/m²;
V	uitdrukken in m³;
T	uitdrukken in K;
R, c_p, c_v	uitdrukken in kJ/kg K;
Q, U, W	uitdrukken in kJ;
m	uitdrukken in kg.

Uitgaande van (3.6) kan de eerste hoofdwet worden geschreven in een vorm die ook geldig is voor omkeerbare toestandsveranderingen van *willekeurige* gassen.

Algemeen geldt dat U afhankelijk is van twee toestandsgrootheden. Neemt men hiervoor V en T, dan kan men schrijven $U = f(V, T)$.

In het V-T-diagram van fig. 3.8 stelt 1-2 een willekeurige toestandsverandering voor die een systeem ondergaat. De verandering van de inwendige energie ΔU is gelijk te stellen aan de verandering die U ondergaat tijdens het proces 1-*1'* vermeerderd met de verandering tijdens het proces 1'-2.

$$\Delta U = (\Delta U)_V + (\Delta U)_T$$

De indices V en T geven aan welke variabele constant wordt gehouden. Dat dit proces afwijkt van het werkelijke proces tussen 1 en 2 doet niets ter zake, daar U alleen door de begin- en eindtoestand wordt bepaald.

Voor een oneindig kleine toestandsverandering geldt:

$$dU = (dU)_V + (dU)_T$$

36

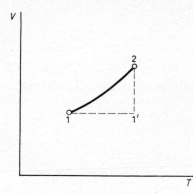

Fig. 3.8

Volgens de partiële differentiaalrekening is hiervoor te schrijven:

$$dU = \left(\frac{\partial U}{\partial T}\right)_V dT + \left(\frac{\partial U}{\partial V}\right)_T dV$$

De verandering van de inwendige energie is nu gesplitst in een deel dat alleen van de temperatuur afhangt en een deel dat alleen bepaald wordt door de volumeverandering. De energie $\left(\frac{\partial U}{\partial T}\right)_V dT$ dient voor het vergroten van de kinetische energie van de moleculen , $\left(\frac{\partial U}{\partial V}\right)_T dV$ is de energie nodig voor het vergroten van de potentiële energie van de moleculen.

Voor een omkeerbare toestandsverandering is:

$$dQ = \left(\frac{\partial U}{\partial T}\right)_V dT + \left(\frac{\partial U}{\partial V}\right)_T dV + p\,dV$$

Voor een toestandsverandering met constant volume is $dV = 0$, zodat:

$$dQ = \left(\frac{\partial U}{\partial T}\right)_V dT \quad \text{of} \quad \frac{dQ}{dT} = \left(\frac{\partial U}{\partial T}\right)_V$$

Betrokken op de massaeenheid is $\dfrac{dQ}{dT}$ per definitie de soortelijke warmte c; in dit geval c_v, omdat het volume constant is.

$$\left(\frac{\partial u}{\partial T}\right)_v = c_v$$

De eerste hoofdwet luidt nu:

$$dQ = c_v\,dT + \left\{\left(\frac{\partial u}{\partial v}\right)_T + p\right\}dv$$

37

of, voor een willkeurige massa:

$$dQ = mc_v\,dT + \left\{\left(\frac{dU}{dV}\right)_T + p\right\}dV$$

Bij een ideaal gas werd aangenomen dat de onderlinge aantrekkingskracht van de moleculen kon worden verwaarloosd.

Dus $\left(\dfrac{\partial U}{\partial V}\right)_T dV = 0.$

Substitueert men dit in bovenstaande vergelijking, dan vindt men het ond e (3.7) gevonden antwoord terug.

HOOFDSTUK IV

Toestandsveranderingen van ideale gassen

IV.1. Toestandsverandering bij constante druk

In een cilinder, afgesloten door een zuiger die zich wrijvingsloos kan bewegen, bevindt zich een gas $(p_1 V_1 T_1)$ met massa m. Wordt hieraan warmte toegevoerd terwijl op de zuiger een constante uitwendige kracht werkt, dan zal het volume toenemen maar de druk constant blijven. In een p-V-diagram (fig. 4.1) is de toestandsverandering voor te stellen door de horizontaal 1-2.
Een dergelijke lijn noemt men een *isobaar*.
De temperatuurstijging van het gas kan worden berekend uit:

$$\frac{V_1}{T_1} = \frac{V_2}{T_2}$$

De geleverde arbeid is:

$$W = \int_1^2 p\,\mathrm{d}V = p\int_1^2 \mathrm{d}V = p(V_2 - V_1)$$

waarin $p = p_1$ de constante druk van het gas voorstelt.

$$\boxed{W = p(V_2 - V_1)} \tag{4.1}$$

Substitutie van $pV_2 = mRT_2$ en $pV_1 = mRT_1$ levert:

$$\boxed{W = mR(T_2 - T_1)} \tag{4.2}$$

Als $m = 1$ kg en $(T_2 - T_1) = 1$ K dan is $W = R$.
Dit betekent dat R in getalwaarde gelijk is aan de arbeid die door het gas wordt verricht, als 1 kg ervan bij constante druk 1 graad in temperatuur wordt verhoogd.

De warmtetoevoer

$$Q = U_2 - U_1 + W = m c_v(T_2 - T_1) + mR(T_2 - T_1)$$

39

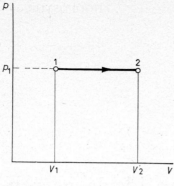

Fig. 4.1

Met (3.4) wordt dit:

$$\boxed{Q = mc_p(T_2 - T_1)}$$ (4.3)

Dit volgt ook direct uit (3.8), waarin de laatste term nul wordt. Substitutie van $T_2 = \dfrac{pV_2}{mR}$ en $T_1 = \dfrac{pV_1}{mR}$ in (4.3) levert:

$$Q = \frac{c_p}{c_p - c_v} p(V_2 - V_1)$$

Met $\dfrac{c_p}{c_v} = k$ wordt dit:

$$\boxed{Q = \frac{k}{k-1} \, p(V_2 - V_1)}$$ (4.4)

Voor de verandering van de inwendige energie geldt:

$$U_2 - U_1 = m c_v(T_2 - T_1)$$

Algemeen geldt volgens (3.1):

$$U_2 - U_1 = Q - W$$

Worden hierin Q en W volgens (4.3) en (4.2) ingevuld dan wordt hetzelfde resultaat verkregen, hetgeen gemakkelijk is na te gaan.

Opmerking

Processen waarbij de druk constant blijft, komen in de techniek veelvuldig voor. Zo verlopen vele stromingsverschijnselen bij nagenoeg constante druk.
Wordt b.v. bij stroming in een buis aan het systeem binnen de gestippelde begrenzing (fig. 4.2)

40

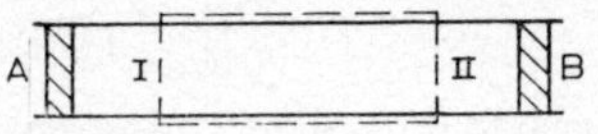

Fig. 4.2

warmte toegevoerd, dan kan (4.3) worden toegepast mits de voor Q en m ingevulde bedragen per tijdseenheid worden genomen.

Men kan zich het proces voorstellen alsof zuiger A een hoeveelheid m (in kg/s) bij doorsnede I toevoert, terwijl gelijktijdig eenzelfde hoeveelheid bij II naar buiten stroomt en de zuiger B verplaatst.

Bij warmtetoevoer neemt het volume toe en zal de verplaatsing van B groter zijn dan die van A. De arbeid die *door* het systeem op de omgeving wordt verricht is dus groter dan de *op* het systeem verrichte arbeid.

Het verschil hiertussen is te berekenen uit (4.1).

Dit is de netto arbeid die het systeem moet leveren om het met een bedrag ($V_2 - V_1$) gestegen volume tegen de constante druk p in af te voeren.

Toepassing

20 l lucht van 3 bar en 27 °C expandeert bij constante druk tot 50 l.

Bereken de temperatuurverandering, de geleverde arbeid, de warmtetoevoer en de verandering van de inwendige energie.

$c_p = 1,005$ kJ/kg K, $c_v = 0,716$ kJ/kg K, $R = 287$ J/kg K.

Oplossing

Uit $\dfrac{p_1 V_1}{T_1} = \dfrac{p_2 V_2}{T_2}$ en $p_1 = p_2$ volgt dat:

$$T_2 = \frac{V_2}{V_1}\, T_1 = \frac{0,05}{0,02}\, 300 = 750 \text{ K}$$

$$T_2 - T_1 = \mathbf{450 \text{ K}}$$

$$W = p\,(V_2 - V_1) = 3 \cdot 10^5\,(0,05 - 0,02) = 9000 \text{ Nm} = \mathbf{9 \text{ kJ}}$$

$$Q = \frac{k}{k-1}\, p(V_2 - V_1) = \frac{1,4}{0,4}\, 3 \cdot 10^5\,(0,05 - 0,02) = 31\,500 \text{ Nm} = \mathbf{31,5 \text{ kJ}}$$

$$U_2 - U_1 = Q - W = 31,5 - 9,0 = \mathbf{22,5 \text{ kJ}}$$

De hoeveelheid lucht kan berekend worden uit:

$$m = \frac{p_1 V_1}{R T_1} = \frac{3 \cdot 10^5 \cdot 0,02}{287 \cdot 300} = 0,0697 \text{ kg.}$$

Gaat men hiervan uit dan kan het gevraagde als volgt worden bepaald:

$$W = m\, R\,(T_2 - T_1) = 0,0697 \cdot 287 \cdot 450 = 9000 \text{ Nm} = \mathbf{9 \text{ kJ}}$$
$$Q = m\, c_p\,(T_2 - T_1) = 0,0697 \cdot 1,005 \cdot 450 = 31\,500 \text{ Nm} = \mathbf{31,5 \text{ kJ}}$$
$$U_2 - U_1 = m\, c_v\,(T_2 - T_1) = 0,0697 \cdot 0,716 \cdot 450 = \mathbf{22,5 \text{ kJ}}$$

41

IV.2. Vraagstukken

1. Van 4 m³ waterstof van 300 K en 4 bar worden bij constante druk 500 kJ als warmte afgevoerd. Bepaal het volume en de temperatuur aan het einde van het proces, alsmede de toegevoerde arbeid in kJ/kg.
   $c_p = 14{,}25$ kJ/kg K, $R = 4{,}12$ kJ/kg K.

2. Hoeveel warmte moet men toevoeren om de temperatuur van twee kg van een gas bij constante druk van 25 °C tot 175 °C te laten oplopen. Gegeven is dat de soortelijke warmte van de temperatuur afhangt volgens $c = a + b\,(T - 273)$, waarin $a = 1{,}0$ kJ/kgK $b = 10^{-3}$ kJ/kgK² en T de temperatuur in K.

3. Aan 1 m³ lucht van 20 °C en 2 bar worden tijdens een expansie bij constante druk 375 kJ toegevoerd. Bepaal temperatuur en volume na de expansie en de geleverde arbeid. $k = 1{,}4$.

4. Aan 2 kg lucht wordt bij constante druk warmte onttrokken. Bepaal de verandering van de inwendige energie als de warmteafvoer 100 kJ/kg bedraagt.
   $R = 287$ J/kg K, $c_p = 1{,}0$ kJ/kg K.

5. In een verticale cilinder, aan de bovenzijde afgesloten door een zuiger waarop de atmosferische druk (1 bar) werkt, bevindt zich 500 l lucht van 100 °C. Het oppervlak van de zuiger is 0,1 m², de massa ervan 100 kg. Door afkoeling wordt het volume van de lucht 125 l kleiner. Bereken de eindtemperatuur van het gas, de afgevoerde warmte en de op het gas verrichte arbeid.
   $c_p = 1{,}005$ kJ/kg K, $R = 287$ J/kg K, g $= 9{,}8$m/s².

IV.3. Toestandsverandering bij constant volume

In een afgesloten ruimte met inhoud V_1 bevindt zich een gas met druk p_1 en een temperatuur T_1. Door verwarming stijgen druk en temperatuur van p_1, T_1 tot p_2, T_2.

In een p-V-diagram (fig. 4.3) wordt de toestandsverandering voorgesteld door de verticaal 1-2. Een dergelijke lijn noemt men een *isochoor*.

Het verband tussen p en T is volgens (2.4):

$$\frac{p_1}{T_1} = \frac{p_2}{T_2}$$

De geleverde arbeid:

$$W = \int_{1}^{2} p\,dV = 0, \quad \text{omdat} \quad dV = 0$$

$$\boxed{W = 0} \tag{4.5}$$

Dit blijkt ook uit het feit dat het oppervlak tussen de lijn 1-2, de ordinaten in 1 en 2 en de V-as nul is.

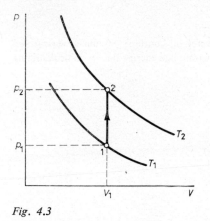

Fig. 4.3

De toegevoerde warmte is volgens de eerste hoofdwet:

$$dQ = m\, c_v\, dT + dW$$

of in verband met (4.5):

$$\boxed{Q = m\, c_v(T_2 - T_1)} \tag{4.6}$$

Substitutie van:

$$T_1 = \frac{p_1 V_1}{mR} \quad \text{en} \quad T_2 = \frac{p_2 V_1}{mR}$$

in (4.6) levert:

$$Q = mc_v\left[\frac{p_2 V_1}{mR} - \frac{p_1 V_1}{mR}\right] = \frac{c_v}{c_p - c_v} V_1(p_2 - p_1)$$

Wordt voor het constante volume V geschreven, dan geldt:

$$\boxed{Q = \frac{V}{k-1}(p_2 - p_1)} \tag{4.7}$$

De toeneming van de inwendige energie is:

$$U_2 - U_1 = m\, c_v(T_2 - T_1)$$

Dit volgt ook uit:

$$U_2 - U_1 = Q - W = Q = m\, c_v(T_2 - T_1)$$

De stijging van de inwendige energie komt overeen met de toegevoerde warmte.
Wordt warmte afgevoerd, dan gaat dit ook geheel ten koste van de inwendige
energie.

Toepassing

Bereken de hoeveelheid warmte nodig om 3 kg stikstof bij constant volume te verwarmen van 0 °C tot 50 °C. Ga hierbij de toeneming van de inwendige energie na, en de drukstijging wanneer de begindruk 1 bar bedraagt.
$c_v = 0,741$ kJ/kg K, $R = 297$ J/kg K.

Oplossing

$$Q = m\, c_v\, (T_2 - T_1) = 3 \cdot 0,741 \cdot 50 = \mathbf{111}\ \mathbf{kJ}$$
$$U_2 - U_1 = m\, c_v\, (T_2 - T_1) = \mathbf{111}\ \mathbf{kJ}$$

De einddruk:

$$p_2 = \frac{T_2}{T_1}\, p_1 = \frac{323}{273} = 1,18 \text{ bar.}$$

Drukstijging $p_2 - p_1 = 1,18 - 1 = \mathbf{0,18}$ bar.

IV.4. Vraagstukken

6. Hoeveel kJ moeten aan zuurstof van 17 °C dat zich in een vat van 150 l bevindt worden toegevoerd om de druk van 2 bar op 12 bar te brengen?
$R = 260$ J/kg K, $c_v = 0,653$ kJ/kg K.

7. Aan 3 m^3 lucht van 41 °C en 3 bar worden 358 kJ toegevoerd. De lucht bevindt zich in een gesloten vat. Wat is de eindtoestand van de lucht en hoeveel m^3_n lucht moet men laten ontsnappen om de begindruk weer te bereiken?
$R = 287$ J/kg K, $c_v = 0,716$ kJ/kg K.

8. In een cilinder afgesloten door een zuiger bevindt zich 0,3 m^3 van een gas waarvan de druk door afkoeling daalt tot 1/3 van de beginwaarde. Het volume wordt hierbij constant gehouden. Met welk bedrag moet het volume nu bij een verwarming onder constante druk toenemen om de begintemperatuur weer te bereiken? Als de begindruk 3 bar is wat is dan de netto warmtehoeveelheid die tijdens de bovengenoemde toestandsveranderingen moet worden toegevoerd en wat is de totale verandering van de inwendige energie?

9. Aan 10 kg lucht van 2 bar en 27 °C worden bij constante druk 1 250 kJ toegevoerd. Hoeveel kJ moeten vervolgens worden onttrokken om bij $V = C$ de begintemperatuur weer te bereiken? Bepaal het volume in begin- en eindtoestand.
$R = 287$ J/kg K, $c_p = 1,005$ kJ/kg K, $c_v = 0,716$ kJ/kg K.

10. a Een gas wordt bij constante druk verwarmd van T_1 tot T_2 en vervolgens bij constant volume afgekoeld tot $T_3 = \dfrac{1}{2}\,(T_1 + T_2)$. Bereken de verhouding van Q_{1-2} en Q_{2-3} als k gegeven is.
b Bepaal de totale arbeid die door het gas bij deze toestandsveranderingen wordt geleverd als $T_1 = 300$ K, $T_3 = 350$ K, $m = 10$ kg en $R = 287$ J/kg K.

44

IV.5. Toestandsverandering bij constante temperatuur

Men noemt dit ook wel een *isothermische* toestandsverandering. Hierbij moeten de begrenzingen van het systeem, b.v. de wanden van een cilinder, voor warmte volkomen doorlaatbaar worden verondersteld, zodat bij expansie t.g.v. een snelle warmtetoevoer van buitenaf, geen temperatuurdaling ontstaat. Bij compressie daarentegen zal warmte naar de omgeving moeten worden afgevoerd. Voor een isotherm geldt volgens (2.2):

$$p\,V = C \qquad \text{(a)}$$

In het p-V-diagram (fig. 4.4) stelt deze vergelijking een gelijkzijdige hyperbool voor. Voor een hogere temperatuur is de constante C groter en vindt men b.v. de gestippelde kromme. Alle hyperbolen hebben de p- en V-as tot asymptoot, d.w.z. raken deze assen in het oneindige.

Twee isothermen kunnen elkaar natuurlijk nooit snijden.

Uit $dQ = m\,c_v\,dT + dW$ volgt met $dT = 0$:

$$\boxed{Q = W} \tag{4.8}$$

Het teken van Q en W is gelijk. Als het gas een arbeidshoeveelheid W levert, is de toe te voeren warmte in getalwaarde hieraan gelijk. Bij compressie is de af te voeren warmte gelijk aan de compressiearbeid. De geleverde arbeid:

$$W = \int_1^2 p\,dV = \int_1^2 \frac{m\,R\,T}{V}\,dV = m\,R\,T \int_1^2 \frac{dV}{V}$$

$$W = m\,R\,T\,\{\ln V_2 - \ln V_1\}$$

$$W = m\,R\,T\,\ln \frac{V_2}{V_1}$$

Fig. 4.4

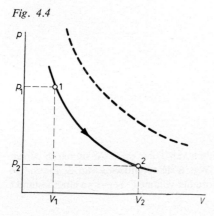

45

Bij een isotherm is volgens (2.2):

$$p_1 V_1 = p_2 V_2 \rightarrow \frac{V_2}{V_1} = \frac{p_1}{p_2}$$

zodat i.p.v. een volumeverhouding ook een drukverhouding kan worden ingevuld.

$$Q = W = mRT \ln \frac{V_2}{V_1} = mRT \ln \frac{p_1}{p_2} \qquad (4.9)$$

Daar $pV = mRT$ kan men voor (4.9) ook schrijven:

$$Q = W = pV \ln \frac{V_2}{V_1} = pV \ln \frac{p_1}{p_2} \qquad (4.10)$$

Het produkt van p en V is in ieder willekeurig punt van de isotherm hetzelfde. In de regel zullen begin- en eindpunt bekend zijn zodat men voor pV zal invullen $p_1 V_1$ of $p_2 V_2$.
De verandering van de inwendige energie is:

$$U_2 - U_1 = m c_v (T_2 - T_1) = 0$$

Omdat bij een ideaal gas de inwendige energie alleen van de temperatuur afhangt, zal dus bij een isotherm $\Delta U = 0$ moeten zijn.

Opmerking

De logaritme waarvan het grondtal e is (e = 2,718) wordt aangegeven met ln, dus:

$$\ln a = {}^e\!\log a$$

In de gebruikelijke logaritmetafels is echter alleen de logaritme met grondtal 10 opgenomen. Omrekening op een ander grondtal kan uitgevoerd worden m.b.v. de formule:

$${}^x\!\log a = \frac{{}^{10}\!\log a}{{}^{10}\!\log x}$$

In dit geval:

$${}^e\!\log a = \frac{{}^{10}\!\log a}{{}^{10}\!\log e} = 2{,}3 \; {}^{10}\!\log a$$

$$\ln a = \mathbf{2{,}3 \log a}$$

Toepassing

Hoeveel arbeid kost het om 100 m³ lucht isothermisch van 1 bar op 7 bar samen te persen en hoeveel kJ moeten daarbij worden afgevoerd? Wat is de verandering van de inwendige energie en wat zijn de soortelijke massa en het soortelijk volume in begin- en eindtoestand? Begintemperatuur 20 °C. $R = 287$ J/kg K.

Oplossing

$$W = p_1 V_1 \ln \frac{p_1}{p_2} = 10^5 \cdot 100 \cdot 2{,}3 \log \frac{1}{7} = -195 \cdot 10^5 \text{ Nm}$$

$$Q = W = -\textbf{19 500 kJ}$$

$$U_2 - U_1 = mc_v (T_2 - T_1) = 0$$

$$p_1 V_1 = mRT_1 \rightarrow m = 119 \text{ kg}$$

$$p_1 V_1 = p_2 V_2 \rightarrow V_2 = 14{,}3 \text{ m}^3$$

$$\rho_1 = \frac{m}{V_1} = \frac{119}{100} = \textbf{1,19 kg/m}^3 \qquad \upsilon_1 = \frac{1}{\rho_1} = \textbf{0,84 m}^3\textbf{/kg}$$

$$\rho_2 = \frac{m}{V_2} = \frac{119}{14{,}3} = \textbf{8,32 kg/m}^3 \qquad \upsilon_2 = \frac{1}{\rho_2} = \textbf{0,12 m}^3\textbf{/kg}$$

IV.6. Vraagstukken

11. Hoeveel warmte moet men aan 40 l lucht van 10 bar toevoeren om het volume bij constante temperatuur te vertienvoudigen?

12. In een cilinder met een inhoud van 5 dm^3 bevindt zich een gas met een druk van 10 bar. Bij expansie moeten 11,5 kJ worden toegevoerd om de temperatuur constant te houden. Bereken druk en volume aan het einde van de expansie.

13. Het luchtkussen in de perswindketel van een pomp bevat 200 l lucht van 3 bar en 7 °C. Als de diameter van de ketel 500 mm bedraagt, over welke afstand wordt de lucht dan samengeperst als de druk tot 4 bar oploopt? Wat is het soortelijke volume in de eindtoestand en wat is de toe te voeren arbeid? ($R = 287$ J/kg K)

14. a Bereken de toe te voeren arbeid wanneer 1,5 m^3 lucht van 17 °C en 750 mm Hg isothermisch tot op het halve volume wordt samengeperst.
    b Wat is de arbeid, uitgedrukt in kJ/m$_n^3$, en wat is de arbeid als de eindtoestand verkregen wordt door een constant-volume-proces gevolgd door een constante-druk-proces?
    c Als men de lucht ($R = 287$ J/kg K) vervangt door een gas van dezelfde temperatuur waarvan de soortelijke massa twee maal zo groot is en de gasconstante 235 J/kg K bedraagt, wat is dan de verhouding tussen de nu benodigde arbeid en de bij a berekende?

15. Van een gas is de druk 1 bar en het soortelijk volume 0,5 m^3/kg.
    Bereken de toe te voeren arbeid als het gas isothermisch tot 5 bar wordt gecomprimeerd en de gashoeveelheid 5 kg bedraagt.
    Als dit gas vervolgens bij constant volume tot de begindruk wordt afgekoeld. hoeveel warmte moet daarbij dan worden afgevoerd? $k = 1{,}3$.

IV.7. Adiabatische toestandsverandering

Dit is een toestandsverandering waarbij geen warmte wordt toe- of afgevoerd:

$$\boxed{Q = 0} \tag{4.11}$$

Een dergelijk proces kan plaatsvinden in een volmaakt geïsoleerde cilinder. Vele processen in de techniek kunnen als nagenoeg adiabatisch worden beschouwd, doordat deze zo snel verlopen dat de beschikbare tijd voor warmteuitwisseling met de omgeving uiterst klein is.

De geleverde arbeid is volgens (3.1):

$$W = -(U_2 - U_1) \qquad (a)$$

$$\boxed{W = -mc_v(T_2 - T_1)} \tag{4.12}$$

Met behulp van de gaswet kan hiervoor worden geschreven:

$$W = -mc_v\left(\frac{p_2 V_2}{mR} - \frac{p_1 V_1}{mR}\right) = \frac{-c_v}{c_p - c_v}(p_2 V_2 - p_1 V_1)$$

$$\boxed{W = \frac{-1}{k-1}(p_2 V_2 - p_1 V_1)} \tag{4.13}$$

Het is van belang op te merken dat bij de afleiding van (4.12) en (4.13) geen gebruik gemaakt is van (3.3). *Dit betekent dat beide formules ook kunnen worden toegepast als het proces niet omkeerbaar verloopt.*
Uit (a) blijkt dat bij een adiabatische expansie de geleverde arbeid gelijk is aan de vermindering van de inwendige energie. Bij adiabatische compressie daaren-

Fig. 4.5

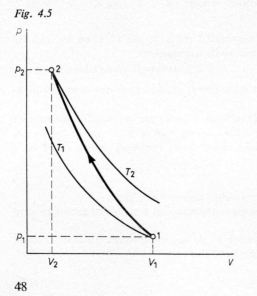

tegen blijft alle toegevoerde energie in het gas aanwezig, zodat de temperatuur hiervan zal stijgen.

Zou men vanuit dezelfde begintoestand het gas isothermisch comprimeren, dan zou warmte moeten worden afgevoerd.

Bij elke willekeurige druk zal de temperatuur dus lager en het volume kleiner zijn dan bij de adiabaat. Hieruit volgt dan dat een adiabaat steiler moet lopen dan een isotherm.

In het p-V-diagram (fig. 4.5) is dit aangegeven.

IV.8. Wetten van Poisson

Het verband tussen p en V voor een adiabatische toestandsverandering kan worden afgeleid uit de eerste hoofdwet:

$$dQ = m\,c_v\,dT + p\,dV = 0 \qquad \text{(a)}$$

en de gedifferentieerde vorm van de gaswet:

$$p\,dV + V\,dp = mR\,dT \qquad \text{(b)}$$

Als dT uit (b) wordt opgelost en in (a) wordt gesubstitueerd dan vindt men:

$$m\,c_v\,\frac{p\,dV + V\,dp}{mR} + p\,dV = 0$$

Uitwerking levert:

$$\frac{dp}{p} = -k\,\frac{dV}{V}$$

$$\int_1^2 \frac{dp}{p} = -k \int_1^2 \frac{dV}{V}$$

$$\ln\frac{p_2}{p_1} = -k\ln\frac{V_2}{V_1} = \ln\left(\frac{V_1}{V_2}\right)^k$$

$$\frac{p_2}{p_1} = \left(\frac{V_1}{V_2}\right)^k \rightarrow p_1 V_1^k = p_2 V_2^k$$

Daar 1 en 2 twee willekeurige punten van de adiabaat zijn, luidt de algemene vergelijking van een adiabaat dus:

$$\boxed{pV^k = C} \qquad (4.14)$$

Men noemt dit de eerste wet van Poisson.

Door gebruik te maken van de gaswet, kan uit (4.14) het verband tussen T en V en tussen T en p worden opgesteld.

Substitutie van $\dfrac{p_2}{p_1} = \dfrac{T_2 V_1}{T_1 V_2}$ in $\dfrac{p_2}{p_1} = \left(\dfrac{V_1}{V_2}\right)^k$ levert:

$$T_1 V_1^{k-1} = T_2 V_2^{k-1}$$

Substitutie van $\dfrac{V_1}{V_2} = \dfrac{T_1 p_2}{T_2 p_1}$ in $\dfrac{p_2}{p_1} = \left(\dfrac{V_1}{V_2}\right)^k$ levert:

$$\frac{T_1^k}{p_1^{k-1}} = \frac{T_2^k}{p_2^{k-1}}$$

Voor de adiabaat gelden dus de volgende algemene betrekking:

$$\boxed{T V^{k-1} = C} \qquad \text{(tweede wet van Poisson)} \tag{4.15}$$

$$\boxed{\frac{T^k}{p^{k-1}} = C} \qquad \text{(derde wet van Poisson)} \tag{4.16}$$

Gelet op de vergelijkingen (a) en (b) van blz. 49, waaruit (4.14), (4.15) en (4.16) werden afgeleid, blijken deze betrekkingen steeds geldig te zijn als:
1 het gas ideaal is;
2 de toestandsverandering omkeerbaar adiabatisch verloopt.

Voor de geleverde arbeid:

$$W = -m c_v (T_2 - T_1) = -m c_v T_1 \left(\frac{T_2}{T_1} - 1\right)$$

kan nu, met behulp van (4.16) worden geschreven:

$$W = -m c_v T_1 \left[\left(\frac{p_2}{p_1}\right)^{\frac{k-1}{k}} - \right]1$$

Hieruit kan men de volgende conclusie trekken:
1 De arbeid is afhankelijk van de *verhouding* van de drukken en niet van de absolute waarde ervan.
2 Bij compressie is het gewenst dat de begintemperatuur zo laag mogelijk is; bij expansie daarentegen is een hoge begintemperatuur gunstig.

Opmerking

In fig. 4.6 zijn in het snijpunt A (p_1 V_1) van een adiabaat en een isotherm de raaklijnen aan beide krommen getekend. Daar de adiabaat steiler loopt dan de isotherm zal $\alpha < \beta$ moeten zijn. De tangens van de hoek die de raaklijn maakt met de V-as, is gelijk aan het differentiaalquotiënt $\dfrac{dp}{dV}$.

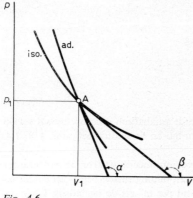

Fig. 4.6

Differentiëren van $pV^k = C \to pkV^{k-1}\,\mathrm{d}V + V^k\,\mathrm{d}p = 0$
Differentiëren van $pV = C \to p\,\mathrm{d}V + V\mathrm{d}p = 0$

$$\left.\begin{array}{l}
\text{Voor de adiabaat is } \dfrac{\mathrm{d}p}{\mathrm{d}V} = -\,k\,\dfrac{p}{V} \to \operatorname{tg}\alpha = -\,k\,\dfrac{p_1}{V_1} \\[3mm]
\text{Voor de isotherm is } \dfrac{\mathrm{d}p}{\mathrm{d}V} = -\,\dfrac{p}{V} \to \operatorname{tg}\beta = -\,\dfrac{p_1}{V_1}
\end{array}\right\} \quad \therefore\ \alpha < \beta$$

Toepassing

Lucht van 70 cm Hg en 77 °C wordt adiabatisch gecomprimeerd tot het volume 5 maal zo klein geworden is. Bereken de einddruk, de eindtemperatuur, de verrichte arbeid per kg en per m³ en de verandering van de inwendige energie per kg en per m³.
$c_p = 1{,}005$ kJ/kg K, $c_v = 0{,}716$ kJ/kg K.

Oplossing

Daar 76 cm Hg = 1,013 bar is $p_1 = \dfrac{70}{76}\,1{,}013 = 0{,}935$ bar

$$pV^k = C \to p_2 = p_1 \left(\frac{V_1}{V_2}\right)^k = 0{,}935 \cdot 5^{1,4} = \mathbf{8{,}90}\ \text{bar}$$

Volgens de gaswet is:

$$T_2 = \frac{p_2 V_2}{p_1 V_1}\,T_1 = \frac{0{,}890 \cdot 0{,}2\,V_1}{0{,}935\,V_1} \cdot 350 = \mathbf{665}\ \text{K}$$

$$W = -\,mc_v\,(T_2 - T_1) \to W = -\,1 \cdot 0{,}716\,(665 - 350) = -\,\mathbf{226}\ \text{kJ/kg}$$

Uit:

$$W = \frac{-1}{k-1}\,(p_2 V_2 - p_1 V_1) = -\,2{,}5\,(8{,}90 \cdot 10^5 \cdot 0{,}2 - 0{,}935 \cdot 10^5 \cdot 1)$$

volgt dat:

$$W = -211{,}3 \text{ kJ/m}^3$$
$$U_2 - U_1 = mc_v\,(T_2 - T_1) = -W = 226 \text{ kJ/kg}$$
$$U_2 - U_1 = 211{,}3 \text{ kJ/m}^3.$$

IV.9. Vraagstukken

16. Lucht van 10 °C en een druk van 85 kN/m² wordt adiabatisch gecomprimeerd tot op een derde van het volume. Bepaal de einddruk in bar en de eindtemperatuur. $k = 1{,}4$.

17. 3 m³ kooldioxide van 40 °C wordt adiabatisch gecomprimeerd, waarbij de temperatuur tot 200 °C stijgt. Bereken het eindvolume en de verhouding tussen begin- en einddruk. $k = 1{,}3$. Bepaal vervolgens de toe te voeren arbeid per m³ als de begindruk 1 bar bedraagt.

18. Lucht van 7,7 bar en 227 °C expandeert adiabatisch, resp. isothermisch tot 1,1 bar. Teken de beide expansiekrommen in één diagram. Bereken de geleverde arbeid per kg in beide gevallen en bepaal van de isothermische expansie de arbeidswinst t.o.v. de adiabatische expansie in procenten.
$c_v = 0{,}716 \text{ kJ/kg K}, R = 287 \text{ J/kg K}, k = 1{,}4$.

19. 15 m³ lucht van 27 °C en 60 cm kwikdruk wordt adiabatisch gecomprimeerd tot 3 m³. Bepaal einddruk, eindtemperatuur, de toe te voeren arbeid en de toename van de inwendige energie. Bereken de toe te voeren arbeid eveneens per kg en per m^3_n.
$R = 287 \text{ J/kg K}, k = 1{,}4$.

20. Bij een isothermische expansie van 2 kg lucht van 10 bar en 446 K worden 210 kJ aan warmte toegevoerd. Bereken de einddruk als het gas vanuit dezelfde begintoestand adiabatisch expandeert en de geleverde arbeidshoeveelheid even groot is als bij de isothermische expansie.
$R = 287 \text{ J/kg K}, k = 1{,}4$.

21. In een dieselmotor wordt lucht van 50 °C en 125 kN/m² adiabatisch gecomprimeerd tot 600 °C. Bepaal de einddruk en de verhouding van de volumina vóór en nà de compressie als $k = 1{,}4$.
Bereken de gasconstante R als de compressiearbeid 395 kJ/kg bedraagt.

22. Bereken de verandering van de inwendige energie van 1 m³ gas dat adiabatisch van 1 bar tot 6 bar wordt gecomprimeerd. $k = 1{,}3$.
Bepaal de verandering eveneens wanneer het gas vervolgens bij constante druk tot op de begintemperatuur wordt afgekoeld. Is het resultaat te verklaren?

IV.10. Polytrope toestandsverandering

Toestandsveranderingen van een gas verlopen in werkelijkheid noch adiabatisch noch isothermisch. Meestal zal wel enige warmtewisseling met de omgeving plaatsvinden, terwijl ook de temperatuur van het gas zal veranderen. Compressie- en expansiekrommen die aan uitgevoerde machines kunnen worden opgenomen, blijken echter met *voldoende nauwkeurigheid* beschreven te kunnen worden door de vergelijking:

$$\boxed{pV^n = C} \tag{4.17}$$

waarin n een nader te bepalen exponent voorstelt, die als constant kan worden aangenomen.

Een dergelijke toestandsverandering noemt men een *polytroop*.

IV.11. Arbeid en warmte bij een polytrope toestandsverandering

De *warmtehoeveelheid* die bij een polytrope toestandsverandering wordt overgedragen kan als volgt worden bepaald.

Differentiatie van $pV^n = C$ levert:

$$pnV^{n-1}\,dV + V^n\,dp = 0$$

$$pn\,dV + V\,dp = 0 \qquad \text{(a)}$$

Differentiatie van $pV = mRT$ levert:

$$p\,dV + V\,dp = mR\,dT \qquad \text{(b)}$$

Wordt (a) afgetrokken van (b) dan vindt men:

$$(n-1)\,p\,dV = -mR\,dT \rightarrow p\,dV = \frac{-mR\,dT}{(n-1)} \qquad \text{(c)}$$

De overgedragen warmte kan nu worden gevonden door substitutie van (c) in de eerste hoofdwet.

$$dQ = m\,c_v\,dT - \frac{mR\,dT}{n-1} = m\left(c_v - \frac{R}{n-1}\right)dT$$

Schrijft men nu voor:

$$c_v - \frac{R}{n-1} = c \qquad \text{(d)}$$

dan is:

$$dQ = m\,c\,dT$$

$$\boxed{Q = mc(T_2 - T_1)} \tag{4.18}$$

De constante c heeft dezelfde dimensie en betekenis als een soortelijke warmte en wordt daarom de soortelijke warmte van de polytroop genoemd. Vandaar dat men de polytroop ook wel definieert als een toestandsverandering waarbij de soortelijke warmte constant is. Daar de warmte toe- of afvoer afhankelijk is van de gevolgde weg en er oneindig veel mogelijkheden zijn om van toestand 1 in toestand 2 te komen, kan c theoretisch elke willekeurige waarde hebben.

Dit geldt dan ook voor de exponent n.

Uit $c = c_v - \dfrac{R}{n-1}$ volgt na enige herleiding:

$$n = \frac{c - c_p}{c - c_v} \qquad (4.19)$$

De geleverde arbeid is:

$$W = Q - (U_2 - U_1) = m\,c(T_2 - T_1) - m\,c_v(T_2 - T_1)$$

$$W = m(c - c_v)(T_2 - T_1)$$

Uit (d) volgt:

$$c - c_v = \frac{-R}{n-1}$$

zodat:

$$W = \frac{-mR}{n-1}(T_2 - T_1) \qquad (4.20)$$

M.b.v. de gaswet gaat deze vergelijking over in:

$$W = \frac{-1}{n-1}(p_2 V_2 - p_1 V_1) \qquad (4.21)$$

Ditzelfde resultaat kan worden verkregen door integratie van de uitdrukking

$$W = \int_1^2 p\,dV.$$

$$W = \int_1^2 p\,dV = \int_1^2 \frac{C}{V^n}\,dV = C\int_1^2 V^{-n}\,dV =$$

$$= \left| \frac{C}{-n+1} V^{-n+1} \right|_1^2 = \frac{-1}{n-1}(CV_2^{-n+1} - CV_1^{-n+1})$$

Nu is $p_1 V_1^n = p_2 V_2^n = C$ zodat, als voor de eerste constante $C = p_2 V_2^n$ wordt gesubstitueerd en voor de tweede constante $C = p_1 V_1^n$ men weer (4.21) verkrijgt.

Tussen Q en W bestaat een eenvoudig verband.

$$\frac{Q}{W} = \frac{m\left(c_v - \dfrac{R}{n-1}\right)(T_2 - T_1)}{\dfrac{-mR}{n-1}(T_2 - T_1)} = \frac{nc_v - c_v - c_p + c_v}{-c_p + c_v} =$$

$$= \frac{p - nc_v}{c_p - c_v} = \frac{k - n}{k - 1}$$

$$\boxed{Q = \frac{k - n}{k - 1} \, W} \tag{4.22}$$

Is Q berekend dan kan hieruit W worden bepaald en omgekeerd.
Is $n < k$ dan zijn de tekens van Q en W gelijk. Dit betekent dat bij expansie warmte moet worden toegevoerd en bij compressie moet worden afgevoerd.

IV.12. Wetten van Poisson

Uitgaande van $pV^n = C$ kan, op dezelfde wijze als bij de adiabaat werd gedaan (blz. 50), worden afgeleid dat:

$$\boxed{TV^{n-1} = C} \tag{4.23}$$

en

$$\boxed{\frac{T^n}{p^{n-1}} = C} \tag{4.24}$$

IV.13. Exponent van de polytroop

In fig. 4.7 zijn een aantal polytropen weergegeven, alle gaande door het punt 1. Zoals werd opgemerkt kan n theoretisch alle waarden tussen $+ \infty$ en $- \infty$ aannemen. We zullen nu voor enige bijzondere waarden van n de soortelijke warmte berekenen uit:

$$n = \frac{c - c_p}{c - c_v} \rightarrow c = \frac{nc_v - c_p}{n - 1}$$

en de vergelijking van de betreffende polytroop bepalen door de aangenomen n-waarde in $pV^n = C$ in te vullen. Dit geeft voor:

$n = 0$	$c = c_p$	$p = C$	isobaar
$n = \pm \infty$	$c = c_v$	$V = C$	isochoor*
$n = 1$	$c = \pm \infty$	$pV = C$	isotherm
$n = k$	$c = 0$	$pV^k = C$	adiabaat
$n = -1$	$c = \frac{1}{2}(c_p + c_v)$	$p = CV$	rechte door de oorsprong $\mathit{KWATSCH}$

---

* $\quad c = \dfrac{c_v - \dfrac{c_p}{n}}{1 - \dfrac{1}{n}}$. Voor $n = \pm \infty \rightarrow c = c_v$

$p_1 V_1^n = p_2 V_2^n \rightarrow p_1^{\frac{1}{n}} V_1 = p_2^{\frac{1}{n}} V_2$ Voor $n = \pm \sim$ is $V_1 = V_2$ ofwel $V = C$

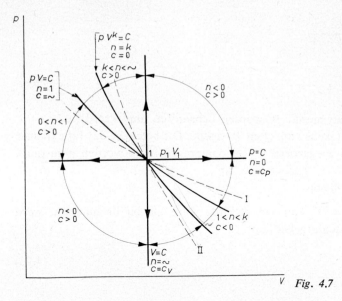

$$p$$

$$\left[\begin{array}{c} p\,V^k = C \\ n = k \\ c = 0 \end{array}\right]$$

$$k < n < \infty \\ c > 0$$

$$\left.\begin{array}{c} pV = C \\ n = 1 \\ c = \infty \end{array}\right]$$

$$n < 0 \\ c > 0$$

$$0 < n < 1 \\ c > 0$$

$$1 \quad p_1\,V_1$$

$$p = C \\ n = 0 \\ c = c_p$$

$$I$$

$$n < 0 \\ c > 0$$

$$1 < n < k \\ c < 0$$

$$II$$

$$V = C \\ n = \infty \\ c = c_V$$

$$V \quad Fig.\ 4.7$$

Hieruit blijkt dat de in IV.1 t/m IV.7 besproken toestandsveranderingen alle zijn op te vatten als bijzondere gevallen van de polytroop. De isobaar en de isochoor zijn grensgevallen van een meer algemeen proces, waarbij zowel de druk als het volume veranderen.

Is $0 < n < 1$ (b.v. polytroop I) dan daalt de temperatuur bij compressie en ze stijgt bij expansie. Dit is gemakkelijk in te zien door het verloop van deze polytroop te beschouwen t.o.v. de isotherm door 1. Uit een vergelijking met de adiabaat door 1 is te zien dat bij compressie warmte wordt afgevoerd en bij expansie wordt toegevoerd.

Is $k < n < \infty$ (b.v. polytroop II), dan stijgt de temperatuur bij compressie en ze daalt bij expansie. Bij compressie wordt warmte toegevoerd en bij expansie afgevoerd.

De soortelijke warmte $c = \dfrac{dQ}{dT}$.

Gaat warmtetoevoer gepaard met een temperatuurstijging (of omgekeerd) dan is c positief. Dit is het geval als $0 < n < 1$ en als $k < n < \infty$. Is echter $1 < n < k$, dan wordt bij compressie warmte afgevoerd, terwijl de temperatuur toeneemt, zodat $c < 0$.

Dit volgt ook direct uit $c = \dfrac{n c_v - c_p}{n - 1} = c_v \dfrac{n - k}{n - 1}$, waarin de teller negatief en de noemer positief is.

56

In de praktijk ligt de exponent n meestal tussen 1 en k, zodat een negatieve c-waarde dikwijls voorkomt.

Uit het bovenstaande is duidelijk dat de waarde van c afhankelijk is van de wijze waarop het proces verloopt en theoretisch elke waarde kan verkrijgen Hoewel het theoretisch mogelijk is een proces in een van de andere twee kwadranten te laten verlopen, zal dit in praktische gevallen zelden voorkomen. Bij een dergelijk proces zouden druk en volume *beide* moeten toenemen of afnemen. Dit is te realiseren door warmtetoevoer aan een gas in een cilinder waarvan de zuiger door een veer is belast. Bij toeneming van het volume stijgt tevens de druk ten gevolge van de indrukking van de veer.

IV.14. De helling van de polytroop

Deze kan worden bepaald uit het differentiaalquotiënt $\dfrac{dp}{dV}$.

Differentiatie van $pV^n = C$ levert:

$$pnV^{n-1}\,dV + V^n\,dp = 0 \rightarrow pn\,dV = -V\,dp$$

$$\frac{dp}{dV} = -n\frac{p}{V}$$

De raaklijn in 1 (p_1V_1) aan een willekeurige polytroop (fig. 4.8) maakt met de V-as een hoek α, waarvoor, als rekening wordt gehouden met de schaalwaarden, geldt:

$$\operatorname{tg}\alpha = -n\frac{p_1}{V_1} \qquad (\alpha > 90° \rightarrow \operatorname{tg}\alpha < 0)$$

Hieruit volgt dat de polytroop steiler zal lopen naarmate de n-waarde toeneemt.
Voor een isobaar is $n = 0 \rightarrow \operatorname{tg}\alpha = 0 \rightarrow \alpha = 0$
Voor een isochoor is $n = \infty \rightarrow \operatorname{tg}\alpha = \infty \rightarrow \alpha = 90°$.
De raaklijn in 1 (p_1V_1) snijdt de V-as in een punt waarvan de afstand tot de oorsprong gelijk is aan:

$$V_1 + \frac{V_1}{n}$$

Immers $\operatorname{tg}\alpha = -n\dfrac{p_1}{V_1}$

en $\operatorname{tg}(180 - \alpha) = \dfrac{p_1}{x} = -\operatorname{tg}\alpha$ $\left.\right\}$ $\therefore n\dfrac{p_1}{V_1} = \dfrac{p_1}{x} \rightarrow x = \dfrac{V_1}{n}$.

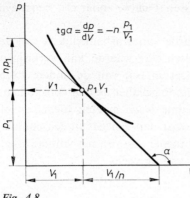

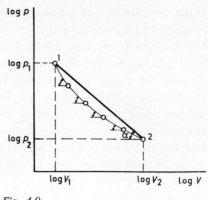

Fig. 4.8   Fig. 4.9

IV.15. Bepaling van de exponent n

Uit $p_1 V_1^n = p_2 V_2^n$ volgt

$$\log p_1 + n \log V_1 = \log p_2 + n \log V_2$$

$$\boxed{n = \frac{\log p_1 - \log p_2}{\log V_2 - \log V_1}} \qquad (4.25)$$

Tussen elk willekeurig puntenpaar van een polytroop bestaat een dergelijke betrekking.

Worden in een assenstelsel de logaritme van p en V uitgezet dan is volgens (4.25):

$$n = \operatorname{tg}\alpha$$

Een polytroop ($n = $ constant) is derhalve voor te stellen door een rechte lijn (fig 4.9).

Is van een machine de expansiekromme bekend dan kunnen de p en V voor een aantal opeenvolgende punten worden opgemeten.

Bij gebruik van dubbel logaritmisch papier zijn deze punten gemakkelijk uit te zetten (fig. 4.9). en kan een conclusie worden getrokken omtrent het al of niet polytroop verlopen van de toestandsverandering. De opeenvolgende punten vormen in het algemeen een kromme lijn. Door in een willekeurig punt hieraan de raaklijn te trekken, vinden we de waarde van n ter plaatse en daarmee de richting van de warmtestroom in dat punt.

Opmerking

Zoals op blz. 55 werd aangetoond zijn isobaar, isochoor enz. op te vatten als bijzondere gevallen van de polytroop. De in IV.1. t/m IV.7. gevonden formules voor arbeid en warmte zijn dan ook uit die van de polytroop (4.18, 4.20, 4.21) af te leiden door hierin de desbetreffende waarde van n of c in te vullen. Bij het isotherme proces ($n = 1$) komt men tot een onbepaalde vorm waarvan echter met de regel van l'Hôpital het onder (4.9) gevonden antwoord is terug te vinden*.

Toepassing

Tot welke druk moet lucht van 42 °C en 1,3 bar in een dieselmotor polytroop worden gecomprimeerd teneinde een temperatuur van 600 °C te bereiken en wat is de volumeverhouding voor en na de compressie? Bepaal vervolgens de compressiearbeid en de warmteafvoer als het volume in de begintoestand 0,5 m³ bedraagt.

$n = 1{,}350$, $c_p = 1{,}005$ kJ/kg K, $c_v = 0{,}716$ kJ/kg K, $k = 1{,}403$, $R = 287$ J/kg K.

Oplossing

$$\frac{T_1^n}{p_1^{n-1}} = \frac{T_2^n}{p_2^{n-1}} \rightarrow p_2 = \left(\frac{T_2}{T_1}\right)^{\frac{n}{n-1}} p_1 = \left(\frac{873}{315}\right)^{3,86} \cdot 1{,}3$$

$$p_2 = 50{,}6 \cdot 1{,}3 = \mathbf{66} \text{ bar}$$

Uit $TV^{n-1} = C$ volgt:

$$\frac{V_1}{V_2} = \left(\frac{T_2}{T_1}\right)^{\frac{1}{n-1}} = \left(\frac{873}{315}\right)^{2,86} = \mathbf{18{,}4}.$$

Het laatste resultaat kan eenvoudiger worden gevonden door gebruik te maken van de wet van Boyle-Gay Lussac.

$$\frac{V_1}{V_2} = \frac{p_2 T_2}{p_1 T_1} = \frac{66 \cdot 315}{13 \cdot 873} = \mathbf{18{,}4}$$

Compressiearbeid $W = \dfrac{-mR}{n-1} (T_2 - T_1)$.

$$m = \frac{p_1 V_1}{R T_1} = \frac{1{,}3 \cdot 10^5 \cdot 0{,}5}{287 \cdot 315} = 0{,}72 \text{ kg}$$

---

* Vergelijking (4.21)

$$W = \frac{-1}{n-1}(p_2 V_2 - p_1 V_1) = \frac{-p_1 V_1}{n-1}\left(\frac{p_2 V_2}{p_1 V_1} - 1\right) = \frac{-p_1 V_1\left[\left(\dfrac{V_1}{V_2}\right)^{n-1} - 1\right]}{n-1}$$

levert de onbepaalde vorm $\dfrac{0}{0}$ als voor $n = 1$ wordt ingevuld.

Differentiëren we teller en noemer naar n dan vinden we:

$$W = -p_1 V_1\left[\left(\frac{V_1}{V_2}\right)^{n-1} \ln \frac{V_1}{V_2}\right]$$

Voor $n = 1$ wordt dit:

$$W = -p_1 V_1 \ln \frac{V_1}{V_2} \rightarrow W = p\,V \ln \frac{V_2}{V_1} = p\,V \ln \frac{p_1}{p_2}$$

$$W = \frac{-0,72 \cdot 287}{0,350} \cdot 558 = -329.10^3 \text{ Nm} = -\mathbf{329} \text{ kJ}$$

$$Q = \frac{k-n}{k-1} W \rightarrow Q = -\frac{0,053}{0,403} \cdot 329 = -\mathbf{43,3} \text{ kJ}$$

Dit laatste resultaat kan ook worden verkregen door c te berekenen uit:

$$c = \frac{n \cdot c_v - c_p}{n-1}$$

en de gevonden waarde te substitueren in:

$$Q = mc\,(T_2 - T_1)$$

IV.16. Vraagstukken

23. 10 kg lucht wordt polytroop gecomprimeerd, waarbij de temperatuur 100 °C stijgt.
De hiervoor benodigde arbeid bedraagt 1 000 kJ.
Bepaal de exponent n van de polytroop wanneer $R = 287$ J/kg K.

24. Lucht van 10 bar en 160 °C expandeert tot op 1 bar en 27 °C .Bepaal de exponent n
en de soortelijke warmte c van de polytroop alsmede de warmtehoeveelheid (in kJ)
die per kg lucht moet worden toegevoerd.
$c_p = 1,005$ kJ/kg K, $c_v = 0,716$ kJ/kg K.

25. In een p-V-diagram meet men een compressielijn op: $p_1 = 5$ bar, $p_2 = 60$ bar, $V_1 =$
80 dm^3, $V_2 = 20$ dm^3. Indien de compressie polytroop verloopt, wat is dan de exponent n
van deze polytroop en wat is de toegevoerde compressie-arbeid?

26. 25 kg lucht van 2 bar en 27 °C wordt tot 150 °C gecomprimeerd, waarbij 1 600 kJ
worden onttrokken. Bereken de exponent van de polytroop en de toe te voeren arbeid.
$c_p = 1,00^3$kJ/kg K, $c_v = 0,716$ kJ/kg K, $R = 287$ J/kg K.

27. 1 kg lucht van 1 bar en 300 K wordt isothermisch gecomprimeerd tot 5 bar. Daarna
volgt een polytrope toestandsverandering 2-3, die verloopt volgens een rechte lijn door
de oorsprong. De druk p_3 wordt hierbij 10 bar. Bereken voor de processen 1-2 en 2-3
de toe te voeren arbeid in kJ/kg, alsmede de exponent van de polytroop. $R = 287$ J/kg K.

28. 1 kg lucht van 1 bar en 27 °C wordt polytroop gecomprimeerd ($n = 1,25$), waarbij de
toe te voeren arbeid 600 kJ bedraagt. Vervolgens wordt bij constante druk x kJ toegevoerd. Bepaal x als de eindtoestand van dit laatste proces met de begintoestand
verbonden kan worden door een polytroop waarvan de $n = 1,35$.
$R = 287$ J/kg K, $c_p = 1,005$ kJ/kg K.

HOOFDSTUK V

Indicateurarbeid

V.1.   Compressor zonder schadelijke ruimte

Bij de in de techniek gebruikte machines moet het arbeidsmedium aan de machine worden toegevoerd en aan het einde van het proces hieruit worden verwijderd (compressor, zuigerstoommachine, turbine enz.).

De arbeid die per omwenteling aan de as wordt afgegeven of, bij een compressor aan de as moet worden toegevoerd, noemt men de *indicateurarbeid* W_i*. De in het voorgaande besproken arbeid W wordt wel de *volumearbeid* genoemd. In fig. 5.1 is het theoretisch p-V-diagram van een compressor weergegeven. Gas van toestand 1 ($p_1 V_1$) wordt onder polytrope omstandigheden gecomprimeerd.

In 2 opent de persklep en wordt — van 2 → 3 — het gas uitgedreven in een vat van zodanige afmetingen dat de druk hierin niet oploopt tijdens deze slag. Bij de teruggaande slag daalt de druk tot p_1 en gaat de zuigklep open. Punt 4 ligt loodrecht onder 3, omdat er geen schadelijke ruimte is.

Van 4 → 1 wordt bij constante druk opnieuw gas aangezogen waarna dezelfde cyclus zich herhaalt. Men noemt dergelijke machines *periodiek werkend*.

Tijdens het uitdrijven van het gas is de arbeid die nodig is om de zuiger over de afstand 2-3 te verplaatsen:

$$W_{2-3} = p_2 A s_2$$

Hierin is A het zuigeroppervlak en s_2 de afgelegde weg. Nu is $A s_2 = V_2$, zodat de *door* het gas verrichte arbeid is:

$$W_{2-3} = - p_2 V_2$$

Tijdens het aanzuigen is de door het gas verrichte arbeid:

$$W_{4-1} = p_1 V_1$$

---

* Deze arbeid wordt ook wel technische arbeid genoemd.

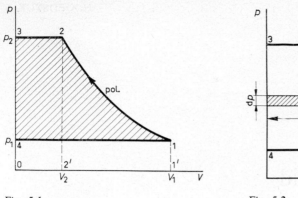

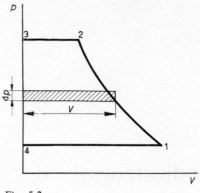

Fig. 5.1   Fig. 5.2

We kunnen nu schrijven:

$1 \to 2 \quad W_{1-2} = \dfrac{-1}{n-1}(p_2V_2 - p_1V_1) \triangleq$ opp. 1-2-2'-1' $(-)$

$2 \to 3 \quad W_{2-3} = -p_2V_2 \qquad\qquad \triangleq$ opp. 2-3-0-2' $(-)$

$4 \to 1 \quad \underline{W_{4-1} = p_1V_1 \qquad\qquad\quad \triangleq}$ opp. 4-1-1'-0 $(+)$

$\hspace{10cm}+$

$\Sigma W = W_i = \dfrac{-1}{n-1}(p_2V_2 - p_1V_1) - (p_2V_2 - p_1V_1) \triangleq$ opp. 1-2-3-4

$$\boxed{W_i = \frac{-n}{n-1}(p_2V_2 - p_1V_1)} \tag{5.1}$$

of:

$$\boxed{W_i = \frac{-nmR}{n-1}(T_2 - T_1)} \tag{5.2}$$

Voor deze laatste vergelijking kan met behulp van (4.24) ook worden geschreven:

$$W_i = \frac{-nmR}{n-1} T_1\left[\left(\frac{p_2}{p_1}\right)^{\frac{n-1}{n}} - 1\right]$$

Hieruit blijkt dat W_i afhankelijk is van de drukverhouding en recht evenredig is met de begintemperatuur T_1. Bij compressie van een gas moet T_1 dus zo laag mogelijk zijn (zie ook IV.8).

Aan de aszijde van de zuiger werkt de atmosferische druk, zowel bij de heen- als bij de teruggaande slag.

Bij de beweging van $1 \to 3$ wordt door de atmosfeer een arbeid p_1V_1 geleverd, bij de teruggaande slag $4 \to 1$ moet door het gas eenzelfde arbeid worden verricht om de zuiger weer in de beginstand 1 terug te brengen. Deze arbeidshoeveelheden vallen tegen elkaar weg, zodat het voldoende is de beschouwingen tot de dekselzijde te beperken.

Daar de indicateurarbeid overeenkomt met opp. 1-2-3-4, is deze arbeid ook te bepalen door integratie van dit oppervlak (fig. 5-2):

$$W_i = - \int_1^2 V \, \mathrm{d}p$$ *afgevoerde arbeid = pos* $\qquad$ (5.3)

Het min-teken is hier toegevoegd om te bereiken dat W_i bij expansiemachines een positieve waarde verkrijgt, zodat het teken in overeenstemming is met de vroeger (blz. 27) gemaakte tekenafspraak.

Het verband tussen p en V is:

$$pV^n = C$$

zodat:

$$W_i = - C^{\frac{1}{n}} \int_1^2 p^{-\frac{1}{n}} \, \mathrm{d}p = - C^{\frac{1}{n}} \, \frac{n}{n-1} \left(p_2^{\frac{n-1}{n}} - p_1^{\frac{n-1}{n}} \right)$$

Uit $pV^n = C$ volgt dat $C^{\frac{1}{n}} = p_2^{\frac{1}{n}} V_2 = p_1^{\frac{1}{n}} V_1$.

Substitutie hiervan in bovenstaande vergelijking levert dezelfde uitkomst als onder (5.1) werd gevonden. (Zie ook de afleiding op pag. 54).

Uit een vergelijking van de formule (5.1) en (4.21) blijkt dat de indicateurarbeid gelijk is aan n maal de volumearbeid:

$$W_i = nW$$ $\qquad$ (5.4)

Ditzelfde resultaat kan ook worden verkregen door differentiatie van $pV^n = C$.

$$pn V^{n-1} \, \mathrm{d}V + V^n \, \mathrm{d}p = 0$$

$$pn \, \mathrm{d}V + V \, \mathrm{d}p = 0$$

$$- \int_1^2 V \, \mathrm{d}p = n \int_1^2 p \, \mathrm{d}V$$

Het diagram van fig. 5.1 kan worden verkregen m.b.v. een indicateur. Dit is een toestel dat de druk in de cilinder optekent als functie van de slag. Vandaar de benaming indicateurarbeid.

Wordt het indicateurdiagram opgenomen van b.v. een luchtcompressor, dan is t.g.v. weerstanden in klep en leidingen, de druk p_2 hoger dan de druk in het luchtvat en p_1 lager dan de atmosferische druk.

Bovendien zal men constateren dat 1-2 geen zuivere polytroop is. Men kan deze kromme met een polytroop benaderen door te bedenken dat de verhouding tussen indicateurarbeid en volumearbeid gelijk is aan n.

Volgens fig. (5.1) is:

$$n = \frac{\text{opp. 1-2-3-4}}{\text{opp. 1-2-2'-1'}}$$

Door het planimetreren van beide oppervlakken kan nu n worden bepaald. Bij stromingsmachines (stoom- en gasturbines, ventilatoren enz.) spreekt men ook van indicateurdiagrammen, hoewel een dergelijk diagram niet met een indicateur kan worden opgenomen. De vorm van het diagram is gelijk aan dat van fig. 5.1. Het verschil bestaat hierin dat op de horizontale as nu niet het „cilindervolume'' is afgezet, maar het soortelijk volume van het arbeidsmedium of het totale volume dat per tijdseenheid door de machine stroomt. De uitdrukking „schadelijke ruimte'' heeft hier uiteraard geen betekenis.

Men dient er zich van bewust te zijn dat, hoewel het indicateurdiagram een gesloten figuur is, dit geen kringproces voorstelt. Dan zou de hoeveelheid gas die aan het proces deelneemt, constant moeten zijn. Tijdens aanzuigen en uitdrijven van het gas is dat echter niet het geval.

De lijnstukken 2-3 en 4-1 geven aan hoe het cilindervolume bij de persslag resp. aanzuigslag verandert.

De toestand van het gas (p, V, T) blijft hierbij onveranderd.

V.2. Vermogen

Het vermogen P_i kan met behulp van (5.1) of (5.2) worden berekend. Worden hierin massa's of volumina *per tijdseenheid* ingevuld, dan is de uitkomst van de berekening tevens het vermogen in watts. Zouden in (5.1) de soortelijke volumina worden ingevuld, dan moet de uitkomst nog met de massa per tijdseenheid worden vermenigvuldigd.

Bij substitutie van het volume dat per omwenteling wordt aangezogen resp. geleverd, verkrijgt men het vermogen na vermenigvuldiging met het aantal omwentelingen per tijdseenheid. Dit laatste geldt ook voor (5.2) als m wordt uitgedrukt in kg per omwenteling.

V.3. Adiabatische en isothermische compressie

Verloopt de toestandsverandering adiabatisch dan wordt W_i verkregen door in (5.1) of (5.2) voor $n = k$ in te vullen.

De laatste vergelijking kan worden vereenvoudigd tot:

$$W_i = - m\, c_p (T_2 - T_1)$$

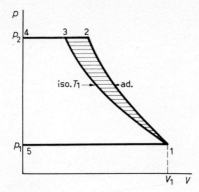

Fig. 5.3

Deze uitkomst volgt ook direct uit (3.8).

Bij *isothermische* compressie ($n = 1$) leveren (5.1) en (5.2) een onbepaalde vorm.

We schrijven dan in analogie met de afleiding van (5.1):

$$W_i = pV \ln \frac{V_2}{V_1} - p_2V_2 + p_1V_1$$

De laatste twee termen vallen weg omdat $p \, V = C$, zodat:

$$W_i = pV \ln \frac{V_2}{V_1} = mRT \ln \frac{V_2}{V_1} \qquad (5.5)$$

Uit fig. 5.3 blijkt dat de indicateurarbeid bij isothermische compressie kleiner is dan bij adiabatische compressie. De arbeidswinst komt overeen met het gearceerde oppervlak.

Isothermische compressie is niet te realiseren. Gewoonlijk verloopt de compressie polytroop met $1 < n < k$.

Zelfs bij een goede watergekoelde compressor is het verschil tussen n en k niet groot echter t.g.v. de korte tijd die voor warmtewisseling beschikbaar is.

Wordt adiabatische compressie *direct* gevolgd door een adiabatische expansie, dan komt theoretisch dezelfde arbeid vrij als aan de compressor werd toegevoerd. Meestal zal de lucht echter eerst naar een luchtvat worden geperst en daarin afkoelen tot de aanzuigtemperatuur T_1, zodat niet het volume V_2 maar het volume V_3 voor arbeidslevering beschikbaar is. In een dergelijk geval is isothermische compressie dus het meest economisch.

V.4. Compressie bij constant volume

Is bij de compressie het volume constant ($n = \infty$), dan volgt uit (5.1) dat:

$$W_i = -V(p_2 - p_1) \qquad (5.6)$$

65

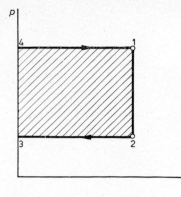

Fig. 5.4

Dit geval doet zich voor bij het op druk brengen van een vloeistof in een pomp. Een vloeistof is vrijwel niet samendrukbaar zodat het volume constant verondersteld kan worden.

Ook bij persluchtmachines waarbij de luchttoevoer tijdens de gehele slag plaatsvindt („volle" vulling) heeft het indicateurdiagram een dergelijke vorm (fig. 5.4).

V.5. Persluchtmachine

Bij toelaat over de gehele slag (fig. 5.4) is:

4-1 de verplaatsing van de zuiger t.g.v. toevoer van perslucht;

1-2 de drukdaling doordat de toevoer sluit en de afvoer wordt geopend;

2-3 het uitdrijven van de achtergebleven lucht.

Persluchtmachines werken in de regel met volle vulling. Het luchtverbruik

Fig. 5.5

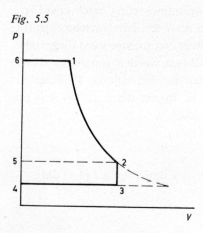

(kg per kJ arbeid) is daarbij hoog, omdat de druk van de lucht op het moment dat de uitlaat opent nog gelijk is aan de toevoerdruk. Het voordeel is echter dat de arbeidslevering groot is en dat de kracht op de zuiger gedurende de gehele slag constant is.

Een economischer gebruik van het arbeidsmedium wordt verkregen door de lucht slechts over een gedeelte van de slag toe te voeren. Het diagram krijgt daarbij de gedaante van fig. 5.5. De expansie wordt niet voortgezet tot op de tegendruk, maar afgebroken in 2. Dit o.a. omdat de slag daardoor korter wordt en de machine kleiner en lichter kan worden uitgevoerd.

De geleverde arbeid is:

$$W_i \cong \text{opp. } 1\text{-}2\text{-}3\text{-}4\text{-}6 = \text{opp. } 1\text{-}2\text{-}5\text{-}6 + \text{opp. } 2\text{-}3\text{-}4\text{-}5$$

$$W_i = \frac{-n}{n-1}(p_2 V_2 - p_1 V_1) - V(p_3 - p_2)$$

Bij expansie van lucht daalt de temperatuur. Uitgaande van lucht van kamertemperatuur kan de temperatuur zo laag worden dat de waterdamp in de lucht bevriest en de goede werking van de machine door ijsafzetting in gevaar zou kunnen komen. Dit kan worden vermeden door de lucht voor te verwarmen. Wordt de lucht die de compressor levert niet eerst in een luchtvat opgeslagen maar direct gebruikt, dan is de temperatuur hiervan zo hoog dat zich geen moeilijkheden zullen voordoen.

V.6. Compressor met schadelijke ruimte

In het voorgaande werd aangenomen dat de gehele gashoeveelheid uit de cilinder kan worden gedreven. Dit is in werkelijkheid echter niet mogelijk. Er blijft altijd een bepaalde afstand tussen zuiger en cilinderdeksel, die de schadelijke

Fig. 5.6

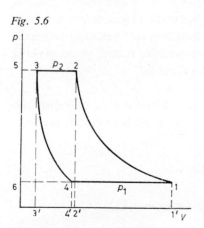

ruimte vormt (V_3). Daardoor verandert het indicateurdiagram en wordt zoals fig. 5.6 aangeeft. Bij de teruggaande slag expandeert de lucht van toestand 3 polytroop tot de aanzuigdruk p_1 is bereikt. Op dat moment gaat de inlaatklep open en wordt opnieuw gas aangezogen. Het aangezogen volume is nu V_1-V_4. Deze hoeveelheid is groter naarmate de schadelijke ruimte en de drukverhouding kleiner zijn.

Voor de arbeidshoeveelheden door het gas geleverd kan nu worden geschreven:

$$W_{1-2} = \frac{-1}{n-1}(p_2 V_2 - p_1 V_1) \triangleq \text{opp. 1-2-2'-1'} \quad (-)$$

$$W_{2-3} = p_2(V_3 - V_2) \triangleq \text{opp. 2-3-3'-2'} \quad (-)$$

$$W_{3-4} = \frac{-1}{n-1}(p_1 V_4 - p_2 V_3) \triangleq \text{opp. 3-4-4'-3'} \quad (+)$$

$$W_{4-1} = p_1(V_1 - V_4) \triangleq \text{opp. 4-1-1'-4'} \quad (+)$$

_____ +

$$\Sigma W = W_i = \frac{-1}{n-1}\{p_2(V_2 - V_3) - p_1(V_1 - V_4)\} - \{p_2(V_2 - V_3) - p_1(V_1 - V_4)\}$$

$$W_i = \frac{-n}{n-1}\{p_2(V_2 - V_3) - p_1(V_1 - V_4)\} \triangleq \text{opp. 1-2-3-4}$$

$V_2 - V_3 = V_{\text{gel.}}$ = het geleverde gasvolume
$V_1 - V_4 = V_{\text{aang.}}$ = het aangezogen gasvolume

$$\boxed{W_i = \frac{-n}{n-1}(p_2 V_{\text{gel.}} - p_1 V_{\text{aang.}})} \qquad (5.7)$$

De gevonden formule is dezelfde als voor een machine zonder schadelijke ruimte wanneer men hierin onder V_1 het aangezogen, en onder V_2 het geleverde gasvolume verstaat. De schadelijke ruimte heeft dus theoretisch geen invloed op de indicateurarbeid, mits de exponent n bij compressie en expansie gelijk is. Wel moet de compressor, om een bepaalde hoeveelheid gas te leveren, meer slagen maken en aangezien men in werkelijkheid nog met verliezen te maken heeft (o.a. de mechanische verliezen) zal de schadelijke ruimte in de praktijk wél invloed hebben op de benodigde hoeveelheid arbeid.

De bovengenoemde formule (5.7) kan ook worden afgeleid door de indicateurarbeid overeenkomend met opp. 1-2-3-4 op te vatten als het verschil van opp. 1-2-5-6 en opp. 3-4-6-5.

opp. 1-2-3-4 = opp. 1-2-5-6 − opp. 3-4-6-5

$$W_i = \frac{-n_1}{n_1 - 1}(p_2 V_2 - p_1 V_1) + \frac{-n_2}{n_2 - 1}(p_1 V_4 - p_2 V_3)$$

We schrijven „+" omdat we rekenen met de algebraïsche som van de met deze oppervlakken overeenkomende arbeidshoeveelheden. De exponenten bij compressie en expansie zijn gelijk of weinig verschillend, zodat $n_1 = n_2 = n$. Na enige herleiding wordt dan formule (5.7) weer verkregen. M.b.v. de gaswet kan voor (5.7) worden geschreven:

$$W_i = \frac{-nmR}{n-1}(T_2 - T_1)$$

waarin m de aangezogen (of geleverde) hoeveelheid voorstelt.

$$m = \frac{p_1(V_1 - V_4)}{RT_1} = \frac{p_2(V_2 - V_3)}{RT_2}$$

Toepassing 1

Ammoniakdamp wordt van 3 bar tot 9 bar samengedrukt. Per slag wordt 40 l aangezogen; de compressor maakt 200 slagen per minuut. Welk vermogen moet men toevoeren als de compressie adiabatisch verloopt? Bereken het vermogen eveneens wanneer de schadelijke ruimte 1 l bedraagt en de expansie eveneens adiabatisch verloopt. $k = 1,3$.

Oplossing

Uit $p_1V_1^k = p_2V_2^k$ volgt $V_2 = 17,4$ liter.

$$W_i = \frac{-1,3}{0,3}(900 \cdot 17,4 - 300 \cdot 40) = -15\,850 \text{ Nm} = -15,85 \text{ kJ}$$

$$P_e = \frac{15,85 \cdot 200}{60} = -52,8 \text{ kW}$$

Is de schadelijke ruimte van de compressor 1 liter (fig. 5-7), dan is:

$$W_{i_{1-2}} = -15,85 \text{ kJ}$$

$$W_{i_{3-4}} = \frac{-k}{k-1}(p_4V_4 - p_3V_3)$$

Fig. 5.7   *Fig. 5.8*

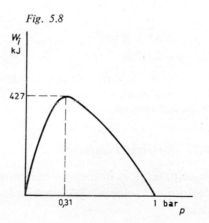

69

Uit $p_3 \cdot V_3^k = p_4 \cdot V_4^k$ volgt: $V_4 = 2{,}33$ l, zodat:

$$W_{i_{3-4}} = + \, 0{,}87 \text{ kJ}$$

$$W_i = (- \, 15{,}85 + 0{,}87 = - \, 14{,}98 \text{ kJ})$$

Het toe te voeren vermogen $\quad P_e = \dfrac{14{,}98 \cdot 200}{60} = \mathbf{49{,}9} \text{ kW}.$

In beide gevallen is het vermogen per liter aangezogen lucht 1,32 kW.
De schadelijke ruimte blijkt dus inderdaad geen nadelige invloed te hebben. Wel is de lucht-levering per slag kleiner geworden.

Toepassing 2

Een vacuümpomp zuigt per uur 10 m³ lucht uit een vat en comprimeert dit adiabatisch tot 1 bar. Teken het verloop van de indicateurarbeid wanneer de druk in het vat varieert van absoluut vacuüm tot 1 bar en bepaal hiervan het maximum. $k = 1{,}4$. (Door een luchtlek in het vat wordt de betreffende druk constant gehouden).

Oplossing

$$W_i = \frac{-k}{k-1}(p_2 V_2 - p_1 V_1) = \frac{-k \cdot 10^5}{k-1}(p_2 V_2 - p_1 V_1) \; (p_1 \text{ en } p_2 \text{ in bar invullen})$$

$$p_1 = 0 \rightarrow W_i = 0$$

$$p_1 = p_2 \text{ dan is ook } V_1 = V_2 \rightarrow W_i = 0$$

Is de aanzuigdruk x bar dan is uit $pV^k = C$ de V_2 te bepalen.

$$V_2 = 10 \cdot x^{\frac{1}{k}} \text{ zodat:}$$

$$W_i = \frac{-k \cdot 10^5}{k-1}(x^{\frac{1}{k}} \cdot 10 - x \cdot 10) = \frac{-k \cdot 10^6}{k-1}(x^{\frac{1}{k}} - x)$$

$$\frac{\mathrm{d}W_i}{\mathrm{d}x} = 0 \rightarrow \frac{-k \cdot 10^6}{k-1}\left(\frac{1}{k} x^{\frac{1}{k}-1} - 1\right) = 0$$

$$x = k^{\frac{k}{1-k}} = 1{,}4^{-3{,}5}$$

$$x = 0{,}31 \text{ bar}$$

Daarbij is $W_i = - \, 427 \cdot 10^3$ Nm $= - \, \mathbf{427}$ kJ.
Het verloop wordt nu zoals in fig. 5.8 is geschetst. Een vacuümpomp moet altijd op deze ongunstigste situatie worden berekend.

V.7. Tweetrapscompressor

In de praktijk is isothermische compressie niet te verwezenlijken, omdat noch voldoende koeloppervlak noch voldoende tijd voor koeling ter beschikking staan.

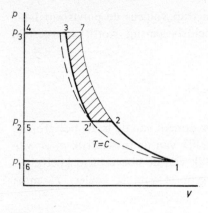

Fig. 5.9

De temperatuur van de lucht zal dus bij de compressie stijgen. Hierdoor bestaat er o.a. gevaar voor ontleding van de smeerolie. De lichtere fracties hiervan kunnen met lucht een explosief mengsel vormen, terwijl de zwaardere koolwaterstoffen aanleiding geven tot slijtage en vervuiling.

Men beperkt daarom de eindtemperatuur van de lucht tot ca. 200 °C, waarmee tevens aan de toelaatbare drukverhouding een grens is gesteld.

Deze ligt bij ca. 8, afhankelijk van de mate waarin de compressor wordt gekoeld. Moet de einddruk hoger zijn dan wordt de compressie in twee of meer trappen uitgevoerd. Hiermee wordt tevens een zekere arbeidsbesparing verkregen, die vooral van belang is voor grote compressoren met een groot aantal bedrijfsuren. Tussen twee opeenvolgende cilinders wordt de lucht dan door een koeler geleid en bij constante druk zo ver mogelijk afgekoeld. Men noemt dit *tussenkoeling*. Het koelen van de lucht na de laatste cilinder wordt *nakoeling* genoemd.

In fig. 5.9 is het indicateurdiagram van een tweetraps compressor getekend. Hierin is:

1-2 de polytrope compressie in de L.D.-cilinder;
2-2′ de warmteafvoer bij constante druk in de tussenkoeler;
2′-3 de polytrope compressie in de H.D.-cilinder;
3-4 het uit de machine verwijderen van het gecomprimeerde gas;
6-1 het aanzuigen, waarbij de cilinder opnieuw met gas wordt gevuld.

Voor de L.D.-cilinder is:

$$W_{i_{1-2}} = \frac{-nmR}{n-1}(T_2 - T_1) \cong \text{opp. 1-2-5-6}$$

Voor de H.D.-cilinder is:

$$W_{i_{2'-3}} = \frac{-nmR}{n-1}(T_3 - T_{2'}) \cong \text{opp. 2′-3-4-5}$$

71

Het is duidelijk dat, t.o.v. compressie in één trap volgens de polytroop 1-2-7 de met tweetrapscompressie verkregen arbeidsbesparing wordt voorgesteld door het gearceerde oppervlak 2-2'-3-7.

V.8. Bepaling van de tussendruk

Zijn begin- en einddruk gegeven alsmede de exponent van de beide polytropen, dan is de maximale arbeidsbesparing afhankelijk van de tussendruk p_2 en van de temperatuur $T_{2'}$. Deze laatste is afhankelijk van de hoeveelheid koelwater, de temperatuur van het koelwater en de grootte van de koeler. $T_{2'}$ moet uiteraard zo laag mogelijk zijn.

De totale indicateurarbeid is:

$$W_i = \frac{-nmR}{n-1}(T_2 - T_1) + \frac{-nmR}{n-1}(T_3 - T_{2'})$$

Wordt aangenomen dat de n-waarde van de polytropen 1-2 en 2'-3 gelijk zijn, dan is:

$$W_i = \frac{-nmR}{n-1}\{(T_2 - T_1) + (T_3 - T_{2'})\}$$

Worden de temperaturen T_1 en T_2' als gegeven beschouwd, dan geldt:

$$W_i = \frac{-nmR}{n-1}\left\{T_1\left(\frac{T_2}{T_1} - 1\right) + T_{2'}\left(\frac{T_3}{T_{2'}} - 1\right)\right\}$$

$$W_i = \frac{-nmR}{n-1}\left[T_1\left\{\left(\frac{p_2}{p_1}\right)^{\frac{n-1}{n}} - 1\right\} + T_{2'}\left\{\left(\frac{p_3}{p_2}\right)^{\frac{n-1}{n}} - 1\right\}\right]$$

De meest gunstige waarde van p_2 kan nu worden gevonden door het minimum te bepalen van deze functie. Differentiatie van W_i naar p_2 waarbij voor $\frac{n-1}{n} = u$ wordt geschreven levert:

$$\frac{dW_i}{dp_2} = \frac{-nmR}{n-1}\left\{T_1 \frac{up_2^{u-1}}{p_1^u} + T_{2'} p_3^u(-up_2^{-u-1})\right\} = 0$$

$$\frac{T_1 p_2^{u-1}}{p_1^u} = \frac{T_{2'} p_3^u}{p_2^{u+1}} \rightarrow p_2^{2u} = \frac{T_{2'}}{T_1}(p_1 p_3)'$$

$$p_2^2 = \left(\frac{T_{2'}}{T_1}\right)^{\frac{1}{u}} \cdot p_1 p_3 \qquad \text{(a)}$$

Zou het gas tot de begintemperatuur T_1 worden afgekoeld ($T_2' = T_1$) dan is:

$$p_2^2 = p_1 p_3 \rightarrow \frac{p_2}{p_1} = \frac{p_3}{p_2}$$

Hieruit blijkt dat de indicateurarbeid minimaal is als de drukverhouding per trap gelijk wordt genomen. Ditzelfde geldt voor compressoren met meer dan twee trappen.

Voor compressie in drie trappen vindt men:

$$\boxed{\frac{p_2}{p_1} = \frac{p_3}{p_2} = \frac{p_4}{p_3}} \tag{5.8}$$

waarin p_1 de begindruk, p_4 de einddruk en p_2 en p_3 de drukken na de tweede resp. derde trap voorstellen.

Gelijke drukverhouding betekent tevens gelijke temperatuurverhouding (Poisson). Derhalve is:

$$\frac{T_2}{T_1} = \frac{T_3}{T_{2'}}$$

Omdat verondersteld werd dat $T_1 = T_2'$ is dus ook $T_2 = T_3$. De indicateur-arbeid heeft in dit geval voor elke trap dezelfde waarde. (In fig. 5.9 is opp. 1-2-5-6 = opp. 2'-3-4-5).

Hoe groter het aantal trappen wordt genomen, hoe meer het ideaal — iso-thermische compressie — wordt benaderd. Uit het oogpunt van prijs en afmetingen beperkt men zich meestal tot het strikt noodzakelijke aantal.

Uit (a) blijkt dat ook T_2' invloed heeft op de meest gunstige tussendruk p_2.

Is $p_1 = 1$ bar, $p_3 = 25$ bar, $n = 1,35$, $T_1 = 290$ K en $T_{2'} = 310$ K, dan wordt $p_2 \approx 5,75$ bar. De druk p_2 valt dan dus ca. 15 % hoger uit dan in het geval dat $T_{2'} = T_1$.

Toepassing

Een tweetraps compressor zonder schadelijke ruimte zuigt per uur 300 m³ lucht van 300 K aan en comprimeert dit polytroop ($n = 1,2$). De begindruk is 1 bar, de einddruk 25 bar. In een tussenkoeler wordt de lucht tot de begintemperatuur afgekoeld. Bereken het theoretisch toe te voeren vermogen in kW en de benodigde hoeveelheid koelwater wanneer de tempera-tuurstijging hiervan 10 °C bedraagt en de tussendruk de meest gunstige waarde heeft.
$k = 1,4$, $c_p = 1,005$ kJ/kg K, $R = 287$ J/kg K.

Oplossing

Tussendruk $p_2 = \sqrt{p_1 \cdot p_3} = \sqrt{25} = 5$ bar (fig. 5.9).

De arbeid per trap is gelijk, dus:

$$W_i = 2 \frac{-n}{n-1}(p_2 V_2 - p_1 V_1) = 2 \frac{-n}{n-1} mR(T_2 - T_1)$$

73

Uit $\dfrac{T^n}{p^{n-1}} = C$ volgt: $T_2 = T_1 \left(\dfrac{p_2}{p_1}\right)^{\frac{n-1}{n}} = 300 \cdot 1{,}307 = 392\ \mathbf{K.}$

Uit $p_1 V_1 = m R T_1$ volgt:

$$m = \frac{10^5 \cdot 300}{287 \cdot 300} = 348\ \text{kg}$$

$$W_i = 2\ \frac{-1{,}2}{0{,}2} \cdot 348 \cdot 0{,}287 \cdot 92 = -11 \cdot 10^4\ \text{kJ/h}$$

Benodigd vermogen $P_i = \dfrac{11 \cdot 10^4}{3600} = \mathbf{30{,}6}\ \text{kW}$

De afgevoerde warmte in L.D.- en H.D.-cilinder bedraagt:

$$Q = \frac{k-n}{k-1}\ W \qquad W = \frac{1}{n}\ W_i = \frac{-11 \cdot 10^4}{1{,}2} = -9{,}16 \cdot 10^4\ \text{kJ/h}$$

$$Q = \frac{1}{2} \cdot 9{,}16 \cdot 10^4\ \text{kJ/h} = 4{,}08 \cdot 10^4\ \text{kJ/h}$$

De in de koeler overgedragen warmte:

$$Q_{2-2'} = m c_p\ (T_{2'} - T_2) = 348 \cdot 1{,}005\ (300 - 392) = -32{,}2 \cdot 10^3\ \text{kJ/h}$$

Totaal af te voeren: $4{,}08 \cdot 10^4 + 3{,}22 \cdot 10^4 = 73 \cdot 10^3\ \text{kJ/h}$

De benodigde koelwaterhoeveelheid:

$$m = \frac{73 \cdot 10^3}{10 \cdot 4{,}2} = \mathbf{1740}\ \text{kg/h}$$

V.9. Vraagstukken

1. Lucht van 20 °C wordt isothermisch resp. adiabatisch samengeperst. De drukverhouding is 8. Bereken in beide gevallen de arbeid die aan de as moet worden toegevoerd uitgedrukt in kJ per kg lucht en geef het verschil aan in een p-V-diagram.
   $k = 1{,}4$, $R = 287$ J/kg K.

2. Een compressor zuigt per uur 35 m³ lucht aan van 1 bar en 300 K. De levering bedraagt 10 m³ per uur, bij een druk van 5 bar. Bereken:
   a het verschil tussen de indicateurarbeid en de compressiearbeid;
   b de exponent n van de polytroop;
   c de warmte die bij de compressie wordt afgevoerd ($k = 1{,}4$).

3. Een compressor zuigt lucht aan van 0,9 bar en 300 K en comprimeert dit polytroop ($n = 1{,}3$) tot 5,4 bar. Bereken het toe te voeren vermogen in kW en de warmteafvoer bij de compressie in kJ/h als per uur 100 m³_n lucht wordt aangezogen.

   $R = 287$ J/kg K, $k = 1{,}4$.

4. Een elektrisch gedreven compressor zuigt per uur 100 m³ lucht aan van 15 °C en 0,9 bar. In de eindtoestand is de druk 7,2 bar en de temperatuur 192 °C. De compressie ver-

loopt polytroop. Bereken de benodigde indicateurarbeid per kg lucht, het stroomverbruik per uur en de door de lucht afgegeven warmtehoeveelheid in kJ/s als het mechanisch rendement van de compressor 80 % bedraagt. $R = 287$ J/kg K, $k = 1,4$.

5. Een elektrisch gedreven compressor zuigt een gas aan van 10 °C en 1 bar. De eind-temperatuur is 157 °C, de drukverhouding 5. Het rendement van de elektromotor is 90 %, het mechanisch rendement van de compressor is 85 %. De motor neemt per uur 275 MJ uit het net op. De koelwaterhoeveelheid van de compressor bedraagt 7,7 l/min. $k = 1,4$. Bereken:
   a de gaslevering in m^3/h;
   b de temperatuurstijging van het koelwater.

6. Een luchtcompressor heeft een zuigerdiameter van 450 mm en een slag van 900 mm. Het toerental is 120 omw/min. De lucht wordt aangezogen bij 0,9 bar en 37 °C en adiabatisch gecomprimeerd tot 3,6 bar. $k = 1,4$, $R = 287$ J/kg K. Bereken:
   a de toe te voeren arbeid per kg, per omw., per m^3 aangezogen lucht en per m^3_n lucht;
   b het geleverde luchtvolume per seconde;
   c het soortelijk volume van de aangezogen en de geleverde lucht;
   d het toe te voeren vermogen.

7. Een natte luchtpomp verwijdert per uur 15 m^3 lucht uit een condensor en comprimeert dit isothermisch tot 1 bar. De condensordruk bedraagt resp. 0,1 bar, 0,3 bar, 0,5 bar en 0,9 bar. Teken een grafiek waarin de toe te voeren arbeid wordt afgezet tegen de condensordruk en bepaal het maximum van de gevonden kromme. De arbeid voor het verpompen van het water wordt buiten beschouwing gelaten.

8. Een axiaalcompressor zuigt per uur 20 000 m^3 lucht aan van 1 bar en 17 °C. De druk na een adiabatische compressie bedraagt 5 bar.
   Vervolgens wordt het gas bij constante druk verwarmd tot 1 000 K. Tenslotte expan-deert het gas adiabatisch tot 1 bar in een turbine.
   $c_p = 1,005$ kJ/kg K, $R = 287$ J/kg K, $k = 1,4$. Bereken:
   a het vermogen dat aan de compressor moet worden toegevoerd;
   b de warmtetoevoer in MJ/h;
   c het vermogen dat de turbine levert;
   d teken beide indicateurdiagrammen in één p-V-diagram.

9. In een expansiemachine, werkend met lucht van 8 bar en 20 °C, expandeert de lucht polytroop ($n = 1,2$) tot $-$ 10 °C. De druk bij de teruggaande slag is 1,1 bar. Bereken:
   a de druk aan het einde van de expansie;
   b de geleverde arbeid per m^3_n ;
   c het luchtverbruik in m^3 per MJ.

10. Een expansiemachine verbruikt per uur 100 m^3 perslucht van 6 bar en 20 °C. De vulling bedraagt 40 % van de slag; de tegendruk bij de teruggaande slag is 1,2 bar; de expansie verloopt adiabatisch ($k = 1,4$). Bereken:
   a het geleverde vermogen;
   b het geleverde vermogen per m^3_n perslucht;
   c de toeneming van de arbeid en van de slag in procenten als de expansie tot op de tegendruk zou worden voortgezet.

11. Van een compressor is de schadelijke ruimte 5 % van het slagvolume. Met hoeveel procent moet de schadelijke ruimte worden vergroot om de levering met 20 % te doen afnemen? De begindruk is 1 bar, de einddruk 5 bar. Compressie en expansie verlopen adiabatisch met $k = 1,4$.

12. Van een compressor is de schadelijke ruimte 5 % van het slagvolume. De zuigerdiameter is 10 cm, de slag 9 cm, het aantal omwentelingen per minuut 900. De begindruk is 1 bar, de einddruk 7 bar. Compressie en expansie verlopen polytroop met $n = 1,3$ resp. $n = 1,2$. Als het mechanisch rendement 85 % bedraagt, wat is dan het toe te voeren vermogen in kW en de warmtehoeveelheid in kJ/min die bij compressie en expansie wordt overgedragen? $k = 1,4$.

13. Een compressor levert per minuut 1 m³ gas van 6,3 bar. Bij aanzuigen is de druk 0,9 bar en de temperatuur 17 °C. De compressie verloopt polytroop ($n = 1,35$). Bereken:
    a de benodigde arbeid aan de as in kJ/m^3_n ;

    b het toe te voeren vermogen;
    c het toe te voeren vermogen en de benodigde arbeid per m³ aangezogen lucht als de compressor een zodanige schadelijke ruimte zou hebben dat de levering 3 % minder wordt. Bij de expansie in $n = 1,25$.

14. Een compressor zuigt per uur 95 kg lucht aan en comprimeert dit polytroop tot een zekere einddruk.
    In de schadelijke ruimte blijft 5 kg lucht achter. Bij de compressie worden 4 000 kJ/h afgevoerd, terwijl de temperatuur hierbij 160 °C stijgt. De exponent van de polytroop bij compressie is gelijk aan die bij expansie. Bereken deze exponent alsmede het toe te voeren vermogen.
    $c_p = 1,005$ kJ/kg K, $c_v = 0,716$ kJ/kg K, $R = 287$ J/kg K.

15. In een tweetrapscompressor met als einddruk 25 bar wordt per uur 200 kg lucht van 1 bar en 27 °C aangezogen en polytroop ($n = 1,25$) gecomprimeerd. In een tussenkoeler wordt de lucht weer tot de begintemperatuur afgekoeld. De druk na de L D.-cilinder heeft de meest gunstige waarde. Wat is de benodigde arbeid per kg aangezogen lucht en per m^3_n lucht, de in de koeler af te voeren warmte in MJ/h, de totaal af te voeren warmte in MJ/h en het benodigde vermogen in kW? $R = 287$ J/kg K, $c_p = 1,005$ kJ/kg K, $k = 1,4$.

16. In een tweetrapscompressor wordt per uur 250 m³ stikstof van 27 °C en 1 bar tot 35 bar gecomprimeerd. De druk na de eerste trap is 7 bar. Het gas wordt na de compressie in een tussenkoeler tot 17 °C afgekoeld. De compressie verloopt polytroop met een exponent $n = 1,30$ in de eerste trap en $n = 1,35$ in de tweede trap. Bereken het toe te voeren vermogen in kW, alsmede de af te voeren warmte in L.D.-cilinder, tussenkoeler en H.D.-cilinder, uitgedrukt in MJ/h.
    $R = 297$ J/kg K, $k = 1,4$, $c_p = 1,040$ kJ/kg K.

17. Een tweetrapscompressor levert per uur 100 kg lucht van 24 bar. De lucht wordt aangezogen bij 1 bar en 27 °C, en in de L.D.-cilinder adiabatisch tot 6 bar gecomprimeerd. Bij de tussenkoeling worden 10 MJ/h afgevoerd, waarna in de H.D.-cilinder een polytrope compressie ($n = 1,3$) plaats vindt tot de temperatuur 545 K is geworden.
    $c_p = 1,005$ kJ/kg K, $k = 1,4$, $R = 287$ J/kg K. Bereken:
    a de temperatuur na de L.D.-cilinder en na de koeler in K.;
    b de benodigde arbeid voor de H.D.- en L.D.-cilinder afzonderlijk in MJ/h;
    c de totaal benodigde arbeid in kJ/m^3_n.

76

HOOFDSTUK VI

Kringprocessen

VI.1. Positieve kringprocessen

Een systeem doorloopt een kringproces wanneer het, na een aantal opeenvolgende toestandsveranderingen weer in de begintoestand terugkeert.
Alle toestandsgrootheden (p, V, T, U, enz.) verkrijgen dan weer dezelfde
waarde. De verandering van de inwendige energie is derhalve nul.
Uit de eerste hoofdwet volgt nu dat:

$$Q = W$$

Bij de toestandsveranderingen die achtereenvolgens worden doorlopen zal nu
eens warmte worden opgenomen, dan weer worden afgegeven.Ook de arbeid
is gedurende een deel van het proces positief, tijdens een ander deel negatief.
We kunnen dus beter schrijven:

$$\boxed{\Sigma Q = \Sigma W} \qquad\qquad (6.1)$$

waarin duidelijk tot uiting komt dat voor Q en W de algebraïsche som van
de toegevoerde warmtehoeveelheden resp. afgevoerde arbeidshoeveelheden
moet worden ingevuld.
In een toestandsdiagram vormt een kringproces altijd een gesloten figuur.
In het p-V-diagram van fig. 6.1 is een willekeurig omkeerbaar kringproces
aangegeven. Hieruit is af te lezen dat

$$\Sigma W \triangleq \text{opp.}\,\mathrm{a\,b\,c\,e\,f} - \text{opp.}\,\mathrm{c\,d\,a\,f} = \text{opp.}\,\mathrm{a\,b\,c\,d}$$

Het oppervlak ingesloten door het kringproces is dus een directe maat voor
de nuttig geleverde arbeid. Dit proces wordt een *rechtsomdraaiend of positief*
kringproces genoemd omdat $\Sigma W > 0$. Uiteraard is daarbij ΣQ ook positief.
Voor de beoordeling van kringprocessen maakt men gebruik van het z.g.
thermische rendement.

77

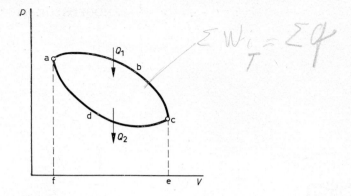

Fig. 6.1

Hieronder wordt verstaan de verhouding van de arbeid die wordt verkregen (ΣW) tot de hoeveelheid warmte die men heeft moeten toevoeren. In de noemer staat dus de som van de positieve Q-waarden (ΣQ_+). Weliswaar krijgt men een zekere warmtehoeveelheid terug, maar omdat deze bij lage temperatuur wordt afgevoerd is de waarde ervan zeer klein. We beschouwen deze warmtehoeveelheid dan ook als verloren.

Bij kringprocessen is het gebruikelijk om voor ΣQ te schrijven:

$$\Sigma Q = Q_1 - Q_2$$

waarbij Q_1 de toegevoerde en Q_2 de afgevoerde warmtehoeveelheid voorstelt. Voor Q_1 en Q_2 moeten hier *positieve* bedragen worden ingevuld, hetgeen afwijkt van wat in de voorgaande hoofdstukken werd gedaan. Tot nu toe werd namelijk het symbool Q gebruikt, zowel voor positieve als voor negatieve warmtehoeveelheden.

Voor het thermisch rendement kan nu worden geschreven:

$$\eta = \frac{\Sigma W}{\Sigma Q_+} = \frac{\Sigma Q}{\Sigma Q_+} = \frac{Q_1 - Q_2}{Q_1} = 1 - \frac{Q_2}{Q_1} \tag{6.2}$$

Bij de berekening van η gaat men ter vereenvoudiging van de volgende veronderstellingen uit:

1 de gassen zijn ideaal en de toestandsveranderingen omkeerbaar;
2 de soortelijke warmte is constant, dus c_p en c_v zijn onafhankelijk van temperatuur en druk;
3 warmte-ontwikkeling door verbranding wordt beschouwd als een warmtetoevoer van buiten af;
4 de hoeveelheid en de samenstelling van het arbeidsmedium wordt gedurende het gehele proces constant verondersteld.

Om de theoretische kringprocessen te onderscheiden van de werkelijke spreekt men van *standaardkringprocessen*. De resultaten van de hieraan uitgevoerde berekeningen zullen dan ook met de nodige reserve moeten worden bezien.

Afhankelijk van de uitvoering van de installatie waarin zich het kringproces afspeelt, kan men nog onderscheiden:

1 Open kringprocessen, waarbij het arbeidsmedium na afloop van het proces uit de machine wordt verwijderd en wordt vervangen door een even grote hoeveelheid van de begintoestand. Deze werkwijze vindt o.a. plaats bij verbrandingsmotoren.

2 Gesloten kringprocessen, waarbij steeds hetzelfde arbeidsmedium het proces doorloopt zoals bij een stoomturbine-installatie.

Toepassing 1

1 m^3 lucht van 1 bar wordt adiabatisch samengeperst tot $\dfrac{2}{7}$ van het beginvolume. Bij constant volume wordt de druk verdubbeld, waarna de lucht adiabatisch tot op de begindruk expandeert.

Tenslotte volgt een afkoeling bij constante druk tot de begintoestand weer is bereikt. Bepaal van dit kringproces de energiebalans en het thermisch rendement. $k = 1,4$.

Oplossing

Het p-V-diagram van het kringproces is in fig. 6.2 getekend.

Uit $p_1 V_1^k = p_2 V_2^k$ volgt $p_2 = 5,8$ bar.

$p_3 = 2\,p_2 = 11,6$ bar

$p_3 V_3^k = p_4 V_4^k \rightarrow V_4 = \mathbf{1{,}64} \text{ m}^3$

$p_1 = 1$ bar	$p_2 = 5,8$ bar	$p_3 = 11,6$ bar	$p_4 = 1$ bar
$V_1 = 1 \text{ m}^3$	$V_2 = \dfrac{2}{7} \text{ m}^3$	$V_3 = \dfrac{2}{7} \text{ m}^3$	$V_4 = 1,64 \text{ m}^3$

Fig. 6.2

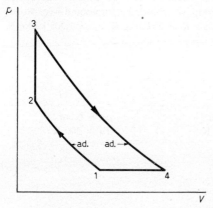

$$W_{1-2} = \frac{-1}{k-1}(p_2V_2 - p_1V_1) = -2,5\,(165\,700 - 100\,000) = -164\,250 \text{ J} =$$

$$= -164,25 \text{ kJ}$$

$$Q_{2-3} = \frac{1}{k-1}V_2(p_3 - p_2) = 2,5 \cdot \frac{2}{7} \cdot 5,8 \cdot 10^5 = 414\,250 \text{ J} = 414,25 \text{ kJ}$$

$$W_{3-4} = \frac{-1}{k-1}(p_4V_4 - p_3V_3) = -2,5\,(1,64 \cdot 10^5 - 3,314 \cdot 10^5) = 418\,500 \text{ J} =$$

$$= 418,5 \text{ kJ}$$

$$W_{4-1} = p_4(V_1 - V_4) = -64\,000 \text{ J} = -64,00 \text{ kJ}$$

$$Q_{4-1} = \frac{k}{k-1}p(V_1 - V_4) = -3,5 \cdot 10^5 \cdot 0,64 = -224\,000 \text{ J} = -224,00 \text{ kJ}$$

De energiebalans ziet er nu als volgt uit:

proces	Q	W
1-2	0	− 164,25 kJ
2-3	414,15 kJ	0
3-4	0	418,50 kJ
4-1	− 224,00 kJ	− 64,00 kJ
	190,25 kJ +	190,25 kJ +

Bij het kringproces is dus inderdaad $\Sigma Q = \Sigma W$.

$$\eta = \frac{\Sigma W}{Q_1} = \frac{190,25}{414,25} \cdot 100\% = \textbf{46\%}.$$

Wordt geen energiebalans gevraagd dan kan voor de bepaling van η worden volstaan met een berekening van de overgedragen warmtehoeveelheden.

Toepassing 2

Lucht van 1 bar en 300 K beschrijft het volgende kringproces: Isothermische compressie tot 6 bar, waarna bij constante druk warmte wordt toegevoerd tot de temperatuur 500 K is geworden. Vervolgens expandeert de lucht polytroop, waarbij de begintoestand weer wordt bereikt. Bepaal het rendement van dit kringproces als $R = 287$ J/kg K, $c_p = 1,005$ kJ/kg K en $k = 1,4$.

Oplossing

$p_1 = 1$ bar	$p_2 = 6$ bar	$p_3 = 6$ bar
$T_1 = 300$ K	$T_2 = 300$ K	$T_3 = 500$ K

$$\frac{T_3^n}{p_3^{n-1}} = \frac{T_1^n}{p_1^{n-1}} \rightarrow \left(\frac{T_3}{T_1}\right)^{\frac{n}{n-1}} = \frac{p_3}{p_1}$$

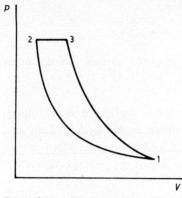

Fig. 6.3

$$\frac{n}{n-1} = \frac{\log \dfrac{p_3}{p_1}}{\log \dfrac{T_3}{T_1}} = 3{,}52 \; \rightarrow \; n = \frac{3{,}52}{2{,}52} = 1{,}4$$

De polytroop blijkt dus een adiabaat te zijn.

$$Q_{1-2} = mRT \ln \frac{p_1}{p_2} = -\,0{,}287 \cdot 300 \cdot 2{,}3 \cdot 0{,}778 = -\,154 \text{ kJ/kg}$$

$$Q_{2-3} = m\,c_p\,(T_3 - T_2) = 1{,}005 \cdot 200 = 201 \text{ kJ/kg}$$

In de formule van η is $Q_1 = 201$ kJ/kg en $Q_2 = 154$ kJ/kg.

$$\eta = \frac{201 - 154}{201} = 0{,}234 \qquad \eta = \textbf{23,4\%}.$$

Opmerking

De nuttige arbeid van een kringproces, overeenkomend met het oppervlak ingesloten door dit proces, kan niet alleen uit $\oint p\,\mathrm{d}V$ maar ook uit $-\oint V\mathrm{d}p$ worden berekend.
In plaats van ΣW kan men dus ook ΣW_i schrijven. In bepaalde gevallen biedt deze laatste schrijfwijze voordelen.
In de hierboven besproken toepassing is:

$$W_{i_{1-2}} = mRT \ln \frac{p_1}{p_2} = -\,154 \text{ kJ/kg}$$

$$W_{i_{2-3}} = 0$$

$$W_{i_{3-1}} = \frac{mRk}{k-1}\,(T_2 - T_1) = \frac{0{,}287 \cdot 1{,}4}{0{,}4} \cdot 200 = 201 \text{ kJ/kg}$$

$$\Sigma W_i = 201 - 154 = 47 \text{ kJ/kg}$$

Hieruit volgt dus dat $\Sigma W_i = \Sigma W = Q_1 - Q_2$.

81

ENIGE BIJZONDERE KRINGPROCESSEN

VI.2. Verbrandingsmotor

Het proces dat zich afspeelt in een verbrandingsmotor, is een van de meest belangrijke.

Hierbij kan men onderscheid maken in:

I. *Mengselmotoren.* De verbranding verloopt, t.g.v. de snelle drukstijging, bij nagenoeg constant volume en wordt in de regel ingeleid door een elektrische ontsteking. Naar de Duitser Otto, die de grote stoot tot de ontwikkeling van de verbrandingsmotor gaf, wordt dit proces ook wel het Otto-proces genoemd.

II. *Dieselmotoren.* Aan het einde van de compressieslag wordt brandstof ingespoten. Door de hoge temperatuur van de lucht komt deze tot ontbranding. De verbranding kan hierbij verlopen volgens:

1   Het gelijkdrukproces. De verbranding geschiedt dan zo geleidelijk dat de druk tijdens de verbranding niet oploopt. Dit proces speelt zich af in dieselmotoren met luchtverstuiving. Deze werkwijze wordt echter niet meer toegepast.

2   Het gemengde proces. Het eerste gedeelte van de verbranding verloopt bij constant volume, het laatste gedeelte bij constante druk. Dit is het gebruikelijke proces voor dieselmotoren met drukverstuiving.

Tenslotte kunnen zowel dieselmotoren als mengselmotoren werken volgens het tweeslag- of vierslagprincipe. Bij de tweeslagmotor heeft men bij elke omwenteling van de krukas één arbeidsslag.

In fig. 6.4 is het tweeslagproces aangegeven voor een verbranding volgens het gemengde proces.

Fig. 6.4   Fig. 6.5

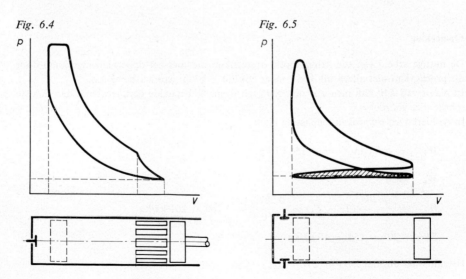

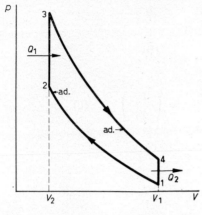

Fig. 6.6

Fig. 6.5 geeft het vierslagproces van een mengselmotor. Op elke twee omwentelingen van de krukas heeft men één arbeidsslag.

VI.3. Het Otto-proces

Het standaard-kringproces van de mengselmotor is in fig. 6.6 getekend.
Hierin is:
1-2 de adiabatische compressie van het mengsel.
2-3 de verbranding van het mengsel bij constant volume.
Vandaar dat men ook wel spreekt van het *gelijk-volumeproces*.
De uit de brandstof vrijkomende warmte wordt aangegeven met Q_1.
3-4 de adiabatische expansie tot het beginvolume.
4-1 warmte-afvoer Q_2 bij constant volume tot de begintoestand weer bereikt is.
Het afvoeren van de verbrandingsgassen van toestand 4 en het aanzuigen van nieuw mengsel van toestand 1 is hier vervangen door een afkoeling bij constant volume. Gemakkelijk is in te zien dat deze beschouwingswijze op de bepaling van η geen invloed heeft.
Nu is:

$$Q_1 = mc_v(T_3 - T_2) \text{ en } Q_2 = mc_v(T_4 - T_1)$$

zodat:

$$\eta = 1 - \frac{Q_2}{Q_1} = 1 - \frac{mc_v(T_4 - T_1)}{mc_v(T_3 - T_2)} =$$

$$= 1 - \frac{T_4 - T_1}{T_3 - T_2} = 1 - \frac{T_1\left(\dfrac{T_4}{T_1} - 1\right)}{T_2\left(\dfrac{T_3}{T_2} - 1\right)} \qquad (a)$$

83

Voor de adiabaat 1-2 geldt:

$$T_1 V_1^{k-1} = T_2 V_2^{k-1} \rightarrow \frac{T_1}{T_2} = \left(\frac{V_2}{V_1}\right)^{k-1} \qquad \text{(b)}$$

Voor de adiabaat 3-4:

$$T_3 V_3^{k-1} = T_4 V_4^{k-1} \rightarrow \frac{T_4}{T_3} = \left(\frac{V_3}{V_1}\right)^{k-1} = \left(\frac{V_2}{V_1}\right)^{k-1} \qquad \text{(c)}$$

Uit (b) en (c) volgt:

$$\frac{T_1}{T_2} = \frac{T_4}{T_3} \quad \text{of} \quad \frac{T_4}{T_1} = \frac{T_3}{T_2}$$

Sustitutie in (a) levert:

$$\eta = 1 - \frac{T_1}{T_2} = 1 - \frac{1}{T_2/T_1}$$

Noemen we $\dfrac{V_1}{V_2}$ de compressieverhouding c dan volgt met behulp van (b):

$$\boxed{\eta = 1 - \frac{1}{c^{k-1}}} \qquad (6.3)$$

Het rendement is afhankelijk van k en c en onafhankelijk van de grootte van Q_1, d.w.z. onafhankelijk van de belasting. Een hoge compressieverhouding is gunstig maar een te hoge waarde van c veroorzaakt zelfontbranding van de brandstof.
Praktisch echter stelt het z.g. ,,kloppen'' (detonatie) reeds eerder een grens aan de compressieverhouding dan het zelfontstekingspunt van de brandstof. Door speciale benzine met hoog octaangehalte te gebruiken kan men de detonatie tegengaan en de compressieverhouding opvoeren.
Bij automotoren liggen de waarde van c in de regel tussen 7 en 10.

VI.4. Het gemengde proces

Het in fig. 6.7 getekende standaardkringproces van een dieselmotor bestaat uit:
1-2 adiabatische compressie van de aangezogen lucht;
2-3 warmtetoevoer bij constant volume;
3-4 warmtetoevoer bij constante druk;
4-5 adiabatische expansie;
5-1 warmte-afvoer bij constant volume tot de begintoestand weer bereikt is.
Nu is:

$$Q_2 = |Q_{5-1}| = mc_v(T_5 - T_1)$$

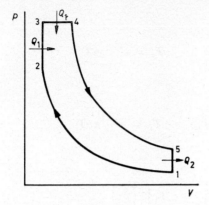

Fig. 6.7

$$Q_1 = Q_{2-3} + Q_{3-4} = mc_v(T_3 - T_2) + mc_p(T_4 - T_3)$$

zodat:

$$\eta = 1 - \frac{Q_2}{Q_1} = 1 - \frac{mc_v(T_5 - T_1)}{mc_v(T_3 - T_2) + mc_p(T_4 - T_3)} =$$

$$= 1 - \frac{T_5 - T_1}{T_3 - T_2 + k(T_4 - T_3)} \tag{a}$$

Het rendement kan nu worden uitgedrukt in α, c, ρ en k, waarin:

$\alpha = \dfrac{p_3}{p_2}$; dit is de verhouding tussen de maximale druk en de compressie-

einddruk;

$c = \dfrac{V_1}{V_2}$; dit is de reeds eerder genoemde compressieverhouding;

$\rho = \dfrac{V_4}{V_3}$; dit is de verhouding van het volume na en voor de warmte-

toevoer. Dit noemt men de vulling, of ook wel de verbrandingsverhouding;

$k = \dfrac{c_p}{c_v}$

De in (a) voorkomende temperaturen zullen nu alle worden uitgedrukt in T_1 en de genoemde verhoudingsgetallen.
Voor de adiabaat 1-2 geldt:

$$T_1 V_1^{k-1} = T_2 V_2^{k-1} \rightarrow T_2 = T_1 \left(\frac{V_1}{V_2}\right)^{k-1} = c^{k-1} T_1$$

$$\boldsymbol{T_2 = c^{k-1} \, T_1}$$

85

Voor de toestandsverandering 2-3:

$$\frac{p_2 V_2}{T_2} = \frac{p_3 V_3}{T_3} \rightarrow T_3 = T_2 \frac{p_3}{p_2} = T_2 \alpha \qquad T_3 = c^{k-1} \alpha T_1$$

Voor toestandsverandering 3-4:

$$\frac{p_3 V_3}{T_3} = \frac{p_4 V_4}{T_4} \rightarrow T_4 = T_3 \frac{V_4}{V_3} = T_3 \rho \qquad T_4 = c^{k-1} \alpha \rho T_1$$

Voor de adiabaat 4-5:

$$T_4 V_4^{k-1} = T_5 V_5^{k-1} \rightarrow T_5 = T_4 \left(\frac{V_4}{V_5}\right)^{k-1} = T_4 \left(\frac{V_4}{V_1}\right)^{k-1} =$$

$$= T_4 \left(\frac{V_4}{V_3} \frac{V_3}{V_1}\right)^{k-1} = T_4 \left(\frac{V_4}{V_3} \frac{V_2}{V_1}\right)^{k-1} = T_4 \rho^{k-1} \frac{1}{c^{k-1}}$$

$$T_5 = c^{k-1} \alpha \rho T_1 \rho^{k-1} \frac{1}{c^{k-1}} = \alpha \rho^k T_1 \qquad T_5 = \alpha \rho^k T_1$$

Ingevuld in (a):

$$\eta = 1 - \frac{\alpha \quad \rho^k \quad T_1 - T_1}{c^{k-1} \quad T_1 \quad \alpha - c^{k-1} \quad T_1 + k(c^{k-1} \quad T_1 \quad \alpha \quad \rho - c^{k-1} \quad T_1 \quad \alpha)}$$

$$\eta = 1 - \frac{\alpha \quad \rho^k - 1}{c^{k-1}(\alpha - 1) + k \, c^{k-1} \, \alpha(\rho - 1)}$$

$$\eta = 1 - \frac{1}{c^{k-1}} \left\{ \frac{\alpha \rho^k - 1}{(\alpha - 1) + k \quad \alpha(\rho - 1)} \right\}$$

$$\boxed{\eta = 1 - \frac{1}{c^{k-1}} \left\{ \frac{\alpha \rho^k - 1}{(\alpha - 1) + k \alpha(\rho - 1)} \right\}} \qquad (6.4)$$

Behalve de compressieverhouding c hebben nu ook de drukverhouding α en de vulling ρ invloed op het rendement. Voor een hoge waarde van η moet c groot en ρ klein gehouden worden, terwijl de invloed van α gering is.
Daar, behalve voor $\rho = 1$, de vorm tussen accoladen altijd groter is dan 1, is het rendement van het dieselproces dus altijd kleiner dan dat van een Otto-proces met dezelfde drukverhouding.
Men kan nu twee grensgevallen onderscheiden:
a   De gehele warmtetoevoer geschiedt bij constant volume dus $\rho = 1$.

In dat geval wordt het rendement $\eta = 1 - \dfrac{1}{c^{k-1}}$. Men vindt hiermee dus

het rendement van een mengselmotor terug.

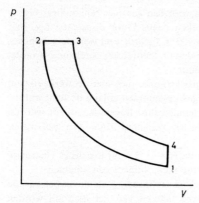

Fig. 6.8

b De gehele warmtetoevoer vindt plaats bij constante druk, d.w.z. $\alpha = 1$
Nu wordt het rendement:

$$\eta = 1 - \frac{1}{c^{k-1}} \; \frac{\rho^k - 1}{k(\rho - 1)} \qquad \cdot(6.5)$$

Het gelijkdrukproces — het standaard kringproces voor de dieselmotor met luchtverstuiving — is in fig. 6.8 weergegeven.

Het rendement hiervan neemt toe met de compressieverhouding c en af met toeneming van de vulling ρ. Een hogere waarde van ρ betekent een langere periode van warmtetoevoer en dus een hogere belasting van de motor.

In verband met een rookloze uitlaat moet men de brandstoftoevoer beperken tot maximaal 10% van de slag. Bij een hogere belasting blijkt het rendement dus af te nemen, in tegenstelling tot het Otto-proces.

Aangezien de verbrandingsruimte ongeveer 8% van V_1 bedraagt, is de waarde van c hier ca. 12. De grootte van het rendement wordt dus bepaald door ρ.

Indien het gelijk-volumeproces van een mengselmotor en het gelijkdrukproces bij een dieselmotor beide werken met dezelfde compressieverhouding, is het rendement van het eerste proces steeds hoger. De compressieverhouding bij mengselmotoren ($c = 7$-10) is echter beperkt en altijd kleiner dan die van de dieselmotor (bij automotoren $c = 11$-20), zodat het rendement van de dieselmotor toch hoger zal uitvallen. Het dieselproces van fig. 6.7 heeft een rendement dat tussen het gelijkdruk- en gelijkvolumeproces in ligt. Ook daar betekent een kleinere vulling een hoger rendement.

Opmerking

Nogmaals zij erop gewezen dat het rendement van het theoretische vergelijkingsproces en dat van het werkelijke proces aanzienlijke verschillen kunnen vertonen. Zo is het theoretisch rendement van het Otto-proces met $c = 7$ en $k = 1,4$ 54%; het werkelijke rendement is ca. 22%.

Gedeeltelijk komt dit doordat het proces berekend is voor een gas met eenvoudiger eigenschappen dan dat waarmee men in de motor te maken heeft. Door dissociatie b.v. (het uiteenvallen van moleculen bij temperaturen boven 1 400 °C) wordt veel warmte gebonden, waardoor de werkelijke eindtemperatuur lager zal zijn dan de theoretisch berekende waarde, terwijl ook c_p en c_v afhankelijk zijn van de temperatuur.

Anderzijds stemt de vorm van compressie- en expansiekromme niet met de werkelijkheid overeen. Bij compressie b.v. wordt warmte door het gas opgenomen zolang de temperatuur ervan lager ligt dan die van de cilinderwand. Is de temperatuur hoger dan wordt warmte afgestaan. De werkelijke compressiekromme kan worden benaderd door een polytroop. Hetzelfde geldt voor de expansiekromme.

Bij een mengselmotor is b.v. $n = 1,3$ bij compressie en is $n = 1,5$ bij expansie. Naarmate het toerental hoger is, verloopt de toestandsverandering meer volgens een adiabaat.

Verder is het werkelijke diagram kleiner omdat zowel de verbranding als de afvoer van de verbrandingsgassen enige tijd duurt, zodat de scherpe hoeken van het diagram worden afgerond.

Bij een vierslagmotor is er bovendien verschil tussen de druk bij aanzuigen en uitdrijven van de gassen. De nuttige arbeid zou dus nog verminderd moeten worden met de smalle gearceerde lus in het diagram van fig. 6.5.

VI.5. Rendement en gemiddelde druk

Rendement

Het oppervlak van het werkelijke indicateurdiagram is bij positieve kring, processen kleiner dan dat van het theoretische diagram t.g.v. warmteverliezen stromingsverliezen enz. Dit betekent dat de arbeid W_i die in werkelijkheid aan de zuiger wordt afgegeven, kleiner is dan de theoretische arbeid.

De effectieve arbeid W_e die aan de as van de machine vrijkomt, is kleiner dan W_i t.g.v. mechanische verliezen.

Men kan nu de volgende rendementen definiëren:

— het geïndiceerde rendement $\eta_i = \dfrac{W_i}{Q_1}$;

— het mechanische rendement $\eta_m = \dfrac{W_e}{W_i}$;

— het totale rendement $\eta_{tot} = \dfrac{W_e}{Q_1} = \eta_i \eta_m.$

De gemiddelde geïndiceerde druk p_i

Vervangt men het indicateurdiagram door een rechthoek met hetzelfde oppervlak en gelijke lengte (fig. 6.9) dan noemt men de hoogte van de rechthoek de gemiddelde geïndiceerde druk p_i. Dit is de constante druk die op de zuiger moet werken om, bij één slag, dezelfde arbeid te leveren als het kringproces.

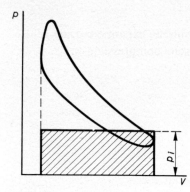

Fig. 6.9

Een hoge p_i-waarde betekent dat voor een bepaald vermogen de afmetingen van de motor klein zullen zijn. De p_i kan worden verhoogd door het opvoeren van de compressieverhouding, door drukvulling enz.

VI.6. Het kringproces van Carnot

Dit theoretisch belangrijke kringproces bestaat uit twee isothermen en twee adiabaten.
In fig. 6.10 is dit proces getekend. Hierin is:
a-b een isothermische compressie;
b-c een adiabatische compressie;
c-d een isothermische expansie;
d-a een adiabatische expansie.

Fig. 6.10

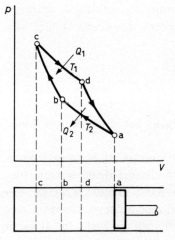

De toestandsveranderingen verlopen omkeerbaar.

Alle warmte wordt toegevoerd tijdens de isothermische expansie c-d, de gehele warmte-afvoer vindt plaats tijdens de isothermische compressie a-b.

$$\eta = 1 - \frac{Q_2}{Q_1} = 1 - \frac{m\,R\,T_2\ln\dfrac{p_b}{p_a}}{m\,R\,T_1\ln\dfrac{p_c}{p_d}}$$

Hierin is $T_1 = T_c = T_d$ en $T_2 = T_a = T_b$

Uit de 3de wet van Poisson volgt voor de adiabaat b-c:

$$\frac{T_b^k}{p_b^{k-1}} = \frac{T_c^k}{p_c^{k-1}} \rightarrow \frac{T_b^k}{T_c^k} = \frac{p_b^{k-1}}{p_c^{k-1}} \qquad \text{(a)}$$

Voor de adiabaat d-a:

$$\frac{T_d^k}{p_d^{k-1}} = \frac{T_a^k}{p_a^{k-1}} \rightarrow \frac{T_a^k}{T_d^k} = \frac{p_a^{k-1}}{p_d^{k-1}} \qquad \text{(b)}$$

Uit (a) en (b) volgt dat:

$$\frac{p_b}{p_c} = \frac{p_a}{p_d} \rightarrow \frac{p_b}{p_a} = \frac{p_c}{p_d}$$

Ingevuld in de rendementsformule:

$$\boxed{\eta = 1 - \frac{Q_2}{Q_1} = 1 - \frac{T_2}{T_1} = \frac{T_1 - T_2}{T_1}} \qquad (6.6)$$

Het rendement is derhalve alleen afhankelijk van de temperatuur T_1, waarbij de warmte wordt toegevoerd, en van de temperatuur T_2, waarbij de warmte-afvoer plaatsvindt. Welk ideaal gas het kringproces doorloopt is niet van belang.

VI.7. Het kringproces van Joule

Het proces in een heteluchtmotor, werkend volgens het principe van Joule verloopt als volgt:

In een compressor I (fig. 6.11) wordt lucht gecomprimeerd. Bij het overstromen naar de persluchtmachine II wordt hieraan, bij constante druk, warmte toegevoerd. In de expansiecilinder II verricht de lucht arbeid, waarvan een gedeelte wordt gebruikt om de compressor te drijven, welke mechanisch met de persluchtmachine gekoppeld is. Tenslotte kan men de lucht uit II laten

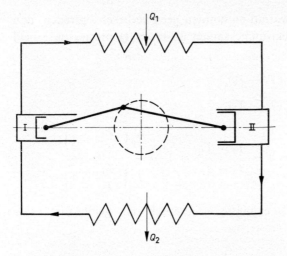

Fig. 6.11

ontwijken en in I nieuwe lucht aanzuigen, maar thermodynamisch verkrijgt men hetzelfde resultaat door de lucht in een koeler bij constante druk tot op de begintemperatuur af te koelen. Op deze wijze komt men tot het gesloten kringproces dat in fig. 6.12 is getekend.

De voor de compressor benodigde arbeid:

$$W_{i_{1-2}} \cong \text{opp. } 1\text{-}2\text{-}6\text{-}5$$

De door de persluchtmachine geleverde arbeid:

$$W_{i_{3-4}} \cong \text{opp. } 3\text{-}4\text{-}5\text{-}6$$

De nuttige arbeid door de heteluchtmotor geleverd:

$$\Sigma W = \Sigma W_i \cong \text{opp. } 1\text{-}2\text{-}3\text{-}4$$

Fig. 6.12

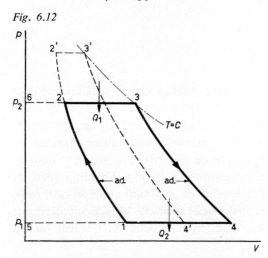

Zou de lucht niet worden verwarmd en zouden geen verliezen optreden, dan vallen compressie- en expansiekromme samen en levert II precies de arbeid die I nodig heeft.

De warmtetoevoer $Q_1 = m\,c_p(T_3 - T_2)$.

De warmte-avfoer $Q_2 = m\,c_p(T_4 - T_1)$.

Het rendement $\eta = 1 - \dfrac{Q_2}{Q_1} = 1 - \dfrac{T_4 - T_1}{T_3 - T_2} = 1 - \dfrac{T_1\left(\dfrac{T_4}{T_1} - 1\right)}{T_2\left(\dfrac{T_3}{T_2} - 1\right)}$

Verlopen zowel compressie als expansie adiabatisch dan geldt, met ε als drukverhouding:

$$\frac{T_2}{T_1} = \left(\frac{p_2}{p_1}\right)^{\frac{k-1}{k}} = \varepsilon^{\frac{k-1}{k}}$$

en

$$\frac{T_3}{T_4} = \left(\frac{p_3}{p_4}\right)^{\frac{k-1}{k}} = \left(\frac{p_2}{p_1}\right)^{\frac{k-1}{k}} = \varepsilon^{\frac{k-1}{k}}$$

Dus:

$$\frac{T_2}{T_1} = \frac{T_3}{T_4} \to \frac{T_4}{T_1} = \frac{T_3}{T_2}$$

Dan wordt:

$$\eta = 1 - \frac{T_1}{T_2} = 1 - \frac{1}{\varepsilon^{\frac{k-1}{k}}}$$

$$\boxed{\eta = 1 - \frac{1}{\varepsilon^{\frac{k-1}{k}}}} \tag{6.7}$$

Voert men de drukverhouding op bij gelijke waarde van de maximumtemperatuur dan verkrijgt men diagram 1-2'-3'-4'. De geleverde arbeid per kg lucht wordt kleiner en daarmee, voor bepaalde cilinderafmetingen, het vermogen. Het thermisch rendement is echter hoger. De maximaal toelaatbare temperatuur T_3 is afhankelijk van de eigenschappen van de materialen en van de smeerolie. Heteluchtmotoren zijn praktisch nog van weinig belang. Vervangt men de zuigercompressor en de persluchtmachine door een turbo-compressor resp. gasturbine, dan verkrijgt men een installatie waarvan talloze uitvoeringen bestaan. Het p-V-diagram is als fig. 6.12. In hoofdstuk XIII wordt hierop nader ingegaan.

VI.8. Het kringproces van Ericsson

In een heteluchtmotor, werkend volgens het Ericsson-proces, verlopen compressie en expansie isothermisch. De installatie is dezelfde als in fig. 6.11 werd aangegeven.In het p-V-diagram van fig. 6.13 is de warmtehoeveelheid:

$$Q_{2-3} = m\, c_p(T_3 - T_2)$$

en:

$$Q_{4-1} = m\, c_p(T_1 - T_4)$$

Daar $T_1 = T_2$ en $T_3 = T_4$ is:

$$|Q_{2-3}| = |Q_{4-1}|$$

De processen 2-3 en 4-1 verlopen tussen dezelfde temperaturen, zodat het theoretisch mogelijk is om, door middel van een ideale tegenstroomwarmtewisselaar, de warmte-hoeveelheid Q_{4-1} toe te voeren aan de lucht na de compressor. De temperatuur hiervan stijgt daarbij van T_2 tot T_3.

Dit proces verloopt omkeerbaar, omdat op elk moment het temperatuurverschil tussen het warmte-opnemend en het warmte-afgevend medium oneindig klein is.

De warmtehoeveelheden die bij deze inwendige warmte-overdracht overgaan, kunnen bij de bepaling van het rendement buiten beschouwing blijven. Het gaat immers alleen om warmtehoeveelheden die de grenslijn van het systeem passeren. Dit zijn de warmte-afvoer Q_{1-2} bij compressie en de warmtetoevoer Q_{3-4} bij expansie.

De afgevoerde warmte is:

$$Q_2 = |Q_{1-2}| = m\, R\, T_1 \ln \frac{p_2}{p_1}$$

De toegevoerde warmte is:

$$Q_1 = Q_{3-4} = m\, R\, T_3 \ln \frac{p_3}{p_4} = m\, R\, T_3 \ln \frac{p_2}{p_1}$$

$$\eta = 1 - \frac{Q_2}{Q_1} = 1 - \frac{m\, R\, T_1 \ln \dfrac{p_2}{p_1}}{m\, R\, T_3 \ln \dfrac{p_2}{p_1}} = 1 - \frac{T_1}{T_3}$$

$$\boxed{\eta = 1 - \frac{T_1}{T_3}} \tag{6.8}$$

Het rendement is gelijk aan dat van een Carnot-proces. Er blijken dus ook

93

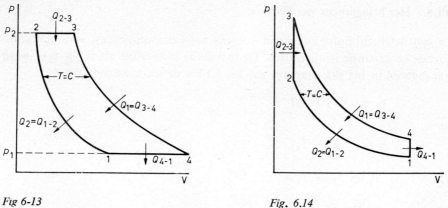

Fig 6-13   Fig. 6.14

nog andere kringprocessen mogelijk waarvoor $\eta = \eta_c$. Een hogere waarde dan η_c kan echter nooit worden verkregen.

VI.9. Het kringproces van Stirling

De kringloop bestaat uit twee isothermen verbonden door twee isochoren (fig. 6. 14). De warmtehoeveelheid:

$$Q_{2-3} = m\, c\, (T_3 - T_2)$$

en:

$$Q_{4-1} = m\, c_v (T_1 - T_4)$$

Daar $T_1 = T_2$ en $T_3 = T_4$ is:

$$|Q_{2-3}| = |Q_{4-1}|$$

In een ideale warmte-uitwisselaar, in tegenstroom geschakeld, kan Q_{4-1} aan de lucht na de compressor worden overgedragen waarbij deze in temperatuur stijgt tot T_3. Bij de bepaling van het rendement heeft men alleen te maken met de uitwendige warmtetoe- en afvoer Q_{3-4} resp. Q_{1-2}.
De warmte-afvoer is:

$$Q_2 = |Q_{1-2}| = mRT_1 \ln \frac{V_1}{V_2}$$

De warmtetoevoer is:

$$Q_1 = Q_{3-4} = m\, R\, T_3 \ln \frac{V_4}{V_3} = mR\, T_3 \ln \frac{V_1}{V_2}$$

$$\eta = 1 - \frac{Q_2}{Q_1} = 1 - \frac{m\, R\, T_1 \ln \dfrac{V_1}{V_2}}{m\, R\, T_3 \ln \dfrac{V_1}{V_2}}$$

94

$$\boxed{\eta = 1 - \frac{T_1}{T_3}}$$

(6.9)

Dit rendement is weer gelijk aan dat van een Carnotproces waarvan de hoogste temperatuur T_3 en de laagste temperatuur T_1 is. Zowel het Ericsson- als het Stirlingproces hadden tot nog toe geen praktische betekenis vanwege de moeilijkheden bij het fabriceren van een geschikte warmtewisselaar. Door Philips is op dit gebied belangrijk researchwerk verricht. De heteluchtmotor die hieruit is ontstaan heeft een rendement dat vergelijkbaar is met dat van motoren met inwendige verbranding. De werking is echter anders dan in VI.7. werd beschreven.

VI.10. Vraagstukken

1. Twee kg zwaveldioxyde van 1 bar en 300 K wordt adiabatisch samengeperst tot 400 K. Vervolgens expandeert het gas isothermisch tot de begindruk. Door warmte-afvoer bij constante druk wordt de begintoestand weer bereikt. Stel een energiebalans op en bereken het thermisch rendement van het kringproces als: $c_p = 0,609$ kJ/kg K, $c_v = 0,479$ kJ/kg K, $R = 130$ J/kg K en $k = 1,272$.

2. Vijf m³ lucht van 1 bar wordt isothermisch gecomprimeerd tot 5 bar. Bij constante druk wordt het volume verdubbeld waarna, via een adiabatische expansie tot het beginvolume en een warmteafvoer bij constant volume de begintoestand weer wordt bereikt. Stel een energiebalans op en bepaal het thermisch rendement van het kringproces. $c_p = 1,005$ kJ/kg K, $c_v = 0,716$ kJ/kg K. Bereken de nuttige arbeid nogmaals door gebruik te maken van de formules voor de indicateurarbeid.

3. Een gas met een druk van 1 bar wordt adiabatisch gecomprimeerd tot 6 bar. Daarna volgt een polytrope expansie tot het snijpunt met de isochoor door het beginpunt. De druk in het snijpunt bedraagt 4,5 bar, het volume 0,5 m³. Tenslotte wordt het gas bij constant volume afgekoeld tot de begintoestand weer is bereikt. Stel een energiebalans op en bepaal het thermisch rendement van het kringproces. $k = 1,43$.

4. Lucht van 1 bar en 300 K beschrijft het volgende kringproces: Adiabatische compressie tot 10 bar. Isothermische expansie tot het snijpunt met de polytroop ($n = -2$) door de begintoestand. Tenslotte wordt deze polytroop gevolgd tot de begintoestand is bereikt.
Bepaal het thermisch rendement door berekening van de warmtehoeveelheden.
□ $c_p = 1,005$ kJ/kg K, $c_v = 0,716$ kJ/kg K, $k = 1,4$, $R = 287$ J/kg K.

5. 1 kg gas van 1 bar en 300 K wordt polytroop ($n = 1,25$) gecomprimeerd tot 450 K, vervolgens bij constante druk verwarmd tot het snijpunt met de isochoor door het beginpunt en tenslotte bij constant volume afgekoeld tot de begintoestand. Stel een energiebalans op en bepaal het thermisch rendement van de kringloop als $c_p = 0,820$ kJ/kg K, $c_v = 0,630$ kJ/kg K, $R = 190$ J/kg K en $k = 1,30$.

6. Van een rechtsomdraaiend kringproces is de begintoestand gegeven door $p_1 V_1 T_1$. Door isothermische compressie stijgt de druk tot $p_2 = \varepsilon p_1$. Vervolgens expandeert het gas polytroop en daarna adiabatisch tot de begintoestand weer is bereikt. De polytroop door 2 en de adiabaat door 1 snijden elkaar in een punt 3 waarvoor geldt dat

$V_3 = \dfrac{1}{\beta} V_1$. Bereken de exponent n van de polytroop in afhankelijkheid van ε, β en k en bepaal het thermisch rendement.

7. 1 kg lucht van 1 bar en 300 K wordt isothermisch tot 5 bar samengeperst. Vervolgens wordt bij constant volume warmte toegevoerd tot de druk 1,5 maal zo groot geworden is. Tenslotte volgt een proces met constante druk tot het snijpunt met de polytroop $pV^{1,3} = C$ door het beginpunt, waarna genoemde polytroop wordt gevolgd tot de begintoestand weer bereikt is. Bepaal het thermisch rendement van dit kringproces. $c_p = 1,005$ kJ/kg K, $c_v = 0,716$ kJ/kg K, $R = 287$ J/kg K.

8. Een gas met een druk van 1 bar wordt isothermisch gecomprimeerd tot 6 bar. Vervolgens worden bij constante druk 150 kJ toegevoerd. Een polytroop verbindt dit laatste punt met het beginpunt. Bepaal de exponent van de polytroop, stel een energiebalans op en bepaal het thermisch rendement van het kringproces. $k = 1,4$, $V_1 = 1$ m^3.

9. 400 l lucht van 1 bar wordt isothermisch gecomprimeerd tot $\dfrac{1}{4}$ van het beginvolume. Bij constante druk worden 200 kJ toegevoerd. Vervolgens expandeert het gas isothermisch tot het beginvolume. Tenslotte wordt bij constant volume zoveel warmte afgevoerd tot de druk weer 1 bar is geworden. Stel een energiebalans op en bereken het thermisch rendement van het kringproces. $c_p = 1,005$ kJ/kg K, $c_v = 0,716$ kJ/kg K, $k = 1,4$.

10. 1 kg gas van 5 bar en 500 K doorloopt het volgende kringproces:
    a drukverhoging volgens een polytroop, met $n = -1$ tot $p_2 = 10$ bar;
    b expansie volgens een polytroop $(n = 2)$ tot $p_3 = 1,6$ bar;
    c compressie volgens een polytroop met $n = 1$;
    d volumevermindering volgens een polytroop $(n = 0)$ tot de begintoestand weer is bereikt.
    Stel een energiebalans op en bepaal het thermisch rendement van het kringproces. $k = 1,4$, $R = 300$ J/kg K.

11. Lucht van 1 bar en 300 K wordt isothermisch gecomprimeerd tot 2 bar en vervolgens verder adiabatisch gecomprimeerd tot 40 bar. Daarna expandeert het gas isothermisch, waarna een adiabatische expansie volgt tot de begintoestand weer is bereikt.
    Bereken het thermisch rendement, de compressieverhouding c en de gemiddelde geïndiceerde druk in N/m^2. $R = 287$ J/kg K, $k = 1,4$.

12. Lucht van 1 bar en 300 K wordt isothermisch gecomprimeerd tot 2 bar en vervolgens adiabatisch gecomprimeerd tot de temperatuur 1 800 K is geworden. Daarna expandeert het gas isothermisch waarna een adiabatische expansie volgt tot de begintoestand weer is bereikt.
    Bereken het thermisch rendement van het kringproces, de nuttige arbeid in kJ/kg, de compressieverhouding c en de gemiddelde geïndiceerde druk p_i in N/m^2. $R = 287$ J/kg K, $k = 1,4$.

13. Van een dieselmotor met drukverstuiving is de aanzuigdruk 0,9 bar, de druk na de compressie 35 bar, de maximale druk 53 bar. Tijdens de verbranding wordt het volume verdrievoudigd. De exponent n van de polytrope compressie bedraagt 1,38, die van de expansie 1,3. Bepaal het thermisch rendement van het kringproces. $k = 1,4$.

14. Van een tweeslag dieselmotor met verbranding bij constante druk is de druk bij aanzuigen 0,95 bar, de aanzuigtemperatuur 47 °C. De compressieverhouding is 12. De stookwaarde van de brandstof is 45 MJ/kg. Per kg brandstof is 18 kg lucht nodig. Bepaal het thermisch rendement van het standaard-kringproces. Bereken p_i en p_e als het mechanisch rendement 85 % bedraagt en men uit het indicateurdiagram opmeet dat door elke cilinder per slag 600 kJ arbeid wordt geleverd. De zuigerdiameter is 760 mm, de slag 1 500 mm. $R = 287$ J/kg K. $k = 1,4$

VI.11. Negatieve kringprocessen

Hieronder wordt verstaan een kringproces dat linksom wordt doorlopen. Dergelijke processen spelen zich af in koelinstallaties.

In fig. 6.15 is een willekeurig negatief kringproces aangegeven. De pijlen volgend blijkt dat van $1 \rightarrow 2$ arbeid wordt geleverd (opp. 1-3-2-2'-1'), terwijl daarentegen van $2 \rightarrow 1$ arbeid moet worden toegevoerd (opp. 24-1-1'-2'). De netto toe te voeren arbeid komt overeen met het oppervlak ingesloten door het kringproces. Het proces kost dus arbeid. Dit betekent ook dat de warmte-afvoer groter is dan de warmtetoevoer.

In een koelinstallatie moet een temperatuur worden gehandhaafd die beneden de omgevingstemperatuur ligt. Door de onvermijdelijke warmtetoevoer van buiten af moet dus continu een zekere warmtehoeveelheid uit de koelcel worden onttrokken. Noemen we nu:

Q_2 de warmtehoeveelheid die bij lage temperatuur uit de koelcel wordt opgenomen;

Fig. 6.15

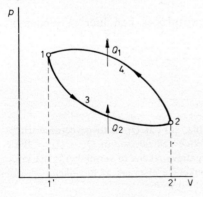

Q_1 de warmtehoeveelheid die bij hoge temperatuur aan de omgeving wordt afgegeven, dan wordt in de eerste hoofdwet:

$$Q_1 - Q_2 = W$$

Voor W een positieve waarde verkregen. Het ongemak van het negatieve teken wordt met deze afspraak vermeden.*

$$Q_1 = Q_2 + W$$

Aan de omgeving wordt een warmtehoeveelheid afgestaan die gelijk is aan de som van de opgenomen warmte Q_2 en de arbeid die op het arbeidsmedium is verricht.

Q_2 wordt de *koudeproduktie* genoemd. Men zal er naar streven om, bij een bepaalde arbeidstoevoer (W) Q_2 zo hoog mogelijk op te voeren. De verhouding tussen Q_2 en W is daarom een belangrijke grootheid bij de beoordeling van koelinstallaties.

Men noemt deze verhouding de *koudefactor* (koeleffect) ε.

$$\boxed{\varepsilon = \frac{Q_2}{W} = \frac{Q_2}{Q_1 - Q_2}} \qquad (6.10)$$

Hoewel ε dimensieloos is, is het duidelijker ε de dimensie te geven van twee energiehoeveelheden (b.v. kJ/kJ).

Inplaats van ε kan men ook opgeven hoeveel kJ uit de koelcel kunnen worden onttrokken bij een arbeidstoevoer van 1 kWh.

$$Q_2 = \varepsilon \cdot 3600 \text{ kJ/kWh}**$$

Een Carnotproces dat linksom wordt doorlopen is in fig. 6.16 aangegeven.

$$\varepsilon = \frac{Q_2}{Q_1 - Q_2} = \frac{mRT_2 \ln \dfrac{p_d}{p_a}}{mRT_1 \ln \dfrac{p_c}{p_b} - mRT_2 \ln \dfrac{p_d}{p_a}}$$

Op dezelfde wijze als bij het positieve Carnotproces kan hier worden aan-

---

* Bij een consequente toepassing van de afspraak (blz. 26) dat Q_1 de toegevoerde warmtehoeveelheid voorstelt en Q_2 de afgevoerde warmtehoeveelheid, zou in $Q_1 - Q_2 = W$ de arbeid negatief worden. Om het ongemak van negatieve tekens te vermijden is het in de koeltechniek daarom gebruikelijk van de oorspronkelijke afspraak af te wijken.
** Daar 1 kWh = 860 kcal, geldt ook $Q_2 = \varepsilon$ 860 kcal/kWh.

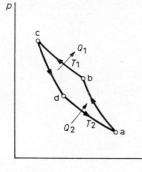

Fig. 6.16

getoond dat $\dfrac{p_d}{p_a} = \dfrac{p_c}{p_b}$ zodat:

$$\boxed{\varepsilon = \frac{T_2}{T_1 - T_2}}$$ (6.11)

Hieruit kan men zien dat T_2 zo hoog mogelijk en T_1 zo laag mogelijk genomen moet worden. Men moet dus niet dieper koelen dan strikt noodzakelijk is (T_2 hoog), terwijl de temperatuur van warmte-afvoer zo laag mogelijk moet zijn (koud koelwater).

Is $T_2 = 265$ K en $T_1 = 300$ K dan is $\varepsilon = 7{,}57$, d.w.z. de warmtehoeveelheid die wordt afgegeven is 7,57 maal zo groot als de toegevoerde arbeid.

Normaal is de waarde van $\varepsilon > 1$. Bij zeer lage temperaturen in de koelcel ($T_2 < \tfrac{1}{2} T_1$) wordt $\varepsilon < 1$.

VI.12. Koelmachine met lucht als koelmedium

De installatie is vergelijkbaar met het kringproces van Joule (VI.7). In fig. 6.17 is het schema aangegeven. De werking is als volgt:

1 Lucht met temperatuur T_1 wordt uit de koelcel onttrokken en door de compressor I adiabatisch van p_1 tot p_2 gecomprimeerd (fig. 6.18). De temperatuur neemt hierbij toe tot T_2.

2 Vervolgens wordt de lucht door een koeler geleid. Bij constante druk wordt een warmtehoeveelheid Q_1 aan de lucht onttrokken, waarbij de temperatuur daalt tot T_3. In een ideale warmtewisselaar in tegenstroom geschakeld zou T_3 gelijk kunnen worden aan de begintemperatuur van het koelwater.

3 In een expansiecilinder II expandeert de lucht adiabatisch tot op de begindruk en daalt de temperatuur tot T_4.

99

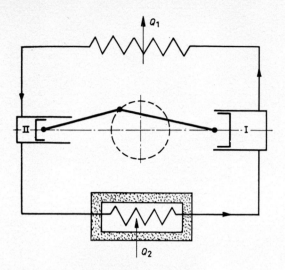

Fig. 6.17

4   Tenslotte wordt in de koelcel bij constante druk een warmtehoeveelheid Q_2 opgenomen, waarbij de temperatuur weer de beginwaarde T_1 bereikt. Daarna wordt de lucht opnieuw door de compressor aangezogen.

De arbeid toe te voeren aan de compressor is:

$$W_{i_{1-2}} \triangleq \text{opp. } 1\text{-}2\text{-}5\text{-}6$$

De arbeid geleverd door de expansiemachine:

$$W_{i_{3-4}} \triangleq \text{opp. } 3\text{-}4\text{-}6\text{-}5$$

Compressor en expansiemachine zijn mechanisch gekoppeld zodat de, aan de installatie toe te voeren arbeid:

$$\Sigma W = \Sigma W_i = W_{i_{1-2}} + W_{i_{3-4}} \triangleq \text{opp. } 1\text{-}2\text{-}3\text{-}4$$

Fig. 6.18

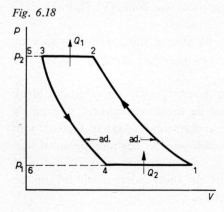

100

De koudefactor is:

$$\varepsilon = \frac{Q_2}{W} = \frac{Q_2}{Q_1 - Q_2} = \frac{1}{\dfrac{Q_1}{Q_2} - 1}$$

Nu is:

$$Q_1 = m\, c_p (T_2 - T_3)$$

en:

$$Q_2 = m\, c_p (T_1 - T_4)$$

zodat:

$$\frac{Q_1}{Q_2} = \frac{T_2 - T_3}{T_1 - T_4} = \frac{T_2\left(1 - \dfrac{T_3}{T_2}\right)}{T_1\left(1 - \dfrac{T_4}{T_1}\right)} \qquad (a)$$

Uit de 3de wet van Poisson volgt:

$$\frac{T_2}{T_1} = \left(\frac{p_2}{p_1}\right)^{\frac{k-1}{k}} \quad \text{en} \quad \frac{T_3}{T_4} = \left(\frac{p_2}{p_1}\right)^{\frac{k-1}{k}}$$

Dus:

$$\frac{T_2}{T_1} = \frac{T_3}{T_4} \rightarrow \frac{T_3}{T_2} = \frac{T_4}{T_1}$$

$$\frac{Q_1}{Q_2} = \frac{T_2}{T_1} = \left(\frac{p_2}{p_1}\right)^{\frac{k-1}{k}}$$

$$\boxed{\varepsilon = \frac{1}{\left(\dfrac{p_2}{p_1}\right)^{\frac{k-1}{k}} - 1}} \qquad (6.12)$$

De nadelen verbonden aan deze installatie zijn o.a. dat de temperatuur na expansie (T_4) lager moet zijn dan de geëiste koeltemperatuur T_1, en dat de soortelijke warmte van de lucht klein is. Daarom moet, om een zeker aantal warmte-eenheden uit de koelcel te onttrekken, de circulerende luchthoeveelheid groot zijn en dus ook de afmetingen van de installatie.

Toepassing

Van een koelmachine met lucht als koelmedium is gegeven: koelwatertemperatuur 15 °C, aanzuigdruk 1 bar, de geëiste koeltemperatuur − 3 °C, het aangezogen volume van de compressor 3 dm³ per slag, het aantal slagen per minuut 600. De koeler is een ideale

101

tegenstroomwarmte-uitwisselaar. Smeltingswarmte van ijs is 336 kJ/kg, de soortelijke massa van lucht bij 0 °C en 1 bar is 1,29 kg/m³. $k = 1,4$, $c_p = 1,005$ kJ/kg K, de drukverhouding is 3.

Bepaal de koudefactor en de koude-produktie van de installatie per kWh. Hoeveel kg ijs van 0 °C kan men per uur maken uit water van 17 °C? Wat is de benodigde hoeveelheid koelwater voor de koeler wanneer dit hierin 5 °C wordt verwarmd?

Oplossing

De koude factor is:

$$\varepsilon = \frac{1}{\left(\dfrac{p_2}{p_1}\right)^{\frac{k-1}{k}} - 1} = \frac{1}{1,37 - 1} = \textbf{2,7 kJ/kJ}$$

De koudeproduktie per kWh: $Q_2 = 2,7 \cdot 3\,600 = \textbf{9 720}$ kJ/kWh.

$$T_1 = 270\ \text{K} \qquad T_2 = T_1 . 3^{\frac{k-1}{k}} = 270 \cdot 1,37 = 370\ \text{K}$$

$$T_3 = 273 + 15 = 288\ \text{K} \qquad T_4 = \frac{T_3}{3^{\frac{k-1}{k}}} = \frac{288}{1,37} = 210\ \text{K}$$

Per uur wordt aangezogen: $3 \cdot 600 \cdot 60 = 108 \cdot 10^3$ dm³ $= 108$ m³.

De soortelijke massa van lucht van 1 bar en 270 K is $\dfrac{273}{270}$ 1,29 kg/m³

De aangezogen hoeveelheid is dus:

$$108\,\frac{273}{270}\,1,29 = 141\ \text{kg}.$$

Uit de koelcel wordt per uur onttrokken:

$$Q_2 = m\,c_p\,(T_1 - T_4) = 141 \cdot 1,005 \cdot 60 = 8\,500\ \text{kJ}$$

Voor het maken van 1 kg ijs van 0 °C uit water van 17 °C is nodig:

$$4,2 \cdot 17 + 336 = 407,4\ \text{kJ}$$

De installatie kan dus $\dfrac{8500}{407,4} = \textbf{20,9 kg}$ ijs per uur leveren.

In de koeler moet worden afgevoerd:

$$Q_1 = m\,c_p\,(T_2 - T_3) = 141 \cdot 1,005 \cdot 82 = 11\,600\ \text{kJ/h}$$

Benodigde hoeveelheid koelwater:

$$\frac{11\,600}{4,2 \cdot 5} = \textbf{554 kg/h}.$$

VI.13. Vraagstukken

15. Een koelmachine met lucht als koelmedium moet per uur 100 kg ijs van 0 °C maken uit water van 20 °C. De lucht expandeert tot de halve spanning en wordt met -3 °C uit de koelcel afgevoerd. Na de koeler is de luchttemperatuur 17 °C. Bepaal de koudefactor, de koudeproduktie per kWh en het aantal m_n^3 lucht dat per uur moet circuleren

102

De smeltingswarmte van ijs is 336 kJ/kg, $c_p = 1,005$ kJ/kg K, $k = 1,4$ $\rho_l = 1,29$ kg/m^{3}n

16. Van een koelinstallatie werkend met lucht is bekend dat per uur 50 MJ aan de koelcel wordt onttrokken. Hiervoor is aan arbeid 20 MJ nodig. De temperatuur van de lucht na de koeler is $27\,°$C. Bereken de koudefactor, de drukverhouding bij expansie, de temperatuur waarmee de lucht de koelcel intreedt, alsmede de temperatuurstijging van het koelwater als per uur $3\ 340$ kg koelwater door de koeler stroomt. $k = 1,4$.

17. Van een koelmachine met lucht als koelmedium is (zie fig. 6.18) $T_1 = 270$ K, $p_1 = 1$ bar, $p_2 = 3$ bar en $T_3 = 300$ K. Bereken de koudefactor, het benodigde vermogen in kW als per uur 200 MJ door het koelmedium worden opgenomen, het aantal MJ dat per uur door de koeler moet worden afgevoerd en het aantal kg lucht dat per uur moet circuleren. $c_p = 1,005$ kJ/kg K, $k = 1,4$.

HOOFDSTUK VII

Niet-omkeerbare toestandsveranderingen

In het voorafgaande werden alle processen als omkeerbaar beschouwd. Bij een dergelijk proces kunnen zowel het systeem als de omgeving altijd weer in hun oorspronkelijke toestand worden teruggebracht. Zoals bekend (III.4.) is het in werkelijkheid niet mogelijk een proces omkeerbaar te laten verlopen. Het omkeerbare proces is een ideaal dat nooit bereikt kan worden. Het kan beschouwd worden als het grensgeval van een niet omkeerbaar proces.

In de techniek verlopen een groot aantal processen zo snel dat er vrijwel geen tijd beschikbaar is voor warmte-uitwisseling met de omgeving.

Het niet omkeerbare *adiabatische* proces zal daarom nader worden beschouwd.

VII.1. Niet-omkeerbare adiabatische expansie en compressie

In een goed geïsoleerde cilinder bevindt zich een ideaal gas met druk p_1. De zuiger met oppervlak A_z, die gewichtloos is en zich wrijvingsloos kan bewegen ondervindt aan de andere zijde een *constante* tegendruk p_2. Daar aangenomen is dat $p_1 \gg p_2$, is de zuiger door een pen a gefixeerd (fig. 7.1). Wordt deze verwijderd dan zullen, onder invloed van de kracht $(p_1-p_2) A_z$, de zuiger en het opgesloten gas een grote snelheid in opwaartse richting verkrijgen, waardoor in het gas stromingen en wervelingen ontstaan. Door de inwendige wrijving komt het tenslotte tot rust. De gasdruk is dan gelijk aan p_2. De kinetische energie is volledig omgezet in inwendige energie, daar er geen warmtewisseling met de omgeving heeft plaats gehad.

De eindwaarde van de inwendige energie is bij een niet-omkeerbaar proces dus groter dan bij een omkeerbaar proces, waar zich deze verschijnselen niet voordoen.

In fig. 7.2 is het niet-omkeerbare proces door de kromme 1-2, het omkeerbare proces door de kromme 1-3 weergegeven.

Daar $U_2 > U_3$ is $T_2 > T_3$ en dus ook $V_2 > V_3$.

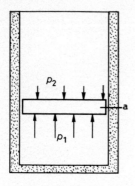

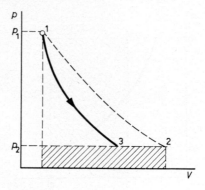

Fig. 7.1   Fig. 7.2

Bij het niet-omkeerbare proces is $W_{n \cdot o.} = U_1 - U_2$.
Bij het omkeerbare proces is $W_{o.} = U_1 - U_3$.
Hieruit blijkt dat de geleverde arbeid bij een niet-omkeerbaar proces kleiner is
dan bij een omkeerbaar proces en in beide gevallen geheel gaat ten koste van
de inwendige energie.
De waarde van deze arbeid kan men vinden door te bedenken dat de constante

kracht $p_2 A_z$ verplaatst is over de afstand $s = \dfrac{V_2 - V_1}{A_z}$,

zodat:

$$W = p_2 A_z s = p_2 (V_2 - V_1) \qquad \text{(a)}$$

Deze arbeid komt overeen met de in fig. 7.2 gearceerde rechthoek. Van de
druk van het *gas* uitgaan is hier niet mogelijk, daar (3.3) alleen geldig is als
het proces omkeerbaar, d.w.z. oneindig langzaam, verloopt.
Omdat (4.12) tevens geldig is voor niet-omkeerbare processen kan men ook
schrijven:

$$W = - mc_v (T_2 - T_1) = \frac{-1}{k-1}(p_2 V_2 - p_1 V_1) \quad \text{(b)}$$

Bij gegeven begintoestand en einddruk kan, door gelijkstelling van (a) en (b)
het eindvolume worden berekend.
Bij een niet-omkeerbare adiabatische compressie kan men op soortgelijke wijze
redeneren.
In fig. 7.3 is 1-2 het niet-omkeerbare proces, 1-3 het omkeerbare proces met
dezelfde compressie-einddruk.
In de eindtoestand is $U_2 > U_3$. Wordt de druk op de zuiger plotseling verhoogd van p_1 tot p_2 dan is de op het gas verrichte arbeid:

$$W = p_2 (V_2 - V_1) \triangleq \text{opp. 2-4-4'-2'}$$

105

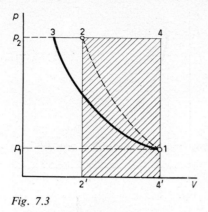

Fig. 7.3

Opmerking

Bij een compressor met normale zuigersnelheden, is de energietoename van het gas t.g.v. inwendige wrijving klein. Het is daarom een goede benadering het proces dat zich in een compressor afspeelt, als omkeerbaar te beschouwen. Hetzelfde geldt voor alle zuigermachines. Slechts in gevallen waarbij een grote turbulentie optreedt, is de benadering minder goed. Dit kan b.v. voorkomen bij verbrandingsmotoren waar men speciale voorzieningen heeft getroffen om de lucht een grote turbulentie te geven. Bij roterende compressoren, turbines en straalbuizen zijn de stromingssnelheden zeer groot, zodat hier de invloed van de wrijving beslist niet te verwaarlozen is.

Toepassing

In een cilinder bevindt zich lucht van 300 K en 2 bar. Het zuigeroppervlak is 4 dm², de afstand van de zuiger tot cilinderdeksel 8 dm. Plotseling wordt de druk op de zuiger tot 4 bar verhoogd. Wat is de door de zuiger afgelegde weg en wat is de eindtemperatuur van de lucht als de toestandsverandering als adiabatisch kan worden beschouwd? $k = 1,4$.

Oplossing

Wanneer de zuiger over de afstand x wordt verplaatst, dan is de, door de uitwendige kracht op het gas verrichte arbeid gelijk aan kracht $\times$ weg, dus:

$$W = -4.10^5 \cdot 0,04 \cdot x = -16\,000 \cdot x \tag{a}$$

Tevens geldt dat:

$$W = \frac{-1}{k-1}(p_2\,V_2 - p_1\,V_1) \tag{b}$$

Gelijkstelling van (a) en (b) levert:

$$-16\,000\,x = \frac{-1}{0,4}\{4.10^5\,(0,032 - 0,04\,x) - 2 \cdot 10^5 \cdot 0,032\}$$

$$x = \mathbf{0,285}\ \text{m}$$

106

Uit $\dfrac{p_1 V_1}{T_1} = \dfrac{p_2 V_2}{T_2}$ volgt nu: $T_2 = 386$ K.

Bij omkeerbare adiabatische compressie tot dezelfde einddruk is de eind-temperatuur:

$$T_2 = T_1 \left(\frac{p_2}{p_1}\right)^{\frac{k-1}{k}} = 366 \, \text{K}$$

Van dit principe is gebruik gemaakt bij het starten van dieselmotoren. Tijdens de teruggaande slag wordt eerst de inlaatklep enige tijd gesloten gehouden, zodat een vacuüm onstaat. Wordt de klep nu geopend dan stroomt de buiten-lucht met grote snelheid naar binnen en comprimeert de aanwezige lucht van b.v. 0,1 bar tot 1 bar. Daarbij ontstaat een hoge temperatuur die bij de compressieslag nog verder wordt opgevoerd.

Wanneer men dit enige malen herhaald heeft, is de voorkamer voldoende heet geworden en wordt brandstof ingespoten. Zelfs onder ongunstige omstandigheden kan de motor dan nog vlot starten.

Naast de genoemde snelle compressie van de in de cilinder aanwezige lucht vindt nog een ander proces plaats, nl. de menging van de binnenstromende koude lucht met de reeds aanwezige lucht. De temperatuur van het mengsel zal minder hoog zijn dan berekend volgens de methode van het voorafgaande voorbeeld, maar wel hoger dan de temperatuur van de buitenlucht.

De niet-omkeerbare compressie en de menging zijn twee processen die gelijktijdig plaatsvinden, maar bij de berekening kunnen ze gescheiden worden.

Toepassing

Stel de cilinderruimte van de vorige toepassing gevuld met lucht van 300 K en 0,1 bar. Door het openen van de inlaatklep stroomt lucht van 300 K en 1 bar binnen. Bereken de eindtemperatuur van het mengsel. $R = 287$ J/kg K, $k = 1,4$.

Oplossing

We berekenen eerst de eindtemperatuur van de aanwezige lucht zonder de menging in rekening te brengen. De arbeid door het gas verricht is:

$$W = -10^5 \cdot 0,04 \, x = -4000 \, x$$

waarin x de afstand voorstelt waarover de aanwezige lucht wordt samengedrukt.

Ook is $W = \dfrac{-1}{k-1} (p_2 V_2 - p_1 V_1)$.

Nu is $p_2 V_2 = 10^5 (0,04 \cdot 0,8 - 0,04 \, x) = 3\,200 - 4000 \, x$ en $p_1 V_1 = 10^4 (0,04 \cdot 0,8) = 320$

Na substitutie vindt men:

$$W = -2,5 \, (3\,200 - 4\,000 \, x - 320)$$

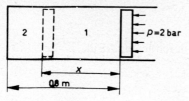

Fig. 7.4

Gelijkstelling levert:

$$4\,000\,x = 2,5\,(3\,200 - 4\,000\,x - 320)$$
$$x = 0,515\,\text{m}$$

Het eindvolume $V_2 = (0,800 - 0,515)\,0,04 = 0,0114\,\text{m}^3$

De eindtemperatuur is:

$$T_2 = \frac{p_2 V_2}{p_1 V_1}\,T_1 = \frac{10^5 \cdot 0,0114}{10^4 \cdot 0,032}\,300 = 1\,070\,\text{K}.$$

De massa van het mengsel kan worden bepaald door de ruimten 1 en 2 afzonderlijk te beschouwen (fig. 7.4)

$$m_2 = \frac{p_2 V_2}{R T_2} = \frac{10^5 \cdot 0,0114}{287 \cdot 1\,070} = 0,00372\,\text{kg}$$

$$m_1 = \frac{p_1 V_1}{R T_1} = \frac{10^5 \cdot 0,0206}{287 \cdot 300} = 0,0239\,\text{kg}$$

$$m = m_1 + m_2 = 0,02762\,\text{kg}$$

De temperatuur van het mengsel is:

$$T = \frac{pV}{mR} = \frac{10^5 \cdot 0,032}{0,02762 \cdot 287} = \mathbf{403\,K}.$$

Door het later openen van de inlaatklep is de temperatuur aan het begin van de compressie-slag 403 K in plaats van 300 K.

VII.2. Niet-omkeerbare kringprocessen

Het feit dat bij een kringproces altijd de begintoestand weer wordt bereikt, betekent niet dat het proces ook omkeerbaar verloopt. We moeten wel degelijk onderscheid maken tussen omkeerbaar en niet-omkeerbaar verlopende kring-processen.
Bij het omkeerbare kringproces verlopen alle toestandsveranderingen waaruit het kringproces is samengesteld, zowel inwendig als uitwendig, omkeerbaar. Door de processen als omkeerbaar te beschouwen vindt men het z.g. *ideale kringlooprendement*. In werkelijkheid zijn de processen niet omkeerbaar, zodat

het rendement lager zal zijn. Elke onomkeerbaarheid vermindert namelijk de positieve arbeid en vergroot de negatieve arbeid.

Een hoog rendement van het ideale kringproces is niet altijd een indicatie dat ook het werkelijke proces een hoog rendement zal bezitten. Twee kringprocessen kunnen hetzelfde ideale kringlooprendement hebben maar toch grote ver-schillen vertonen in hun werkelijke rendementen.

De oorzaak hiervan is dat sommige kringprocessen veel gevoeliger zijn voor een onomkeerbaarheid dan andere.

Een kriterium voor deze gevoeligheid is de *arbeidsverhouding* V_a.

Deze is gedefinieerd als de verhouding van het door het kringproces ingesloten oppervlak (de geleverde arbeid) tot de positieve arbeid. In fig. 7.5 is:

$$V_a \triangleq \frac{\text{opp. } 1-2-3-4}{\text{opp. } 5-1-2-3-6} = \frac{\text{nuttige arbeid}}{\text{positieve arbeid}} \qquad (7.1)$$

Hoe groter deze verhouding nu is, des te minder wordt het werkelijke rendement beïnvloed door een onomkeerbare toestandsverandering in één van de componenten van het kringproces.

Een arbeidsverhouding die dicht bij de eenheid ligt is dus gunstig. In hoofdstuk XII zal aan de hand van enige toepassingen op de invloed van V_a op het rendement nader worden ingegaan.

Toepassing

Van een ideaal kringproces is gegeven: Toegevoerde arbeid 20 J. Afgevoerde arbeid 100 J. Toegevoerde warmte 320 J.

Van een tweede ideaal kringproces zijn deze gegevens resp. 100, 140 en 160 J. Bepaal het rendement van beide kringprocessen, benevens de arbeidsverhouding en ga de rendementsverandering na, wanneer in beide gevallen t.g.v. verliezen (onomkeerbaar verlopende processen) de geleverde arbeid met 20 % wordt verlaagd en de toe te voeren arbeid met 10 % wordt verhoogd.

Fig. 7.5

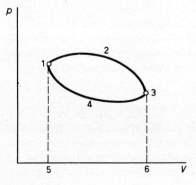

Oplossing

$$\eta_1 = \frac{100 - 20}{320} \ 100\% = \mathbf{25\%} \qquad V_a = \frac{80}{100} = \mathbf{0{,}8}$$

$$\eta_2 = \frac{140 - 100}{160} \ 100\% = \mathbf{25\%} \qquad V_a = \frac{40}{140} = \mathbf{0{,}286}$$

Verloopt het proces niet omkeerbaar, dan is:

$$\eta_1 = \frac{80 - 22}{320} \ 100\% = \mathbf{18{,}1\%}, \ \text{een daling van } \mathbf{6{,}9\%}$$

$$\eta_2 = \frac{112 - 110}{160} \ 100\% = \mathbf{1{.}25\%}, \ \text{een daling van } \mathbf{23{,}75\%}.$$

VII.3. Vraagstukken

1. In een verticaal geplaatste cilinder bevindt zich 100 l lucht van 0 °C en 1 bar. Op de zuiger, met diameter 2 dm, plaatst men plotseling een gewicht met een massa van 200 kg. Wat is de eindtoestand van de lucht nadat evenwicht is ingetreden als de toestandsverandering als adiabatisch kan worden beschouwd? Wat is de, op de lucht verrichte arbeid? Wat zou de eindtemperatuur en het eindvolume geweest zijn wanneer de compressie omkeerbaar adiabatisch tot dezelfde einddruk zou zijn uitgevoerd? $k = 1{,}4$, $g = 10$ m/s^2. De atmosferische druk is 1 bar.

2. In een vat bevindt zich zuurstof onder een druk van 1,5 bar en een temperatuur van 17 °C. Door een afsluiter staat het vat in verbinding met de buitenlucht (1 bar). Tijdens het snel openen en weer sluiten van de afsluiter constateert men dat de druk in het vat tot 1,2 bar is teruggelopen. Als de toestandsverandering adiabatisch verloopt, wat is dan de eindtemperatuur? Wat is de verrichte arbeid als het vat 10 kg zuurstof bevat? $k = 1{,}4$, $R = 260$ J/kg K.

3. Van 0,4 m^3 lucht van 27 °C en 6 bar welke zich onder een zuiger bevindt, wordt de druk plotseling verlaagd tot 2 bar. Wat is de eindtoestand van de lucht als er geen warmtewisseling met de omgeving plaats heeft? Hoe zou de eindtoestand geweest zijn bij een omkeerbare adiabatische toestandsverandering tot dezelfde einddruk? $k = 1{,}4$. Is het verklaarbaar dat de temperatuur in dit geval lager ligt?

4. Een massa van 75 kg valt van een hoogte van 8 m op een zuiger met diameter 3 dm waaronder zich 120 l lucht bevindt van 1 bar en 27 °C. Als alle energie in het gas terecht komt wat is dan de eindtoestand van de lucht als er geen warmte wordt toe of afgevoerd en de druk van de buitenlucht 1 bar bedraagt. Over welke afstand heeft de zuiger zich verplaatst? $k = 1{,}4$, $g = 10$ m/s^2

5. In een vat bevindt zich lucht van 17 °C en 2,5 bar; de druk buiten het vat is 1 bar. Door het openen van een kraan stroomt de lucht uit het vat naar buiten. Wanneer de druk 1 bar geworden is, sluit men de kraan. Als gedurende het uitstromen geen warmte wordt afgestaan of opgenomen wat is dan de eindtemperatuur van de lucht in het vat? Als na verloop van tijd deze lucht weer de omgevingstemperatuur van 17 °C heeft

110

aangenomen, wat is dan de druk geworden? Wat moet de begindruk zijn als, bij een begintemperatuur van 17 °C, dezelfde eindtoestand (1 bar 240 K) bereikt wordt via een omkeerbare adiabatische toestandsverandering? $k = 1,4$

6. De druk boven een gewichtsloze zuiger wordt plotseling verlaagd van p_1 tot p_2. Bereken de eindtemperatuur van de zich onder de zuiger bevindende lucht uitgedrukt in de verhouding $\dfrac{p_2}{p_1}$, k en T_1.

HOOFDSTUK VIII

Open systemen

VIII.1. Energievergelijking voor open systemen

De eerste hoofdwet (3.1) is een energievergelijking geldig voor gesloten systemen. Hierbij blijft dezelfde hoeveelheid stof binnen de begrenzingen van het systeem. Meestal zal echter een stroming van het medium plaatsvinden (ketel, turbine, pomp), waarbij een massastroom de grenslijn van het systeem overschrijdt. Bij de opstelling van een energievergelijking voor deze z.g. *open systemen* moeten (behalve Q, W en U) ook andere vormen van energie in de beschouwingen worden betrokken.

We beperken ons daarbij tot een *stationaire stroming*, d.i. een stroming waarbij:

1 De massa die per tijdseenheid door een doorsnede stroomt constant is.
2 De toestand van het medium (p, V, T, grootte en richting van de snelheid enz.) in een willekeurig punt van het systeem constant is.
   Elk massadeeltje passeert telkens een andere doorsnede, zodat het tijdens de stroming wel een toestandsverandering zal ondergaan.
3 De overgedragen hoeveelheid arbeid en warmte per tijdseenheid constant is.

We beschouwen een machine met toe- en afvoerleidingen volgens fig. 8.1 en

Fig. 8.1

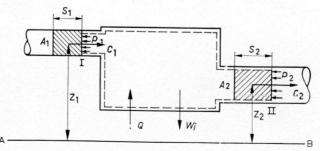

stellen een energiebalans op voor het systeem binnen de gestippelde begrenzing
Stroomt per tijdseenheid een massa m (het gearceerde element) bij I binnen
dan zal eenzelfde hoeveelheid bij II het systeem weer verlaten.

Daar de totale energie-hoeveelheid die in het systeem aanwezig is constant is,
moet in dit tijdsbestek:

energietoevoer = energie-afvoer

De toegevoerde energie is te splitsen in:

1 De inwendige energie U_1
2 De energie nodig om de massa m bij I te laten binnenstromen tegen de
   druk p_1 in. De tegenwerkende kracht op het element is $p_1 A_1$, de verrichte
   arbeid $p_1 A_1 s_1$. Nu is $A_1 s_1 = V_1$, zodat de op het systeem verrichte
   arbeid gelijk is aan $p_1 V_1$
3 De kinetische energie E_k van dit element. $E_k = \frac{1}{2} m c_1^2$
4 De potentiële energie E_p t.o.v. een gekozen niveau A-B. Is z_1 de hoogte
   boven dit niveau dan is $E_p = m g z_1$

Van de afgevoerde energie bij II kan men een dergelijke verdeling maken
waarbij de verschillende symbolen van de index 2 worden voorzien. De term $p_2 V_2$
is nu de arbeid die *door* het systeem moet worden geleverd om het element bij II
tegen de druk p_2 in, over de afstand s_2 te verplaatsen en zo naar de omgeving af te voeren.

Wordt verder aangenomen dat de machine een arbeidshoeveelheid W_i aan de
as levert, terwijl een warmtehoeveelheid Q aan het systeem wordt toegevoerd,
dan komt men resumerend tot het volgende resultaat:

Toegevoerde energie: $Q + U_1 + p_1 V_1 + E_{k1} + E_{p1}$
Afgevoerde energie: $U_2 + p_2 V_2 + E_{k2} + E_{p2} + W_i$
Deze hoeveelheden moeten aan elkaar gelijk zijn, zodat:

$$Q + U_1 + p_1 V_1 + E_{k1} + E_{p1} = U_2 + p_2 V_2 + E_{k2} + E_{p2} + W_i$$

$$Q = (U_2 + p_2 V_2) - (U_1 + p_1 V_1) + (E_{k2} - E_{k1}) + (E_{p2} - E_{p1}) + W_i$$

De term $U + pV$ komt in de warmteleer zo veel voor dat hiervoor een apart
symbool is gekozen, namelijk H. Men noemt dit de *enthalpie* van het systeem.

$$\boxed{H = U + pV} \tag{8.1}$$

Wordt de enthalpie betrokken op de eenheid van massa dan schrijven we:

$$h = u + pv$$

Met:

$$(U_2 + p_2 V_2) - (U_1 + p_1 V_1) = H_2 - H_1 = \Delta H$$

$$E_{k2} - E_{k1} = \Delta E_k$$

$$E_{p2} - E_{p1} = \Delta E_p$$

vindt men:

$$\boxed{Q = \Delta H + W_i + \Delta E_k + \Delta E_p} \tag{8.2}$$

Deze vergelijking is algemeen geldig, dus zowel voor omkeerbare als niet-omkeerbare processen. Bij de afleiding is namelijk de wijze waarop de om-zettingen in het systeem plaats vinden — omkeerbaar of niet-omkeerbaar — niet ter sprake gekomen. Alleen de thermodynamische en mechanische eigen-schappen in de toe- en afvoerdoorsnede zijn van belang.*

In de meeste gevallen kan (8.2) nog vereenvoudigd worden. Welke termen eventueel kunnen worden weggelaten, hangt van het beschouwde probleem af. De term ΔE_p is vrijwel altijd nul of zeer klein t.o.v. de andere termen. Deze zal daarom worden verwaarloosd, zodat:

$$\boxed{Q = \Delta H + W_i + \Delta E_k} \tag{8.3}$$

De gevonden vergelijkingen zullen nu worden toegepast op enige belangrijke stromingsprocessen.

VIII.2. Turbine

In een goed geïsoleerde turbine waar een arbeidsmedium adiabatisch (al of niet omkeerbaar) expandeert, is volgens (8.2):

$$W_i = -\Delta H - \Delta E_k - \Delta E_p$$

We zullen nu de geleverde arbeid berekenen waarbij de volgende waarden worden aangenomen.

De intree-snelheid $c_1 = 30$ m/s, de uittree-snelheid $c_2 = 100$ m/s, het hoogte-verschil van de toe- en afvoerleiding is 2 m, $\Delta h = 1\,000$ kJ/kg.

Hiermee wordt:

$$\Delta E_k = \tfrac{1}{2}m(c_2^2 - c_1^2) = \tfrac{1}{2}(100^2 - 30^2) = 4550 \text{ Nm/kg} = 4{,}55 \text{ kJ/kg}$$

$$\Delta E_p = mg(z_2 - z_1) = 10 \cdot 2 = 20 \text{ Nm/kg} = 0{,}02 \text{ kJ/kg.}$$

Het is duidelijk dat de beide termen ΔE_k en ΔE_p hier van geen betekenis zijn.

---

* In fig. 8.1 is aangenomen dat p, V, T, U en c in elk punt van een dwarsdoorsnede dezelfde waarde heeft. Door de wrijving langs de wand en tussen de stromende delen onderling is dit niet het geval. Het is echter gebleken dat de afgeleide vergelijking met voldoende nauwkeurigheid kan worden toegepast wanneer men de gemiddelde waarde van deze grootheden in de dwarsdoorsnede invult.

In de praktijk worden deze dan ook verwaarloosd, zodat per eenheid van massa:

$$\boxed{W_i \ = \ h_1 - h_2}$$ (8.4)

h_1 is de enthalpie van het medium vóór de turbine, h_2 de enthalpie na de turbine.

VIII.3. Straalbuis

Dit is een buis van een speciale vorm waarin het doorstromend medium expandeert en de snelheid toeneemt. In het algemeen is de stromingssnelheid groot, zodat de toestandsverandering niet omkeerbaar verloopt en bovendien de tijd voor warmte-uitwisseling met de omgeving zeer klein is ($Q = 0$). Verder vindt in de straalbuis geen arbeidslevering plaats ($W_i = 0$), zodat uit (8.3) volgt dat:

$$\Delta H + \Delta E_k = 0$$

Voor 1 kg:

$$\tfrac{1}{2}(c_2^2 - c_1^2) = h_1 - h_2$$

$$c_2 = \sqrt{2(h_1 - h_2) + c_1^2}$$

Veelal is $c_1 \ll c_2$, zodat c_1^2 kan worden verwaarloosd. Wordt nu de enthalpie ingevuld in kJ/kg dan is de eindsnelheid van het medium:

$$c_2 = \sqrt{2000(h_1 - h_2)}$$

$$\boxed{c_2 = 44{,}7\,\sqrt{h_1 - h_2}}$$ (8.5)

VIII.4. Warmtewisselaar

We beschouwen een warmtewisselaar (fig. 8.2) waarbij de twee media door een pijpwand zijn gescheiden. Voor beide media geldt dat $W_i = 0$, terwijl de snelheden vrijwel constant blijven ($\Delta E_k = 0$).

Fig. 8.2

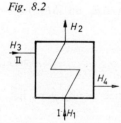

Voor het medium I waarvan de pijpwanden de begrenzingen van het systeem vormen geldt:

$$Q_I = m_I(h_2 - h_1)$$

Voor het medium II vormen de wanden van de warmtewisselaar en de pijpwanden de begrenzingen van het systeem. Hiervoor kan worden geschreven:

$$Q_{II} = m_{II}(h_4 - h_3)$$

De *absolute* waarde van Q_I en Q_{II} zijn vanzelfsprekend gelijk, zodat:

$$m_I(h_2 - h_1) = m_{II}(h_3 - h_4)$$

Ditzelfde resultaat kan worden verkregen door de gehele warmtewisselaar als één systeem te beschouwen, met als grenslijnen de wanden van het vat. De *uitwendige* warmtetoevoer en -afvoer is nul ($Q = 0$), zodat de energievergelijking luidt:

$$\Delta H = 0$$

Dit betekent dat de enthalpie van de instromende media gelijk is aan die van de media die het systeem weer verlaten.

$$m_I h_1 + m_{II} h_3 = m_I h_2 + m_{II} h_4$$

VIII.5. Ketel

Een ketel is ook als een warmtewisselaar op te vatten. Beschouwen we het voedingwater dat als stoom de ketel uitstroomt dan geldt hiervoor:

$$Q = \Delta H + \Delta E_k + \Delta E_p$$

Is de snelheid waarmee het voedingwater wordt toegevoerd 1 m/s, de snelheid waarmee de stoom wordt afgevoerd 50 m/s en het hoogteverschil tussen toe- en afvoer van het medium 25 m dan is:

$$\Delta E_k = \tfrac{1}{2} m (c_2^2 - c_1^2) = 1250 \text{ J/kg} = 1{,}25 \text{ kJ/kg}$$

$$\Delta E_p = mg(z_2 - z_1) = 250 \text{ J/kg} = 0{,}25 \text{ kJ/kg}$$

Daar Δh gewoonlijk 2 500-3 000 kJ/kg bedraagt, kunnen ΔE_k en ΔE_p ook hier worden verwaarloosd, zodat per eenheid van massa:

$$\boxed{Q = h_2 - h_1} \tag{8.6}$$

De toe te voeren warmte is gelijk aan de enthalpievermeerdering van het medium.

116

VIII.6.   Compressor

De indicateurarbeid W_i kan ook worden bepaald door de compressor te rang-schikken onder de open systemen.
Wordt uitgegaan van (8.3) en ΔE_k verwaarloosd, dan is

$$W_i = Q - \Delta H \qquad\qquad\qquad (a)$$

Is het gas ideaal en verloopt de toestandsverandering polytroop, dan is:

$$Q = m c (T_2 - T_1)$$

en:

$$H_2 - H_1 = m c_p (T_2 - T_1)^*$$

zodat:

$$W_i = m c (T_2 - T_1) - m c_p (T_2 - T_1) = m (c - c_p)(T_2 - T_1)$$

Met c opgelost uit (4.19) kan men schrijven:

$$c - c_p = \frac{n c_v - c_p}{n - 1} - \frac{n - 1}{n - 1} c_p = \frac{n(c_v - c_p)}{n - 1} = -\frac{nR}{n - 1}$$

$$W_i = \frac{-nmR}{n - 1}(T_2 - T_1)$$

waarmee het onder (5.2) gevonden antwoord is teruggevonden.
Bij een adiabatische compressie kan hierin voor $n = k$ worden ingevuld. In dit geval kan men echter beter uitgaan van (a) en schrijven:

$$W_i = -(H_2 - H_1) = - m c_p (T_2 - T_1)$$

VIII.7.   Pomp

Wordt een vloeistof in een pomp, al of niet omkeerbaar, op een hogere druk gebracht dan is, omdat geen warmte wordt toe- of afgevoerd, volgens (8.3):

$$W_i = -\Delta H - \Delta E_k$$

De snelheden van de vloeistof voor en na de pomp zijn weinig verschillend, zodat $\Delta E_k = 0$. Derhalve geldt voor een adiabatische compressie dat:

$$W_i = -(H_2 - H_1)$$

---

* $H_2 - H_1 = (U_2 - U_1) + (p_2 V_2 - p_1 V_1) = m c_v (T_2 - T_1) + m R (T_2 - T_1) = m c_p (T_2 - T_1)$

117

Verloopt de toestandsverandering omkeerbaar en wordt aangenomen dat de vloeistof niet samendrukbaar is, dan is $U_2 - U_1 = 0$ en kan voor de toe te voeren arbeid per kg vloeistof worden geschreven:

$$W_i = -v(p_2 - p_1)$$

zoals ook reeds in (V.4) werd gevonden.

Voor v moet het gemiddelde worden genomen van het soortelijk volume bij begin- en eindtoestand.

De arbeid die per kg vloeistof aan de pompas moet worden toegevoerd is dus:

$$\boxed{W_i = -(h_2 - h_1) = -v(p_2 - p_1)} \tag{8.7}$$

Wordt water van 0,05 bar omkeerbaar adiabatisch tot 50 bar gecomprimeerd, waarbij de gemiddelde waarde van v 1,1 dm³/kg bedraagt, dan is:

$$W_i = -\frac{1,1}{1000}(50-0,05)\,10^5 \text{ Nm/kg} = -5495 \text{ J/kg} \approx -5,5 \text{ kJ/kg}$$

De geleverde arbeid van stoom in een grote turbine ligt gewoonlijk in de orde van grootte van 1 000 kJ/kg. In een dergelijk geval kan bij de bepaling van het rendement van een turbine-installatie de arbeid voor de ketelvoedingpomp buiten beschouwing blijven. Bij een keteldruk van b.v. 220 bar is $W_i \approx -40$ kJ/kg. De arbeidslevering in de turbine is hierbij weliswaar ook groter (b.v. 1 500 kJ/kg), maar verwaarlozing van de pomparbeid is dan niet meer toegestaan.

VIII.8. Wet van Bernoulli

Dit is de wet van behoud van energie toegepast op een stationaire, wrijvingsloze stroming in een buis.

Hierbij is $Q = 0$, $W_i = 0$ en $U_1 = U_2$, zodat:

$$0 = p_2 V_2 - p_1 V_1 + \tfrac{1}{2} m (c_2^2 - c_1^2) + mg(z_2 - z_1)$$

Beschouwen we nu 1 kg vloeistof dan is $V = v = \dfrac{1}{\rho} = \text{constant}$, zodat:

$$\frac{p_2}{\rho} - \frac{p_1}{\rho} + \frac{c_2^2}{2} - \frac{c_1^2}{2} + gz_2 - gz_1 = 0$$

Na deling door g en andere rangschikking vinden we:

$$\boxed{\frac{p}{\rho g} + \frac{c^2}{2g} + z = C} \tag{8.8}$$

118

VIII.9. Waterkrachtinstallatie

Bij stroming van vloeistof door een waterturbine geldt:

$$0 = p_2 V_2 - p_1 V_1 + W_i + \tfrac{1}{2} m (c_2^2 - c_1^2) + m\,g\,(z_2 - z_1)$$

Substitutie van $V = m\,v$ en $v = \dfrac{1}{\rho}$ in bovenstaande vergelijking levert:

$$W_i = m\,g \left\{ \frac{p_1 - p_2}{\rho\,g} + \frac{c_1^2 - c_2^2}{2\,g} + (z_2 - z_1) \right\}$$

De indices 1 en 2 hebben betrekking op de waarde van p, c en z vóór en na de turbine.

In het algemeen zullen ook hier de laatste twee termen weinig invloed hebben. In dat geval is de nuttig geleverde arbeid:

$$\boxed{W_i = - V\,(p_2 - p_1)} \tag{8.9}$$

Deze vergelijking komt overeen met (8.7) als voor V het volume per massa-eenheid wordt ingevuld.

VIII.10. Vraagstukken

1. Een ketel produceert stoom van 40 bar en 450 °C ($h = 3\,329$ kJ/kg) uit water van 150 °C ($h = 629$ kJ/kg). Het voedingwater wordt met een snelheid van 2 m/s aan de ketel toegevoerd; de stoom met een snelheid van 40 m/s afgevoerd. In een straalbuis expandeert de stoom adiabatisch, waarbij de enthalpiedaling 1 000 kJ/kg bedraagt. Bereken de in de ketel toe te voeren warmte in kJ/kg en de snelheid waarmee de stoom uit de straalbuis treedt.

2. Door een turbine met een mechanisch rendement van 95 % stroomt per uur 60 ton stoom. Het geleverde vermogen bedraagt 19 MW. Bereken de enthalpiedaling van de stoom als de expansie adiabatisch verloopt.

3. Bereken m.b.v. (8.2) de eindsnelheid die een lichaam bij de vrije val verkrijgt.

4. Door een horizontale leiding van constante diameter stroomt wrijvingsloos lucht van 27 °C met een snelheid van 10 m/s. Door warmtetoevoer stijgt de temperatuur 300 °C. Als de doorstromende hoeveelheid constant is, bereken dan de enthalpie stijging van de lucht in kJ/kg. Hoeveel procent van de toegevoerde energie is nodig geweest om de inwendige energie van de lucht te vergroten? $c_p = 1,005$ kJ/kg K, $c_v = 0,716$ kJ/kg K.

5. Door een waterturbine stroomt per seconde 5 m^3 water. De overdruk van de vloeistof vóór de turbine bedraagt 22 bar, na de turbine 2 bar. Het doorstroomoppervlak van de aanvoerleiding is 1 m^2, dat van de afvoerleiding 2 m^2. Bereken het geleverde vermogen in kW. De druk van de buitenlucht is 1 bar. $\varrho_w = 1000$ kg/m^3.

119

Een luchtcompressor zuigt lucht aan van 1 bar en comprimeert dit polytroop tot 6 bar. De arbeid die aan de as moet worden toegevoerd bedraagt 220 kJ/kg, de vermeerdering van de inwendige energie 110 kJ/kg. De intree-snelheid van de lucht is 10 m/s, de snelheid in de afvoerleiding 4 m/s. Vóór de compressor is $v = 0,85$ m³/kg, na de compressor 0,20 m³/kg. Bereken de hoeveelheid warmte die bij de compressie wordt overgedragen in kJ/kg.

7.   a Door een hellende leiding van constante diameter stroomt water. Bereken met behulp van (8.2) het drukverschil tussen twee punten waartussen de afstand, verticaal gemeten, 8 m bedraagt. De stroming is wrijvingsloos. $g = 10$ m/s², $\varrho = 1000$ kg/m³.
     b Als t.g.v. wrijving een drukverlies optreedt van 0,5 bar, hoeveel warmte (J/kg) wordt dan naar de omgeving afgevoerd als de inwendige energie van de vloeistof niet veranderd is.

HOOFDSTUK IX

De tweede hoofdwet van de warmteleer

IX.1. Inleiding

Wanneer een systeem een kringproces doorloopt is $\Sigma Q = \Sigma W$, d.w.z. dat de algebraïsche som van de toegevoerde warmtehoeveelheden gelijk is aan de algebraïsche som van de afgevoerde arbeidshoeveelheden.

Hierbij zal men er naar streven om een zo groot mogelijk gedeelte van de toegevoerde warmte in arbeid om te zetten.

Het quotient van de verkregen nuttige arbeid en de hiervoor benodigde warmte is een criterium voor de mate waarin men in dit streven is geslaagd. Men noemt deze verhouding het thermisch rendement van het kringproces:

$$\eta = \frac{\Sigma W}{Q_1} = \frac{Q_1 - Q_2}{Q_1} = 1 - \frac{Q_2}{Q_1}$$

Om een warmtehoeveelheid te kunnen opnemen moet het systeem op een gegeven moment in contact worden gebracht met een warmtereservoir (W.R.),* waarvan de temperatuur hoger is dan die van het systeem zelf.

Om een warmtehoeveelheid te kunnen afstaan moet het in contact worden gebracht met een W.R. waarvan de temperatuur lager ligt dan die van het systeem.

Om een kringproces mogelijk te maken is het dus noodzakelijk te beschikken over minstens twee warmtereservoirs van verschillende temperatuur.

We kunnen dit symbolisch voorstellen door fig. 9.1.

Fig. 9.2 geeft de omgekeerde werking weer (negatief kringproces). Hierbij

---

* Onder een W.R. wordt verstaan een reservoir van zodanige capaciteit dat de temperatuur niet verandert als warmte de grenslijn passeert, b.v. condenserende stoom als W.R. van hoge temperatuur, de atmosfeer als W.R. van lage temperatuur.

Fig. 9.1   Fig. 9.2

wisselen de in fig. 9.1 aangegeven energiestromen van richting, zodat een zekere warmtehoeveelheid Q_2 aan het W.R. van lage temperatuur (T_2) wordt onttrokken en op een hogere temperatuur (T_1) wordt gebracht ten koste van een arbeidshoeveelheid W. Dit proces is reeds in VI.11. besproken (koelmachine).

Bij deze installatie wordt warmte van lage naar hoge temperatuur gepompt. Vandaar dat we een dergelijke inrichting ook wel een „*warmtepomp*" noemen.

De eerste hoofdwet is de wet van behoud van energie.
Bij een kringproces is $U_2 = U_1$, zodat:

$$W = Q_1 - Q_2$$

Het rendement is 100% indien $Q_2 = 0$. In dat geval is:

$$W = Q_1$$

Het is dus niet mogelijk een machine te ontwerpen die *voortdurend* arbeid levert zonder dat een equivalente hoeveelheid warmte aan het systeem wordt toegevoerd.
Deze uitspraak sluit een perpetuum mobile van de eerste soort uit.
Volgens de tweede hoofdwet is het onmogelijk een machine te ontwerpen waarbij $Q_2 = 0$. Altijd zal bij een kringproces een zekere warmtehoeveelheid moeten worden afgevoerd, zodat:

$$W < Q_1 \quad \text{en} \quad \eta < 100\%$$

De tweede hoofdwet is dus eigenlijk een beperking van de eerste, want een machine met een rendement van 100% is niet in tegenspraak met de eerste hoofdwet.
Door Kelvin werd dit als volgt geformuleerd:

Het is onmogelijk een periodiek werkende machine te ontwerpen die aan een warmtereservoir warmte onttrekt en dit geheel omzet in mechanische arbeid.

122

De tweede hoofdwet sluit een perpetuum mobile van de tweede soort uit. Dit betekent dat het onmogelijk is een machine te ontwerpen die b.v. de zee gebruikt als warmtebron of een elektrische centrale die thermische energie onttrekt aan de atmosfeer.*

Zowel de eerste als de tweede hoofdwet zijn *ervaringswetten* die onafhankelijk van elkaar zijn. Ze kunnen dus niet worden bewezen noch uit elkaar worden afgeleid.

Door Clausius is de tweede hoofdwet op een andere wijze geformuleerd:
Warmtetransport van een kouder naar een warmer lichaam is niet mogelijk zonder dat hierbij arbeid wordt verricht.
Met behulp van de uitspraak van Kelvin kan dit als volgt worden bewezen.

Stel dat de uitspraak van Clausius niet juist is.
Het is dan mogelijk om, zonder dat het arbeid kost, warmte van een lagere op een hogere temperatuur te brengen (fig. 9.3).
Zouden we nu tussen dezelfde twee warmtereservoirs een machine plaatsen die een warmtehoeveelheid Q_2 uit het W.R. (T_1) onttrekt en een arbeid W levert, dan moet volgens de eerste hoofdwet een warmtehoeveelheid $Q_2 - W$ worden afgevoerd.
In de gecombineerde installatie is het W.R. (T_1) overbodig omdat machine I de warmtehoeveelheid Q_2 rechtstreeks naar machine II kan voeren.
We hebben dan een installatie die uit één W.R. een warmtehoeveelheid $Q_2 - (Q_2 - W)$ onttrekt en dit geheel omzet in mechanische arbeid. Dit is n tegenspraak met Kelvin, zodat het uitgangspunt niet juist kan zijn, d.w.z. de uitspraak van Clausius is juist. De formulering van de tweede hoofdwet volgens Clausius kan dus ook beschouwd worden als een gevolgtrekking van de uitspraak van Kelvin.

Fig. 9.3

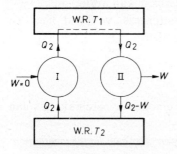

---

* Hierbij worden plaatselijke temperatuurverschillen in de atmosfeer of de zee buiten beschouwing gelaten.

123

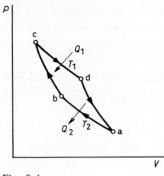

Fig. 9.4

IX.2. Het kringproces van Carnot

In het voorafgaande bleek dat warmte slechts in arbeid kan worden omgezet wanneer men de beschikking heeft over ten minste twee warmtereservoirs van verschillende temperatuur (b.v. ketel en condensor) en dat van de totaal toe-gevoerde warmte Q_1 slechts een deel in arbeid kan worden omgezet.

Zelfs bij het meest ideale kringproces zal altijd een zekere warmtehoeveelheid Q_2 moeten worden afgevoerd en dus onverbruikt door de machine gaan.

De vraag kan nu gesteld worden hoe een kringproces zou moeten verlopen om bij een gegeven temperatuurverschil van de twee warmtereservoirs, een gegeven hoeveelheid warmte Q_1 op de meest economische wijze te benutten.

Volgens Carnot zou dan alle warmte bij de hoogst beschikbare temperatuur T_1 moeten worden toegevoerd en bij de laagst beschikbare temperatuur T_2 moeten worden afgevoerd. Een dergelijk kringproces bestaat dus uit twee isothermen verbonden door twee adiabaten (fig. 9.4).

Warmte toe- en afvoer vindt plaats bij constante temperatuur T_1 resp. T_2 door warmtereservoirs waarvan de temperaturen oneindig weinig verschillen van T_1 en T_2, zodat de warmteoverdracht omkeerbaar kan verlopen.

Voor het rendement van een omkeerbaar Carnotproces, werkend met een ideaal gas als arbeidsmedium, werd in VI.6 gevonden:

$$\eta = 1 - \frac{T_2}{T_1}$$

Voor machines waarvoor *dezelfde twee* warmtereservoirs ter beschikking staan gelden de volgende uitspraken:

A *Het is niet mogelijk een machine te ontwerpen die een hoger rendement heeft dan een omkeerbaar werkende machine.*

Het bewijs hiervoor kan als volgt worden geleverd.

Twee machines A en B (fig. 9.5) nemen dezelfde warmtehoeveelheid

124

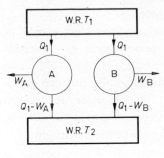

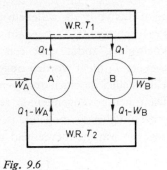

Fig. 9.5   Fig. 9.6

Q_1 op uit het W.R. van hoge temperatuur, leveren een arbeidshoeveelheid W_A resp. W_B en voeren derhalve een warmtehoeveelheid $Q_1 - W_A$ resp. $Q_1 - W_B$ naar het W.R. van lage temperatuur af. We nemen aan dat alleen A *omkeerbaar* verloopt en zullen nu aantonen dat het niet mogelijk is dat $W_B > W_A$.

Keren we het proces A van richting om (fig. 9.6) dan ontstaat een warmtepomp die een warmtehoeveelheid $Q_1 - W_A$ opneemt, een arbeid W_A vraagt en een warmtehoeveelheid Q_1 aan het W.R. van hoge temperatuur afgeeft.

Beschouwen we de gecombineerde installatie dan kan de warmtehoeveelheid Q_1 rechtstreeks naar machine B worden gevoerd.

Er wordt nu uit het W.R. T_2 een warmtehoeveelheid $(Q_1 - W_A) - (Q_1 - W_B)$ $= W_B - W_A$ onttrokken. De nuttige arbeid die de installatie levert is eveneens $W_B - W_A$. Dit resultaat is in strijd met de uitspraak van Kelvin. Het is dus niet mogelijk dat $W_B > W_A$ is, zodat $\eta_B > \eta_A$ niet juist kan zijn.

B   *Alle omkeerbaar werkende machines hebben hetzelfde rendement.*

Zou in fig. 9.5 ook B een omkeerbaar werkende machine zijn dan zou dus altijd moeten gelden dat $\eta_A = \eta_B$. De mogelijkheid dat $\eta_B > \eta_A$ is uitgesloten, zoals zojuist is bewezen. Is $\eta_B < \eta_A$ dan zou er een machine (A) bestaan die een hoger rendement heeft dan een omkeerbaar werkende machine (B). Volgens het voorafgaande kan dit niet, zodat $\eta_A = \eta_B$ als enige mogelijkheid overblijft.

Daar alle omkeerbare kringprocessen die tussen dezelfde twee warmtereservoirs werkzaam zijn hetzelfde rendement bezitten is dit rendement blijkbaar alleen afhankelijk van de temperatuur van de warmtereservoirs en onafhankelijk van het arbeidsmedium (zie VII.8 en VII.9). Het op pag. 90 genoemde rendement

$$\eta = 1 - \frac{T_2}{T_1} \qquad \text{(a)}$$

125

geldt dus voor elk willekeurig omkeerbaar kringproces.

Practisch wordt T_2 bepaald door de atmosferische condities (buitenlucht of koelwater), zodat voor een hoog rendement de temperatuur van warmtetoevoer T_1 moet worden opgevoerd.

Hier stellen de eigenschappen van de materialen, de smeerolie enz. een grens. Daar het bovengenoemde rendement het hoogste is dat onder de gegeven omstandigheden mogelijk is, is de maximale hoeveelheid arbeid die uit een gegeven warmtehoeveelheid met temperatuur T_1 kan worden verkregen:

$$W_{max.} = \left(1 - \frac{T_2}{T_1}\right) Q_1$$

Practische waarde heeft het Carnotproces niet. Bij een redelijke maximumdruk is het diagramoppervlak, dus de gemiddelde geïndiceerde druk, dermate laag dat de afmetingen van de machine buitengewoon groot zouden worden vergeleken met moderne machines van hetzelfde vermogen. (Zie de antwoorden van de vraagstukken 11 en 12 van hoofdstuk VI.).

Het proces is echter wel van betekenis, omdat het de maximumwaarde van het rendement aangeeft, die bij bepaalde temperatuurgrenzen kan worden bereikt.

Het geeft tevens een algemene richtlijn om het rendement van andere kringprocessen zo hoog mogelijk te maken, nl. de warmte bij een zo hoog mogelijke temperatuur toevoeren en bij een zo laag mogelijke temperatuur afvoeren.

IX.3. Gereduceerde warmte

Uit het rendement van een omkeerbaar Carnot-proces:

$$\eta = 1 - \frac{Q_2}{Q_1} = 1 - \frac{T_2}{T_1}$$

volgt dat:

$$\frac{Q_1}{Q_2} = \frac{T_1}{T_2}$$

Deze evenredigheid wordt de *wet van Carnot-Clausius* genoemd. Deze is ook te schrijven als:

$$\frac{Q_1}{T_1} + \frac{-Q_2}{T_2} = 0$$

Een warmtehoeveelheid gedeeld door de absolute temperatuur waarbij deze wordt toe- of afgevoerd, noemt men een *gereduceerde warmtehoeveelheid*.

Uit bovenstaande betrekking blijkt dat de algebraïsche som van de gereduceerde

126

warmtehoeveelheden, genomen over het kringproces van Carnot, nul is. Dus:

$$\oint \frac{Q}{T} = 0$$

Hierbij geldt dan weer de oorspronkelijke afspraak waarbij Q het symbool was voor zowel positieve als negatieve warmtehoeveelheden.

Bij warmtetoevoer is de gereduceerde warmtehoeveelheid positief, bij warmte-afvoer negatief.

IX.4. Omkeerbare kringprocessen werkend tussen meer dan twee warmte-reservoirs

De voorafgaande beschouwingen hadden alle betrekking op machines werkend tussen twee warmtereservoirs.

In het algemeen vindt de warmtetoevoer en -afvoer niet bij constante temperatuur plaats, maar verandert de temperatuur van het systeem voortdurend tijdens de warmte-overdracht.

Ook een dergelijk proces kunnen we als omkeerbaar beschouwen door aan te nemen dat we de beschikking hebben over een oneindig aantal warmte-reservoirs die onderling een oneindig klein bedrag in temperatuur verschillen. Tijdens de warmtetoevoer en -afvoer kan dan op elk moment het temperatuur-verschil tussen het betreffende W.R. en het systeem oneindig klein zijn en het proces derhalve omkeerbaar verlopen.

Men kan echter aantonen dat de wet van Carnot-Clausius ook in deze gevallen zijn geldigheid behoudt. Daartoe beschouwen we een willekeurig rechts-omdraaiend kringproces (fig. 9.7). Deze kringloop kan men zich opgebouwd denken uit een oneindig aantal Carnot-processen. Elk oneindig klein boog-

Fig. 9.7

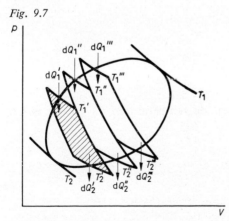

element van het oorspronkelijke proces — de temperatuurverandering hierlangs is ook oneindig klein — is vervangen door een isotherm.

Nu geldt dat:

$$\frac{dQ_1'}{T_1'} + \frac{-dQ_2'}{T_2'} = 0$$

$$\frac{dQ_1''}{T_1''} + \frac{-dQ_2''}{T_2''} = 0 \quad \text{enz.}$$

Voor elk Carnot-proces kan men een dergelijke betrekking noteren. Voor het getekende willekeurige kringproces — de sommatie van al de Carnotprocessen — kan men nu schrijven:

$$\Sigma \frac{dQ}{T} = 0$$

ofwel:

$$\boxed{\oint \frac{dQ}{T} = 0} \qquad (9.1)$$

waarin $\oint$ aangeeft dat de sommering over de gehele kringloop behoort te geschieden.

Is T_1 de maximumtemperatuur die in het willekeurige proces voorkomt en T_2 de minimumtemperatuur, dan is het rendement van dit proces altijd lager dan van een Carnotproces dat verloopt tussen dezelfde maximum- en minimumtemperatuur.

Van het gearceerde Carnotproces is:

$$\eta' = 1 - \frac{T_2'}{T_1'}$$

Voor een volgend proces:

$$\eta'' = 1 - \frac{T_2''}{T_1''} \quad \text{enz.}$$

Van een Carnot-proces, verlopend tussen de temperaturen T_1 en T_2, is het rendement:

$$\eta = 1 - \frac{T_2}{T_1} \qquad (a)$$

Nu is $T_1' < T_1$ en $T_1'' < T_1$ en
$T_2' > T_2$ en $T_2'' > T_2$, zodat

128

$\eta' < \eta$ en $\eta'' < \eta$ enz.

Elk van de Carnotprocessen waaruit het willekeurige proces is opgebouwd, heeft een rendement dat lager is dan het rendement (a), zodat ook het totale rendement van het willekeurige proces lager zal moeten zijn.

De oorzaak hiervan ligt dus in het feit dat slechts een fractie van de totaal toegevoerde warmte Q_1 opgenomen wordt bij de hoogste temperatuur T_1 en ook maar een klein gedeelte van de warmte Q_2 bij de laagste temperatuur T_2 wordt afgegeven. Het grootste deel wordt toegevoerd bij temperaturen die lager zijn dan T_1 en afgevoerd bij temperaturen die hoger zijn dan T_2.

Het rendement van een willekeurig omkeerbaar kringproces, werkend tussen meer dan twee warmtereservoirs, is altijd lager dan dat van een omkeerbare machine, werkend tussen twee warmtereservoirs, waarvan de temperaturen gelijk zijn aan de hoogste en de laagste temperatuur die in het kringproces voorkomen.

IX.5. De entropie S

Zoals bekend is Q afhankelijk van de weg. Voor een berekening van de warmtetoevoer of -afvoer tussen twee toestanden 1 en 2 moet derhalve het verloop van het proces tussen 1 en 2 gegeven zijn. Men kan nu aantonen dat *de som van de gereduceerde warmtehoeveelheden tussen twee toestanden onafhankelijk is van de gevolgde weg, mits deze omkeerbaar is.*

Om dit te bewijzen beschouwen we een willekeurig omkeerbaar kringproces waarop de toestanden 1 en 2 zijn gelegen (fig. 9.8).

Voor dit kringproces geldt:

$$\oint \frac{dQ}{T} = 0$$

$$a\int_1^2 \frac{dQ}{T} + b\int_2^1 \frac{dQ}{T} = 0$$

$$a\int_1^2 \frac{dQ}{T} = b\int_1^2 \frac{dQ}{T}$$

Fig. 9.8

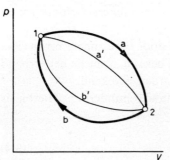

129

De letters a en b geven de gevolgde weg aan.

Ditzelfde kan men bewijzen voor de wegen a' b' enz.

De som van de gereduceerde warmtehoeveelheden tussen 1 en 2 kan dus langs iedere willekeurige omkeerbare weg tussen deze toestanden worden berekend, d.w.z. de uitkomst is onafhankelijk van de gevolgde weg maar alleen afhankelijk van begin- en eindtoestand.

Dit laatste is een eigenschap die karakteristiek is voor een toestandsgrootheid. We voeren nu een nieuwe toestandsgrootheid in waarvan het verschil, genomen tussen twee toestanden, gelijk is aan $\int_1^2 \dfrac{dQ}{T}$

Noemen we deze toestandsgrootheid de entropie, aangegeven met de letter S, dan kunnen we dus schrijven:

$$\boxed{S_2 - S_1 = \int_1^2 \frac{dQ}{T}} \qquad (9.2)$$

en voor een oneindig kleine toestandsverandering:

$$\boxed{dS = \frac{dQ}{T}} \qquad (9.3)$$

De som van de gereduceerde warmtehoeveelheden tussen twee toestanden gemeten langs een omkeerbare weg noemt men het entropieverschil tussen deze beide toestanden.

De entropie wordt uitgedrukt in kJ/K of, als het op de massa-eenheid wordt betrokken, in kJ/kg K. (Men noemt dit wel de specifieke entropie s.)

Het is een zeer bruikbare mathematische grootheid die, uitgezet op een van de assen van een toestandsdiagram, het gebruik van dit diagram is een aantal gevallen in hoge mate vereenvoudigt.

Evenals voor de inwendige energie en de enthalpie kan ook voor de entropie geen absolute waarde worden opgegeven. Dit is echter geen bezwaar omdat bij berekeningen alleen entropieverschillen van belang zijn.

Bepaling van het entropieverschil door meting van temperatuur en overgedragen warmte, is niet mogelijk. Geen enkel proces immers verloopt geheel omkeerbaar.

Een toestandsgrootheid is echter volledig bepaald door twee andere b.v. p en v. Zijn de waarden hiervan in begin- en eindtoestand bekend, alsmede het verband tussen s, p en v, dan kan het entropieverschil worden berekend.

Van bijzonder belang is de adiabatische toestandsverandering. Hierbij is $dQ = 0$, zodat uit (9.2) volgt dat:

$$\boxed{S_1 = S_2} \qquad (9.4)$$

130

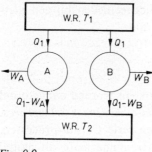

Fig. 9.9

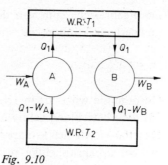

Fig. 9.10

IX.6. Niet-omkeerbare kringprocessen

We beschouwen fig. 9.9. waarin A een omkeerbaar werkende machine voorstelt en B een machine waarin het proces niet omkeerbaar verloopt.

Laten we de machine A werken als warmtepomp, dan verkrijgen we fig. 9.10. Hiervan is in IX.2. aangetoond dat $W_B > W_A$ niet mogelijk is.

Zou $W_B = W_A$ zijn dan hebben we in fig. 9.9. twee machines waarvan het thermisch rendement gelijk is. Dan zou B ook een omkeerbaar werkende machine moeten zijn, hetgeen in strijd is met ons uitgangspunt.

De enige mogelijkheid is dus dat $W_B < W_A$, zodat ook $\eta_B < \eta_A$.

Bij gegeven temperaturen van de warmtereservoirs is het rendement van een niet omkeerbaar kringproces altijd kleiner dan van het omkeerbare proces.

Iedere niet omkeerbaarheid resulteert dus in een verlies aan arbeid.

IX.7. Gereduceerde warmte bij niet-omkeerbare kringprocessen

Volgens het bovenstaande, is het rendement van een niet-omkeerbaar werkende machine kleiner dan dat van een omkeerbaar werkende machine, wanneer beide tussen dezelfde twee warmtereservoirs werkzaam zijn.

Voor een niet-omkeerbaar Carnotproces geldt dus:

$$\eta = \frac{Q_1 - Q_2}{Q_1} \leqq \frac{T_1 - T_2}{T_1}$$

waarin het gelijkteken betrekking heeft op het omkeerbare proces.

$$1 - \frac{Q_2}{Q_1} \leqq 1 - \frac{T_2}{T_1}$$

$$\frac{Q_2}{Q_1} \geqq \frac{T_2}{T_1} \qquad \frac{Q_1}{Q_2} \leqq \frac{T_1}{T_2}$$

$$\frac{Q_1}{T_1} + \frac{-Q_2}{T_2} \leqq 0$$

131

De algebraïsche som van de gereduceerde warmtehoeveelheden bij een niet-omkeerbaar kringproces van Carnot is kleiner dan nul.

$$\Sigma \frac{Q}{T} \leqq 0$$

Op dezelfde wijze als in IX.4. werd gedaan, kan ook nu worden aangetoond dat deze betrekking geldig is voor *elk willekeurig niet-omkeerbaar kringproces*. Daartoe wordt het kringproces weer verdeeld in een serie Carnot-processen, die het oorspronkelijke proces des te beter benaderen naarmate dit aantal groter genomen wordt.

Voor een oneindig aantal Carnotprocessen kan dan geschreven worden:

$$\frac{dQ'_1}{T'_1} + \frac{-dQ'_2}{T'_2} \leqq 0$$

$$\frac{dQ''_1}{T''_1} + \frac{-dQ''_2}{T''_2} \leqq 0 \quad \text{enz.}$$

Opgeteld:

$$\Sigma \frac{dQ}{T} \leqq 0$$

of:

$$\boxed{\oint \frac{dQ}{T} \leqq 0} \tag{9.5}$$

Bij een niet-omkeerbaar willekeurig kringproces is de som van de gereduceerde warmtehoeveelheden kleiner dan nul.

Hoe meer een dergelijk proces het omkeerbare proces nadert, hoe minder de kringintegraal van nul afwijkt. In het grensgeval — een omkeerbaar verlopend kringproces — is $\oint \dfrac{dQ}{T} = 0$.

IX.8. Entropieverschil bij niet-omkeerbare processen

In fig. 9.11 is a het niet-omkeerbare proces tussen 1 en 2. Verbindt men nu 2 met 1 via de omkeerbare weg b dan vormt dit samen een niet omkeerbaar kringproces waarvoor geldt:

$$\oint \frac{dQ}{T} < 0$$

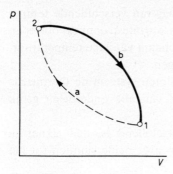

Fig. 9.11

Deze kringintegraal is in twee delen te splitsen; een langs het niet-omkeerbare gedeelte a en een langs de omkeerbare weg b.

$$\oint \frac{dQ}{T} = a\int_{1}^{2} \frac{dQ}{T} + b\int_{2}^{1} \frac{dQ}{T} < 0$$

Voor de omkeerbare weg over b is:

$$b\int_{2}^{1} \frac{dQ}{T} = S_1 - S_2$$

zodat:

$$a\int_{1}^{2} \frac{dQ}{T} + S_1 - S_2 < 0$$

$$\boxed{S_2 - S_1 > a\int_{1}^{2} \frac{dQ}{T}} \qquad (9.6)$$

Bij een niet-omkeerbaar proces is het entropieverschil tussen begin- en eindpunt groter dan de som van de gereduceerde warmtehoeveelheden, gemeten langs die niet-omkeerbare weg.

Voor een niet-omkeerbare adiabatische toestandsverandering is:

$$a\int_{1}^{2} \frac{dQ}{T} = 0$$

zodat:

$$S_2 - S_1 > 0$$

$$\boxed{S_2 > S_1} \qquad (9.7)$$

De entropie van een systeem dat van de omgeving is geïsoleerd, zal dus steeds toenemen. Slechts in het bijzondere geval dat de toestandsverandering omkeerbaar verloopt, blijft de entropie constant.

133

Uit ervaring is bekend dat, wanneer twee lichamen van verschillende temperatuur met elkaar in contact worden gebracht, een warmtestroom zal optreden van het lichaam van hoge temperatuur naar het lichaam van lage temperatuur, totdat beide dezelfde temperatuur hebben verkregen.

In het algemeen kan men zeggen dat in een afgesloten systeem de thermische energie zich zo zal verdelen dat de temperatuur van alle onderdelen gelijk wordt.

Wanneer twee reservoirs waarin de gasdruk verschillend is, met elkaar in verbinding worden gebracht, verdeelt het gas zich over beide ruimten tot het drukverschil vereffend is.

Bovengenoemde processen zijn vanzelf verlopende, z.g. ,,natuurlijke'', processen, waarvan de ervaring ons leert dat deze niet omkeerbaar zijn.

Wanneer er geen warmtewisseling met de omgeving plaatsvindt zal volgens (9.7) de entropie van het systeem bij een dergelijk natuurlijk proces altijd toenemen.

Als na verloop van tijd een evenwichtstoestand is bereikt, is de waarde van de entropie maximaal.

In veel gevallen wordt tijdens de toestandsverandering van een systeem warmte toe- of afgevoerd. De toestand van een deel van de omgeving wordt door deze warmte-overdracht beïnvloed. Nemen we het systeem (A) en het genoemde deel van de omgeving (B) tezamen, dan kunnen we dit geheel beschouwen als een nieuw systeem (C), dat afgesloten is van de omgeving. Van dit systeem zal dus de entropie altijd toenemen, omdat de processen zoals zich die in werkelijkheid voordoen, altijd onomkeerbaar verlopen. Alleen als het proces omkeerbaar is, zal de entropie gelijk blijven; de absolute waarde van de entropieveranderingen van A en B zijn dan gelijk.

Bij een niet-omkeerbaar proces is de entropiestijging afhankelijk van de mate waarin zich niet-omkeerbare verschijnselen bij het proces voordoen. De toeneming van de entropie is dus een maat voor de verliezen die bij een dergelijk proces optreden.

Opmerking

Hoewel warmte niet volledig in arbeid kan worden omgezet, is het omgekeerde wel mogelijk. Arbeid is daarom een meer waardevolle vorm van energie dan warmte. We stellen bij technische processen dan ook alles in het werk om omzetting van mechanische energie in warmte te voorkomen. Hierbij gaat wel geen energie verloren maar wel de mogelijkheid om de mechanische energie in een voor ons nuttige vorm om te zetten. Beter is het daarom te spreken van *degradatie van energie* en niet van energieverlies.

Degradatie van energie en entropietoeneming blijken zeer nauw met elkaar samen te hangen (zie pag. 185).

IX.9. Berekening van het entropieverschil

Volgens (9.2) is: $S_2 - S_1 = \int_1^2 \dfrac{dQ}{T}$

Bij warmtetoevoer of -afvoer aan een vaste stof of een vloeistof is $dQ = mc\,dT$.
Is c constant dan is:

$$S_2 - S_1 = mc \int_1^2 \frac{dT}{T} = mc \ln \frac{T_2}{T_1}$$

$$\boxed{S_2 - S_1 = mc \ln \frac{T_2}{T_1}} \tag{9.8}$$

Is c een functie van de temperatuur, dan moet de gemiddelde waarde van c
voor het beschouwde temperatuurgebied worden ingevuld. Deze waarde van c
is voor vele stoffen direct uit grafieken of tabellen afleesbaar.
Is $c = f(T)$ gegeven, b.v. $c = a + bT + cT^2$, dan is de entropieverandering
voor de eenheid van massa:

$$s_2 - s_1 = \int_1^2 \frac{(a + bT + cT^2)\,dT}{T} =$$

$$= a \ln \frac{T_2}{T_1} + b(T_2 - T_1) + \tfrac{1}{2}c(T_2^2 - T_1^2)$$

Bij smelten resp. stollen van een vaste stof en verdampen resp. condenseren
van een vloeistof blijft de temperatuur constant. De entropieverandering
is dan:

$$S_2 - S_1 = \int_1^2 \frac{dQ}{T} = \frac{1}{T} \int_1^2 dQ = \frac{Q}{T}$$

$$\boxed{S_2 - S_1 = \frac{Q}{T}} \tag{9.9}$$

Hierin is T de temperatuur waarbij het proces plaatsvindt. Wordt de entropieverandering per eenheid van massa gevraagd, dan moet voor Q de smeltingswarmte of de verdampingswarmte worden ingevuld uitgedrukt in kJ/kg.
Bij stollen en condenseren is de waarde van Q uiteraard negatief.

Gassen

Voor een gas waarvan de toestandsverandering polytroop (c = constant)
verloopt geldt de bovengenoemde betrekking (9.8) eveneens.

Voor de eenheid van massa is:

$$s_2 - s_1 = \int_1^2 \frac{dQ}{T} = c \int_1^2 \frac{dT}{T} = c \ln \frac{T_2}{T_1}$$

Meestal is van een polytroop de exponent n gegeven, zodat c uit (4.19) kan worden berekend.
Bijzondere polytropen zijn:

Isobaar

Hierbij is $c = c_p$ en $\dfrac{T_2}{T_1} = \dfrac{v_2}{v_1}$, zodat:

$$\boxed{s_2 - s_1 = c_p \ln \frac{T_2}{T_1} = c_p \ln \frac{v_2}{v_1}}$$

(9.10)

Isochoor

Hierbij is $c = c_v$ en $\dfrac{T_2}{T_1} = \dfrac{p_2}{p_1}$, zodat:

$$\boxed{s_2 - s_1 = c_v \ln \frac{T_2}{T_1} = c_v \ln \frac{p_2}{p_1}}$$

(9.11)

Isotherm

Volgens (9.9) geldt:

$$S_2 - S_1 = \frac{Q}{T}$$

Voor een ideaal gas is voor de eenheid van massa:

$$Q = RT \ln \frac{v_2}{v_1} \qquad \text{terwijl} \qquad \frac{v_2}{v_1} = \frac{p_1}{p_2}$$

Substitutie levert:

$$\boxed{s_2 - s_1 = R \ln \frac{v_2}{v_1} = R \ln \frac{p_1}{p_2}}$$

(9.12)

Adiabaat

Hierbij wordt geen warmte toe- of afgevoerd, zodat:

$$S_2 - S_1 = 0 \rightarrow S_2 = S_1$$

De entropie blijft constant zodat een omkeerbare adiabatische toestandsverandering ook wel een *isentrope toestandsverandering* wordt genoemd.

Het is ook mogelijk dat van twee toestanden v en T, p en T of p en v gegeven zijn.
Het entropieverschil kan dan op de volgende manieren worden bepaald:
1 Door de twee toestanden te verbinden door een *omkeerbare* polytroop
   waarvan de n-waarde uit een van de wetten van Poisson kan worden
   bepaald. Vervolgens wordt c berekend waarna met (9.8) ΔS kan worden
   berekend.
2 Door de twee toestanden te verbinden door een geschikt gekozen omkeerbare weg. Dit is toegestaan daar het entropieverschil immers onafhankelijk
   is van de gevolgde weg, mits deze omkeerbaar is.
Zijn v en T gegeven dan wordt een weg gekozen zoals aangegeven in fig. 9.12.
De entropieverandering:

$$s_2 - s_1 = (s_{1'} - s_1) + (s_2 - s_{1'}) = c_v \ln \frac{T_{1'}}{T_1} + R \ln \frac{v_2}{v_1}$$

$$\boxed{s_2 - s_1 = c_v \ln \frac{T_2}{T_1} + R \ln \frac{v_2}{v_1}} \qquad (9.13)$$

Uiteraard kan ook eerst een isotherm worden gevolgd, waarna met een constant
volumeproces toestand 2 weer wordt bereikt.
Bij gegeven p en T wordt Δs bepaald langs de in fig. 9.13 aangegeven omkeerbare weg.

$$s_2 - s_1 = (s_{1'} - s_1) + (s_2 - s_{1'}) = c_p \ln \frac{T_{1'}}{T_1} + R \ln \frac{p_{1'}}{p_2}$$

$$\boxed{s_2 - s_1 = c_p \ln \frac{T_2}{T_1} + R \ln \frac{p_1}{p_2}} \qquad (9.14)$$

Tenslotte kan, als p en v gegeven zijn Δs uit fig. 9.14 worden berekend.

$$s_2 - s_1 = (s_{1'} - s_1) + (s_2 - s_{1'}) = c_p \ln \frac{T_{1'}}{T_1} + c_v \ln \frac{T_2}{T_{1'}}$$

Fig. 9.12   *Fig. 9.13*   *Fig. 9.14*

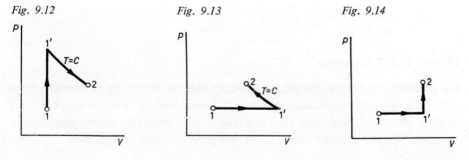

137

Substitueert men hierin:

$$\frac{T_{1'}}{T_1} = \frac{v_2}{v_1} \quad \text{en} \quad \frac{T_2}{T_{1'}} = \frac{p_2}{p_1}$$

dan vindt men:

$$s_2 - s_1 = c_p \ln \frac{v_2}{v_1} + c_v \ln \frac{p_2}{p_1} \tag{9.15}$$

De boven gevonden vergelijkingen (9.13), (9.14) en (9.15) zijn alleen geldig voor ideale gassen.

Opmerking

De bovengenoemde formules kunnen ook uit de eerste hoofdwet worden gevonden. Voor 1 kg gas geldt:

$$dQ = c_v dT + p\,dv$$

Deling door T levert:

$$\frac{dQ}{T} = ds = c_v \frac{dT}{T} + \frac{p}{T}\,dv = c_v \frac{dT}{T} + R \frac{dv}{v}$$

$$\Delta s = c_v \ln \frac{T_2}{T_1} + R \ln \frac{v_2}{v_1}$$

Invullen van $\dfrac{v_2}{v_1} = \dfrac{T_2}{T_1} \cdot \dfrac{p_1}{p_2}$ in bovenstaande vergelijking levert:

$$\Delta s = c_v \ln \frac{T_2}{T_1} + R \ln \frac{T_2}{T_1} \cdot \frac{p_1}{p_2} = c_v \ln \frac{T_2}{T_1} + R \ln \frac{T_2}{T_1} + R \ln \frac{p_1}{p_2}$$

Met $R = c_p - c_v$ gaat dit over in:

$$\Delta s = c_p \ln \frac{T_2}{T_1} + R \ln \frac{p_1}{p_2}$$

Tenslotte levert substitutie van $\dfrac{T_2}{T_1} = \dfrac{p_2}{p_1} \cdot \dfrac{v_2}{v_1}$ in de eerste vergelijking:

$$\Delta s = c_v \ln \frac{p_2}{p_1} \cdot \frac{v_2}{v_1} + R \ln \frac{v_2}{v_1} = c_v \ln \frac{p_2}{p_1} + c_v \ln \frac{v_2}{v_1} + R \ln \frac{v_2}{v_1}$$

$$\Delta s = c_p \ln \frac{v_2}{v_1} + c_v \ln \frac{p_2}{p_1}$$

IX.10. Het *T-S*-diagram

De toestand van een systeem in evenwicht met de omgeving is bepaald door twee van elkaar onafhankelijke toestandsgrootheden. Kiest men hiervoor *T* en *S* en neemt men deze als assen van een coördinatenstelsel, dan kan de toestand van een systeem hierin door een punt worden weergegeven.

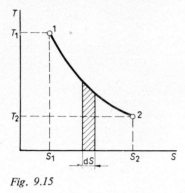

Fig. 9.15

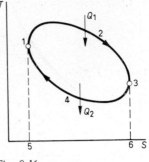

Fig. 9.16

In fig. 9.15 is een willekeurig *omkeerbaar* proces 1-2 getekend. De hierbij overgedragen warmtehoeveelheid volgt uit (9.3):

$$Q = \int_1^2 T \, dS$$

Het oppervlak 1-2-S_2-S_1 kan eveneens berekend worden uit

$$\int_1^2 T \, dS$$

Bij omkeerbare processen is de overgedragen warmte dus als een oppervlak af te lezen.

Neemt de entropie toe dan is Q positief (warmtetoevoer). Wordt het proces 1-2 in omgekeerde richting doorlopen, dan daalt de entropie en geeft het oppervlak de afgevoerde warmtehoeveelheid aan. Verloopt het proces tussen 1 en 2 niet omkeerbaar, dan kan men een warmtehoeveelheid niet als een oppervlak weergeven.

Voor een kringproces (fig. 9.16) geldt:

de toegevoerde warmte $Q_1 \triangleq$ opp. 1-2-3-6-5;

de afgevoerde warmte $Q_2 \triangleq$ opp. 3-4-1-5-6;

Ook is bekend dat $Q_1 - Q_2 = \Sigma W$, zodat het oppervlak ingesloten door het kringproces de nuttig geleverde arbeid voorstelt. Het rendement $\eta = \dfrac{\Sigma W}{Q_1}$ zou dus bepaald kunnen worden door het opmeten van oppervlakken.

IX.11. Het *T-S*-diagram voor ideale gassen

Isothermen en isentropen worden hierin afgebeeld door horizontale resp. verticale lijnen.

139

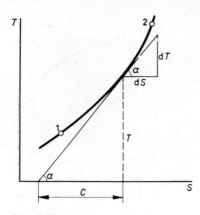

Fig. 9.17

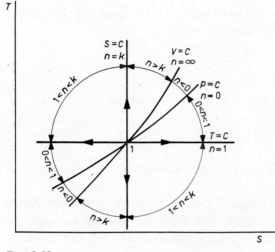

Fig. 9.18

Voor een willekeurig punt van een polytroop, getrokken door een punt 1 $(s_1 T_1)$ geldt volgens (9.8):

$$s - s_1 = c \ln \frac{T}{T_1}$$

In een T-S-diagram levert dit een logaritmische kromme (fig. 9.17). Voor een oneindig kleine toestandsverandering is:

$$ds = \frac{dQ}{T} = \frac{c\,dT}{T} \rightarrow \frac{dT}{ds} = \frac{T}{c}$$

Het differentiaalquotiënt $\dfrac{dT}{ds}$ geeft de tangens aan van de hoek α die de

140

raaklijn in een willekeurig punt van de kromme maakt met de S-as. Het gestippelde verticale lijnstuk is de temperatuur in het beschouwde punt, zodat c gelijk moet zijn aan de projectie van de raaklijn op de S-as.

Naarmate de temperatuur stijgt neemt tg α toe, d.w.z. de kromme gaat steiler lopen.

Voor een isobaar ($c = c_p$) en een isochoor ($c = c_v$) is:

$$\frac{dT}{ds} = \frac{T}{c_p} \qquad \text{resp.} \qquad \frac{dT}{ds} = \frac{T}{c_v}$$

Aangezien $c_p > c_v$, loopt een isochoor dus steiler dan een isobaar.

Fig. 9.18 geeft een overzicht van het verloop van de polytropen bij verschillende waarden van n. (Vergelijk deze figuur met die op blz. 56).

In fig. 9.19 zijn twee isobaren getekend. Wordt een gas *isothermisch* gecomprimeerd van p_1 tot p_2, dan geldt volgens (9.12) dat:

$$s_2 - s_1 = R \ln \frac{p_1}{p_2}$$

Omdat $p_2 > p_1$ is $s_2 - s_1$ negatief, zodat isobaren van hoge druk in het T-S-diagram links liggen van de isobaren van lage druk. Tevens blijkt hieruit dat de afstand tussen twee isobaren onafhankelijk is van de temperatuur, zodat de isobaar p_2 gevonden kan worden door horizontale verschuiving van de isobaar p_1. Wordt het nulpunt van de entropie gekozen bij 0 °C en 1 bar, dan is in fig. 9.19 $p_1 = 1$ bar. Het snijpunt 4 van de isobaar p_2 met de T-as kan worden gevonden uit de derde wet van Poisson.

$$T_4 = T_3 \left(\frac{p_2}{p_1}\right)^{\frac{k-1}{k}} \rightarrow T_4 = 273\, p_2^{\frac{k-1}{k}}$$

waarin voor p_2 de druk in bar moet worden ingevuld.

Fig. 9.19

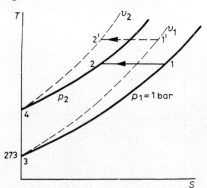

141

Daar het volume bij compressie afneemt, zullen isochoren verder naar links liggen naarmate het soortelijk volume kleiner is. Voor de horizontale afstand tussen twee isochoren geldt:

$$s_{2'} - s_{1'} = R \ln \frac{v_2}{v_1}$$

Deze afstand is eveneens onafhankelijk van de temperatuur, zodat ook de vorm van alle isochoren gelijk is.

IX.12. Volume-arbeid in het T-S-diagram

In fig. 9.20 is een willekeurige polytrope compressie 1-2 ($1 < n < k$) weergegeven. Volgens de eerste hoofdwet is de compressiearbeid:

$$W_{1-2} = Q_{1-2} - (U_2 - U_1) \tag{a}$$

Niet alleen Q_{1-2} maar ook $(U_2 - U_1)$, kan in het T-S-diagram als een oppervlak worden weergegeven. Wordt namelijk vanuit 2 een isochoor gevolgd tot in 3 ($T_3 = T_1$), dan is:

$$Q_{2-3} = m c_v (T_3 - T_2) \tag{b}$$

Daar U alleen een functie is van de temperatuur kan men schrijven:

$$U_2 - U_1 = U_2 - U_3 = m c_v (T_2 - T_3) \tag{c}$$

Uit (b) en (c) volgt nu dat:

$$U_2 - U_1 = - Q_{2-3} \tag{d}$$

De verandering van de inwendige energie komt dus overeen met de warmte die moet worden afgevoerd om het gas bij constant volume weer op de begintemperatuur te brengen.

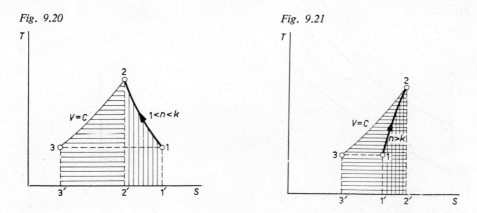

Fig. 9.20

Fig. 9.21

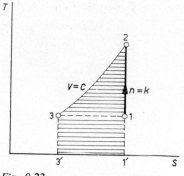

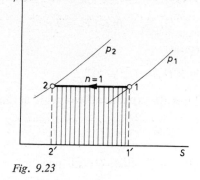

Fig. 9.22   Fig. 9.23

Substitutie van (d) in (a) levert:

$$\boxed{W_{1-2} = Q_{1-2} + Q_{2-3}}$$ (9.16)

Zowel Q_{1-2} als Q_{2-3} zijn in fig. 9.20 negatief. (De entropie neemt af.)

$$\left.\begin{array}{l} Q_{1-2} \triangleq \text{opp. } 1\text{-}2\text{-}2'\text{-}1' \\[2em] Q_{2-3} \triangleq \text{opp. } 2\text{-}3\text{-}3'\text{-}2' \end{array}\right\} \quad \therefore \ W_{1-2} \triangleq \text{opp. } 1\text{-}2\text{-}3\text{-}3'\text{-}1'$$

Is $n > k$ (fig. 9.21), dan is Q_{1-2} positief en Q_{2-3} negatief.
De compressiearbeid $W_{1-2} \triangleq$ opp. 1-2-3-3'-1'.
Bij adiabatische compressie (fig. 9.22) is $Q_{1-2} = 0$, zodat $W_{1-2} \triangleq$ 1-2-3-3'-1'.
Bij isothermische compressie (fig. 9.23) is $Q_{2-3} = 0$, zodat $W_{1-2} \triangleq$ 1-2-2'-1'.

Bij polytrope $(1 < n < k)$ *expansie* van een gas (fig. 9.24) is:

$$W_{1-2} = Q_{1-2} - (U_2 - U_1)$$

$$U_2 - U_1 = U_3 - U_1 = m\,c_v(T_3 - T_1)$$

Fig. 9.24   Fig. 9.25

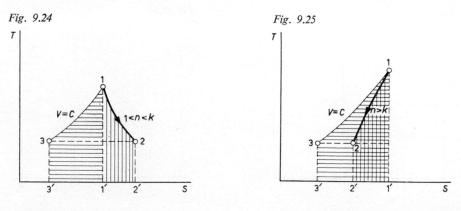

Wordt het gas bij constant volume afgekoeld van $1 \rightarrow 3$, dan is:

$$Q_{1-3} = m\, c_v(T_3 - T_1,$$

zodat:

$$U_2 - U_1 = Q_{1-3}$$

Voor de expansiearbeid geldt derhalve:

$$\boxed{W_{1-2} = Q_{1-2} - Q_{1-3}} \qquad\qquad (9.17)$$

Q_{1-2} is positief, Q_{1-3} is negatief.

$$\left.\begin{array}{l} Q_{1-2} \triangleq \text{opp. 1-2-2'-1'} \\[2mm] Q_{1-3} \triangleq \text{opp. 1-3-3'-1'} \end{array}\right\} \therefore W_{1-2} \triangleq \text{opp. 1-2-2'-3'-3.}$$

Is van de polytroop de exponent $n > k$ (fig. 9.25), dan zijn zowel
$\quad Q_{1-2}$ als Q_{1-3} negatief.
De expansiearbeid $W_{1-2} \triangleq$ opp. 1-2-2'-3'-3
Bij adiabatische expansie (fig. 9.26) is $Q_{1-2} = 0$, zodat $W_{1-2} \triangleq$ opp. 1-3-3'-2'.
Bij isothermische expansie (fig. 9.27) is $Q_{1-3} = 0$, zodat $W_{1-2} \triangleq$ opp. 1-2-2'-1'.

IX.13. De indicateurarbeid in het T-S-diagram

Ook de indicateurarbeid kan in een T-S-diagram als een oppervlak worden afgelezen.

Uit (3.8) $\quad dQ = m\, c_p\, dT - V\, dp$

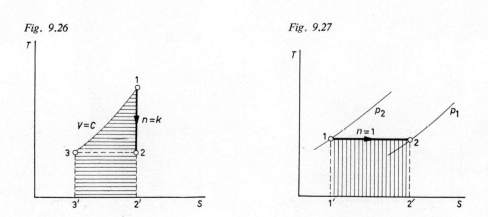

Fig. 9.26

Fig. 9.27

144

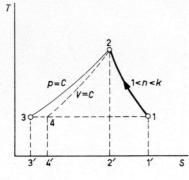

Fig. 9.28

en (5.3) $\qquad W_i = -\int_1^2 V \, dp.$

volgt dat: $\qquad W_{i_{1-2}} = Q_{1-2} - m \, c_p (T_2 - T_1)$ $\qquad$ (a)

(Deze vergelijking is ook uit de algemene energievergelijking af te leiden, zie VIII.6.)

In fig. 9.28 is een polytrope $(1 < n < k)$ compressie 1-2 weergegeven. Zou het gas van toestand 2 *bij constante druk* tot de begintemperatuur worden afgekoeld $(T_3 = T_1)$, dan is:

$$Q_{2-3} = m \, c_p (T_3 - T_2) = m \, c_p (T_1 - T_2)$$

Substitutie in (a) levert:

$$\boxed{W_{i_{1-2}} = Q_{1-2} + Q_{2-3}}$$ $\qquad$ (9.18)

$Q_{1-2} \triangleq$ opp. 1-2-2'-1'

$\left.\phantom{\begin{array}{c} \\ \\ \\ \end{array}}\right\}$ $\therefore W_{i_{1-2}} \triangleq$ opp. 1-2-3-3'-1'

$Q_{2-3} \triangleq$ opp. 2-3-3'-2'

Formule (9.18) heeft dezelfde gedaante als (9.16). Het verschil bestaat hierin dat Q_{2-3} in (9.16) de afgevoerde warmte bij constant volume voorstelt en in (9.18) de afgevoerde warmte bij constante druk.

In fig. 9.28 is $W_{1-2} \triangleq$ opp. 1-2-4'-1', zodat:

$$W_{i_{1-2}} - W_{1-2} \triangleq \text{opp. } 2\text{-}3\text{-}3'\text{-}4'\text{-}4$$

Daar $W_{i_{1-2}} = W_{1-2} + (p_1 V_1 - p_2 V_2)$ komt het genoemde oppervlak dus overeen met het verschil tussen de verdringingsarbeid en de arbeid bij aanzuigen van het gas.

Naarmate de polytroop 1-2 vlakken verloopt, wordt de indicateurarbeid

145

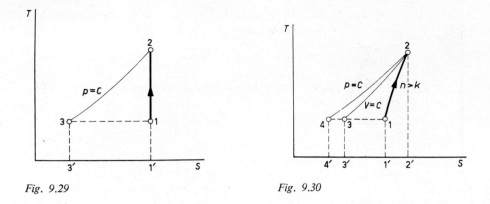

Fig. 9.29   Fig. 9.30

kleiner. Bij isothermische compressie vallen de toestanden 2, 3 en 4 in fig. 9.28 samen. Dan is:

$$W_{i_{1-2}} = W_{1-2} \triangleq \text{opp. } 1\text{-}3\text{-}3'\text{-}1'$$

Bij adiabatische compressie, afgebeeld in fig. 9.29, is $Q_{1-2} = 0$, zodat:

$$W_{i_{1-2}} \triangleq \text{opp. } 1\text{-}2\text{-}3\text{-}3'\text{-}1'$$

Wordt tijdens compressie warmte aan het gas toegevoerd (fig. 9.30), dan geldt:

Warmtetoevoer bij compressie: $Q_{1-2} \triangleq \text{opp. } 1\text{-}2\text{-}2'\text{-}1'$.

Toename van de inw. energie: $U_2\text{-}U_1 \triangleq \text{opp. } 2\text{-}3\text{-}3'\text{-}2'$.

De compressiearbeid: $\qquad W_{1-2} \triangleq \text{opp. } 1\text{-}2\text{-}3\text{-}3'\text{-}1'$.

De indicateurarbeid: $\qquad W_{i_{1-2}} \triangleq \text{opp. } 1\text{-}2\text{-}4\text{-}4'\text{-}1'$.

Toepassing 1

Een vat van 3 m³ waarin zich een ideaal gas bevindt van 5 bar en 300 K wordt in verbinding gebracht met een tweede vat van gelijke inhoud, waarin volkomen vacuüm heerst.
Bereken de entropieverandering van de lucht als de expansie adiabatisch verloopt.
$R = 287$ J/kg K.

Oplossing
Bij de expansie wordt door het systeem geen uitwendige arbeid geleverd, zodat $W = 0$. Gegeven is dat $Q = 0$, zodat $U_1 = U_2$. Bij een ideaal gas is U alleen afhankelijk van de temperatuur, zodat $T_1 = T_2$. Het proces verloopt niet omkeerbaar. Het entropieverschil tussen begin- en eindtoestand kan alleen bepaald worden langs een omkeerbare weg. Het is duidelijk dat hiervoor in dit geval een isothermisch proces wordt gekozen (fig. 9.31).

$$s_2 - s_1 = R \ln \frac{v_2}{v_1} = 0{,}287 \cdot 2{,}3 \log 2 = 0{,}1987 \text{ kJ/kg K}$$

$$m = \frac{p_1 V_1}{R T_1} = \frac{5 \cdot 10^5 \cdot 3}{287 \cdot 300} = 17{,}4 \text{ kg}$$

$$S_2 - S_1 = 17{,}4 \cdot 0{,}1987 = \mathbf{3{,}46} \text{ kJ/K}$$

146

Voor de berekening van $S_2 - S_1$ kan uiteraard ook een andere omkeerbare weg worden gevolgd, b.v. de weg 1-3-2, die gestippeld is aangegeven.

$$S_2 - S_1 = (S_3 - S_1) + (S_2 - S_3) = mc_v \ln \frac{T_2}{T_3}$$

T_3 kan worden berekend met de tweede wet van Poisson, waarna, als c_v is gegeven, $S_2 - S_1$ kan worden bepaald.

Toepassing 2

Lucht van 300 K en 2 bar wordt polytroop ($n = 1,25$) tot 14 bar gecomprimeerd. Bepaal de verandering van de inwendige energie en van de entropie per kg lucht alsmede de warmte-afvoer. Teken het proces in een T-S-diagram en geef daarin de afgevoerde warmtehoeveelheid door arcering aan. $c_p = 1,005$ kJ/kg K, $c_v = 0,716$ kJ/kg K.

Oplossing

$$U_2 - U_1 = mc_v (T_2 - T_1)$$

$$T_2 = T_1 \left(\frac{p_2}{p_1}\right)^{\frac{n-1}{n}} = 300 \cdot 1,476 = 443 \text{ K}$$

$$u_2 - u_1 = 1 \cdot 0,716 (443 - 300) = \textbf{102,4 kJ/kg}$$

$$s_2 - s_1 = c \ln \frac{T_2}{T_1}$$

Uit $n = \dfrac{c - c_p}{c - c_v}$ volgt $c = -0,44$ kJ/kg K.

$$s_2 - s_1 = -0,44 \cdot 2,3 \log \frac{443}{300} = -0,1713 \text{ kJ/kg K}$$

$$Q = c (T_2 - T_1) = -0,44 \cdot 143 = -\textbf{62,9 kJ/kg}$$

Het proces is afgebeeld in fig 9.32.

Fig. 9.31

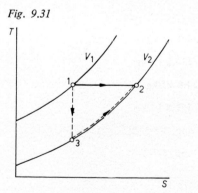

Fig. 9.32

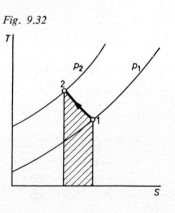

147

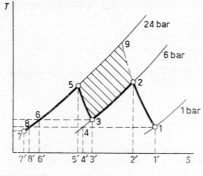

Fig. 9.33

Toepassing 3

In een tweetrapscompressor wordt per uur 360 m³ lucht van 1 bar en 300 K tot 24 bar gecomprimeerd. De druk na de eerste trap is 6 bar, de temperatuur na de tussenkoeler 320 K. In een koeler, die na de H.D.-cilinder is geplaatst, wordt de lucht tot 290 K nagekoeld. De compressie verloopt in beide trappen polytroop met $n = 1,3$.
$R = 287$ J/kg K,$c_p = 1,005$ kJ/kg K, $c_v = 0,716$ kJ/kg K.
Teken het proces in een T-S-diagram. Bepaal de afgevoerde warmtehoeveelheden in kJ/kg en beschrijf welke oppervlakken in het T-S-diagram hiermee overeenkomen. Bereken de arbeidsbesparing in kJ/h t.o.v. een polytrope compressie ($n = 1,3$) tot 24 bar in één trap. Geef de arbeidsbesparing in het diagram door een arcering aan.

Oplossing

Het proces is weergegeven in fig. 9.33.

$$T_2 = T_1 \left(\frac{p_2}{p_1}\right)^{\frac{n-1}{n}} = 300 \cdot 1,512 = 453,6 \text{ K}$$

$$T_5 = T_3 \left(\frac{p_5}{p_3}\right)^{\frac{n-1}{n}} = 320 \cdot 1,378 = 441,0 \text{ K}$$

Uit $n = \dfrac{c - c_p}{c - c_v}$ volgt $c = -0,247$ kJ/kg K.

$$Q_{1-2} = c\,(T_2 - T_1) = -0,247 \cdot 153,6 = -\mathbf{38,0}\text{ kJ/kg}$$

$$Q_{2-3} = c_p\,(T_3 - T_2) = -1,005 \cdot 133,6 = -\mathbf{134,2}\text{ kJ/kg}$$

$$Q_{3-5} = c\,(T_5 - T_3) = -0,247 \cdot 121,0 = -\mathbf{29,9}\text{ kJ/kg}$$

$$Q_{5-7} = c_p\,(T_7 - T_5) = -1,005 \cdot 151,0 = -\mathbf{151,8}\text{ kJ/kg}$$

$Q_{1-2} \cong$ opp. 1-2-2'-1' $\qquad\qquad Q_{3-2} \cong$ opp. 2-3-3'-2'

$Q_{3-5} \cong$ opp. 3-5-5'-3' $\qquad\qquad Q_{5-7} \cong$ opp. 5-7-7'-5'

$$m = \frac{p_1 V_1}{R T_1} = \frac{10^5 \cdot 360}{287 \cdot 300} = 418 \text{ kg/h}$$

148

$$W_i \underset{1-2}{} = \frac{-nmR}{n-1}(T_2 - T_1) = \frac{-1,3.418.0,287}{0,3} \quad 153,6 = 79\ 700 \text{ kJ/h.}$$

$$W_i \underset{3-5}{} = \frac{-nmR}{n-1}(T_5 - T_3) = \frac{-1,3.418.0,287}{0,3} \quad 121,0 = 63\ 000 \text{ kJ/h.}$$

$$\Sigma W_i = 142\ 700 \text{ kJ/h}$$

Bij compressie tot 24 bar in één trap is:

$$T_9 = T_1 \left(\frac{p_5}{p_1}\right)^{\frac{n-1}{n}} = 300 \cdot 2,082 = 624,6 \text{ K}$$

$$W_i \underset{1-9}{} = \frac{-nmR}{n-1}(T_9 - T_1) = \frac{-1,3.418.0,287}{0,3} \cdot 324,6 = 168\ 500 \text{ kJ/h.}$$

Arbeidsbesparing is: $168\ 500 - 142\ 700 = \mathbf{25\ 800}$ kJ/h

$$W_i \underset{1-2}{} \mathrel{\hat{=}} \text{opp. } 1 - 2 - 4 - 4' - 1' \qquad W_i \underset{3-5}{} \mathrel{\hat{=}} \text{opp. } 3 - 5 - 6 - 6' - 3'$$

Isobaren lopen „evenwijdig'', zodat opp. 3-4-4'-3' = opp. 6-8-8'-6'

Derhalve is $W_i \underset{1-2}{} + W_i \underset{3-5}{} \mathrel{\hat{=}} \text{opp. } 1 - 2 - 3 - 5 - 8 - 8' - 1'.$

$$W_i \underset{1-9}{} \mathrel{\hat{=}} \text{opp. } 1 - 9 - 8 - 8' - 1'.$$

De arbeidsbesparing komt dus overeen met opp. 2-3-5-9.

Toepassing 4

Vijf kg ijzer ($c = 0,5$ kJ/kg K) van 307 °C koelt in de buitenlucht (17 °C) af, tot een even-wichtstoestand bereikt is.
Bereken de entropieverandering van het ijzer en van de omgeving alsmede de entropie-stijging van ijzer + omgeving.

Oplossing

De entropievermindering van het ijzer bedraagt:

$$S_2 - S_1 = mc \ln \frac{T_2}{T_1} = 5 \cdot 0,5 \cdot 2,3 \log \frac{290}{580} = -2,5 \cdot 2,3 \cdot 0,301 = -\mathbf{1,73} \text{ kJ/K}$$

De warmtehoeveelheid die aan de omgeving wordt toegevoerd is:

$$Q = mc (T_2 - T_1) = 5 \cdot 0,5 (307 - 17) = 725 \text{ kJ}$$

De temperatuurverandering van de omgeving kan worden verwaarloosd, zodat:

$$\Delta S = \frac{Q}{T} = \frac{725}{290} = \mathbf{2,50} \text{ kJ/K.}$$

De entropie van systeem en omgeving tezamen neemt toe met **0,77** kJ/K.
Het ijzer en de omgeving tezamen kunnen worden beschouwd als een adiabatisch systeem waarin zich een niet-omkeerbaar proces afspeelt. De entropie zal dus toenemen.

149

IX.14. Vraagstukken

1. Bereken de entropieverandering van 2 kg van een gas wanneer dit bij constante druk resp. constant volume van 20 °C tot 200 °C wordt verwarmd.
$c_p = 1,0$ kJ/kg K, $c_v = 0,7$ kJ/kg K.

2. Bereken de entropieverandering van 3 kg stikstof wanneer dit van 10 bar en 150 °C polytroop ($n = 1,25$) expandeert tot 2 bar. $c_p = 1,04$ kJ/kg K, $c_v = 0,74$ kJ/kg K, $R = 297$ J/Kg K.
Bepaal de entropie in de begintoestand als die van stikstof van 1 bar en 0 °C nul gesteld wordt?

3. In een vat van 20 m³ bevindt zich lucht van 177 °C en 30 bar. Door afkoeling daalt de druk tot 20 bar. Bepaal de eindtemperatuur, de afgevoerde warmte alsmede de verandering van de entropie en van de inwendige energie. Teken de toestandsverandering in een T-S-diagram.
$R = 287$ J/kg K, $c_v = 0,716$ kJ/kg K.

4. In een cilinder van 0,3 m³, afgesloten door een zuiger, bevindt zich 3 kg lucht van 15 bar. Tijdens een expansie waarbij de druk constant blijft, stijgt de temperatuur (in K) tot tweemaal de oorspronkelijke waarde. Bepaal de eindtemperatuur, de geleverde arbeid, de toegevoerde warmte, de verandering van de inwendige energie en van de entropie.
$c_p = 1,005$ kJ/kg K, $R = 287$ J/kg K.

5. Stikstof van 127 °C en 10 bar expandeert isothermisch tot het soortelijk volume de waarde 0,24 m³/kg heeft bereikt. Bereken per kg stikstof de geleverde arbeid, de overgedragen warmte, de verandering van de entropie en van de inwendige energie.
$R = 297$ J/kg K.

6. 5 kg lucht van 4 bar en 27 °C wordt adiabatisch gecomprimeerd tot 10 bar. Bepaal de eindtemperatuur, de toe te voeren arbeid, de overgedragen warmte, de verandering van de inwendige energie en van de entropie.
$c_v = 0,716$ kJ/kg K, $k = 1,4$.

7. Bij een polytrope expansie van lucht ($n = 1,25$) is het eindvolume 3 m³ en de einddruk 1 bar. Als de begindruk 4 bar is, bereken dan de geleverde arbeid, de toe te voeren warmte, de verandering van de inwendige energie en van de entropie. Teken de toestandsverandering in een T-S-diagram.
$c_p = 1,005$ kJ/kg K, $c_v = 0,716$ kJ/kg K, $k = 1,4$.

8. 300 l van een ideaal gas met temperatuur 300 K en druk 1 bar wordt isothermisch tot 3 bar gecomprimeerd. Bereken de entropieverandering tussen begin- en eindtoestand in kJ/K. Toon door een berekening aan dat hetzelfde entropieverschil gevonden wordt indien het eindpunt bereikt wordt door een:
a adiabatische toestandsverandering gevolgd door een isobaar;
b een toestandsverandering bij constante druk gevolgd door een constant volume-proces.
$c_p = 1,005$ kJ/kg K, $c_v = 0,716$ kJ/kg K.

9. Toon van het kringproces beschreven in opgave 5 van VI.10. aan dat $\oint \dfrac{dQ}{T} = 0$.

10. Een tweetraps luchtcompressor zonder schadelijke ruimte levert per uur 120 kg lucht van 24 bar. De compressie verloopt polytroop ($n = 1,35$) in beide trappen. De druk na de eerste trap is 6 bar, de temperatuur na de tussenkoeling 310 K. Van de aangezogen lucht is de druk 1 bar, de temperatuur 290 K. $c_p = 1,005$ kJ/kg K, $R = 287$ J/kg K. Bereken de indicateurarbeid voor de eerste en de tweede trap alsmede de warmte die in de tussenkoeler wordt afgevoerd in kJ/min. Geef de indicateurarbeid en de in de koeler afgegeven hoeveelheid warmte aan in een T-S-diagram.

11. Twee kg ijs van $-10\,°C$ ($c = 2,1$ kJ/kg K) wordt door warmtetoevoer vanuit de omgeving omgezet in water van 20 °C. Als de smeltingswarmte van het ijs 336 kJ/kg bedraagt en de omgevingstemperatuur 20 °C, bereken dan de entropieverandering van systeem en omgeving tezamen.

12. In een warmtewisselaar wordt 50 ton olie van 60 °C tot 50 °C afgekoeld door middel van 40 ton koelwater van 10 °C. $c_{\text{olie}} = 1,68$ kJ/kg K.
Bereken de entropieverandering van de olie, die van het koelwater alsmede de entropiestijging van het gehele systeem.

13. Bereken de entropieverandering als 5 kg van een ideaal gas van 1 bar en 300 K polytroop ($n = 1,3$) tot 6 bar wordt gecomprimeerd. Hoe is de uitkomst van de berekening te verklaren?

$c_p = 0,819$ kJ/kg K. $c_v = 0,630$ kJ/kg K.

IX.15. Entropieverandering bij de overgang vloeistof damp

Wordt aan een vloeistof met willekeurige temperatuur T_1 bij *constante druk* warmte toegevoerd, dan is het temperatuurverloop zoals fig. 9.34 aangeeft.

I   Warmtetoevoer aan 1 kg vloeistof tot in 1′ de verdampingstemperatuur T_v bereikt is.

II Verdamping van de vloeistof waarbij de verdampingswarmte r moet worden toegevoerd.
Bij dit proces blijft ook de temperatuur constant.

III Oververhitting van de gevormde damp van T_v tot T_2.

Fig. 9.34

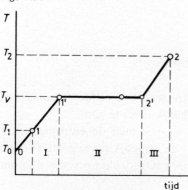

De totale entropieverandering $s_2 - s_1$ kan men nu uit drie delen opgebouwd denken.

Δs_I = entropietoeneming tijdens het verwarmen van de vloeistof
Δs_{II} = entropietoeneming tijdens het verdampen van de vloeistof
Δs_{III} = entropietoeneming tijdens het verhitten van de damp.

$$\Delta s_I = \int_1^{1'} \frac{dQ}{T} = c \int_1^{1'} \frac{dT}{T} = c \ln \frac{T_{1'}}{T_1} = c \ln \frac{T_v}{T_1}$$

$$\Delta s_{II} = \int_{1'}^{2'} \frac{dQ}{T} = \frac{1}{T_v} \int_{1'}^{2'} dQ = \frac{Q}{T_v} = \frac{r}{T_v}$$

$$\Delta s_{III} = \int_{2'}^{2} \frac{dQ}{T} = c_p \int_{2'}^{2} \frac{dT}{T} = c_p \ln \frac{T_2}{T_{2'}} = c_p \ln \frac{T_2}{T_v}$$

$$\boxed{s_2 - s_1 = c \ln \frac{T_v}{T_1} + \frac{r}{T_v} + c_p \ln \frac{T_2}{T_v}} \qquad (9.19)$$

Voor c_p moet de gemiddelde waarde van de soortelijke warmte tussen T_v en T_2 worden ingevuld.

Ligt de eindtoestand 2 tussen 1' en 2' in dan is, als x het dampgehalte in 2 voorstelt de entropietoeneming:

$$\boxed{s_2 - s_1 = c \ln \frac{T_v}{T_1} + \frac{xr}{T_v}} \qquad (9.20)$$

De berekening van $s_2 - s_1$ behoeft niet altijd te worden uitgevoerd, zoals hiervoor is beschreven.

Zou worden uitgegaan van een *vaste begintoestand* aangegeven met de index 0, dan geldt voor een oververhitte damp dat:

$$s_2 - s_0 = c \ln \frac{T_v}{T_0} + \frac{r}{T_v} + c_p \ln \frac{T_2}{T_v}$$

en voor vloeistof met temperatuur T_1:

$$s_1 - s_0 = c \ln \frac{T_1}{T_0}$$

Berekent men nu $(s_2 - s_0) - (s_1 - s_0)$, dan wordt dezelfde waarde van $s_2 - s_1$ verkregen als met (9.19) zoals gemakkelijk is na te gaan.

Waar men de begintoestand kiest en welke waarde men de entropie in dit punt toekent is niet van belang daar s_0 toch uit de vergelijking wegvalt. (Vergelijk hiermee de temperatuur in °C. Deze wordt ook uitgedrukt t.o.v. een nulpunt dat willekeurig is aangenomen).

152

De entropie s_0 kan dus zonder bezwaar nul worden genomen*. Uitgaande van zo'n willekeurig gekozen nulpunt zijn voor diverse stoffen de entropie-waarden berekend en in tabellen vastgelegd. Is de toestand van de stof bekend (b.v. door p en t) dan kan hierin direct de waarde van de entropie worden afgelezen. Deze werkwijze geeft dus een aanzienlijke besparing op het rekenwerk. Voor water van de verdampingstemperatuur en voor verzadigde stoom zijn de entropiewaarden, aangegeven met s_{vl} en s_d in tabel II vermeld.

Voor toestanden tussen $1'$ en $2'$ gelegen (fig. 9.34) kan nu de entropie worden berekend uit de overweging dat 1 kg natte damp bestaat uit x kg verzadigde damp met temperatuur T_v en $(1 - - x)$ kg vloeistof van dezelfde temperatuur. Voor de entropie kan dus worden geschreven:

$$ s = x s_d + (1 - x) s_{vl} \qquad (9.21)$$

Bij oververhitte damp kan, bij een gegeven druk, de temperatuur elke waarde hebben, mits $> T_v$. Als gevolg van de twee onafhankelijk variabelen zijn de entropietabellen voor een oververhitte damp zeer uitgebreid.

Het gebruik van tabellen is in een aantal gevallen te verkiezen boven dat van een diagram, omdat de entropiewaarden hierin veel nauwkeuriger zijn aangegeven dan men deze uit een diagram zou kunnen aflezen.

In de tabel staan ook de waarden van v_{vl} en v_d vermeld. In analogie met (9.21) kan voor het soortelijk volume van natte damp worden geschreven:

$$ v = x v_d + (1 - x) v_{vl} $$

Dikwijls kan de laatste term worden verwaarloosd. Dit is echter niet toelaatbaar als de druk hoog is of de waarde van x klein.

IX.16. Het T-S-diagram voor water en waterdamp

Dit T-S-diagram vertoont grote overeenkomst met het uit de natuurkunde bekende p-V-diagram, dat in fig. 9.35 is getekend. Isobaren en isochoren worden hierin weergegeven door rechte lijnen evenwijdig aan de horizontale resp. verticale as.

Om het verloop van de *isothermen* te bepalen denkt men zich water van 250 °C (toestand A) in een afgesloten ruimte onder een druk van b.v. 175 bar. Wanneer de druk wordt verlaagd neemt het volume zeer weinig toe, omdat een vloeistof praktisch niet compressibel is.

De tak A-B is dus een zeer steil verlopende lijn.

Is de bij 250 °C behorende verzadigingsdruk (40 bar) bereikt, dan zal verdam-

---

* Voor gassen wordt het nulpunt meestal genomen bij 0 °C en 1 bar, voor water bij 0 °C en 0,0061 bar (verzadigde dampspanning bij 0 °C).

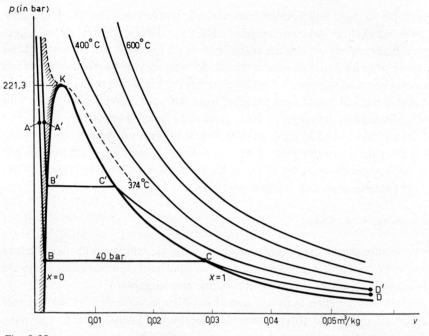

Fig. 9.35

ping van de vloeistof optreden waarbij de verdampingswarmte moet worden toegevoerd. Bij de toestandsverandering B-C blijft de druk constant, totdat men verzadigde damp heeft verkregen. Bij verdere expansie daalt de druk volgens de kromme C-D, die hyperbolisch van karakter is. Hoe lager de druk is en hoe hoger de temperatuur, dus te meer gedraagt de damp zich als een ideaal gas. De kromme gaat dan over in een zuivere hyperbool.

Herhaalt men de proef voor een hogere temperatuur dan verkrijgt men de isotherm A'B'C'D'. Het horizontale deel BC wordt kleiner naarmate de temperatuur hoger wordt, om tenslotte in een punt(K) over te gaan. Dit noemt men het kritieke punt. Hierbij is er geen verschil meer tussen de vloeibare en gasvormige fase; het volume van de vloeistof is gelijk aan dat van verzadigde stoom, en de verdampingswarmte $r = 0$.

Door K loopt de kritieke isotherm T_k.

Voor water is $p_k = 221, 3$ bar en $T_k = 647,15$ K.

Bij temperaturen boven de kritieke is het niet mogelijk de damp nog tot vloeistof te verdichten, hoe hoog men de druk ook maakt. Het is dan een permanent gas geworden, zoals lucht boven $-$ 192 °C (kritieke temperatuur voor lucht). Deze temperatuur is dus belangrijk bij het vloeibaar maken van gassen.

Door de punten BB' enz. resp. C C' enz. met elkaar te verbinden, verkrijgt men de dik getrokken kromme. Deze grenskromme omsluit het twee-fase gebied (het z.g. *coëxistentiegebied*), waar damp en vloeistof met elkaar in

154

evenwicht zijn. Links van de arcering komt alleen vloeistof voor, in het coëxistentiegebied vloeistof en damp, in het resterende gebied alleen damp.

In het vloeistofgebied noemt men de vloeistof onverzadigd. Is de druk zover gedaald dat de verdampingsdruk behorende bij de betreffende temperatuur bereikt is, dan noemt men de vloeistof verzadigd. Vandaar de benaming *verzadigde vloeistoflijn* voor het deel BK van de grenskromme. Is juist alle vloeistof verdampt, dan heeft men z.g. verzadigde damp verkregen. Het deel KC wordt daarom de *verzadigde damplijn* genoemd.

Verzadigde damp wordt bij verdere isothermische expansie onverzadigd. Men spreekt ook wel van oververhitte damp, d.w.z. de temperatuur ervan ligt boven de verzadigingstemperatuur, behorende bij de druk van de damp. Het verschil tussen de werkelijke temperatuur van de oververhitte damp en zijn verzadigingstemperatuur wordt de *oververhittingsgraad* genoemd.

Voor iedere vloeistof kan een dergelijk diagram worden opgesteld. De vorm hiervan blijft nagenoeg gelijk.

De opstelling van een T-S-diagram voor water en waterdamp kan op de volgende wijze geschieden.

Stel dat de entropie nul wordt gesteld bij 0 °C en 1 bar ($s_0 = 0$). Wordt nu 1 kg water van 0 °C en 1 bar door warmtetoevoer bij constante druk omgezet in oververhitte stoom, dan geldt, zolang $T < T_v$ dat:

$$s = c \ln \frac{T}{273}$$

Voor elke temperatuur tussen 273 K en T_v kan hieruit s worden berekend.

De bij elkaar behorende T en s waarden kunnen worden uitgezet, waarbij de nagenoeg logaritmische kromme A-1 wordt verkregen (fig. 9.36).

De soortelijke warmte c is hierbij constant verondersteld.

Bij het verdampen van de vloeistof is:

$$s_2 - s_1 = \frac{r}{T_1} = \frac{r}{T_v}$$

Het lijnstuk 1-2 kan nu ook worden uitgezet.

Bij de oververhitting van verzadigde damp van toestand 2 tot een willekeurige temperatuur T_3 is de entropiestijging:

$$s_3 - s_2 = c_p \ln \frac{T_3}{T_2} = c_p \ln \frac{T_3}{T_v}$$

Ook dit levert een kromme op die ongeveer logaritmisch verloopt. De helling is echter groter dan die van het deel A-1, omdat $c_p < c$.

155

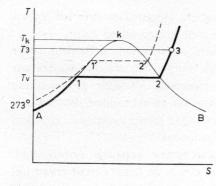

Fig. 9.36

Het tekenen van een isobaar van hogere druk, b.v. 2 bar, geschiedt op dezelfde wijze.

Het snijpunt hiervan met de T-as kan worden gevonden door water van 0 °C en 1 bar isentroop tot 2 bar te comprimeren.

Omdat vloeistoffen weinig samendrukbaar zijn, is de benodigde arbeid zeer klein en derhalve ook de daarmee samenhangende temperatuurverhoging.

Toestand 1' ligt rechts boven 1 omdat de verdampingstemperatuur bij 2 bar hoger is evenals de entropie s_1.. Het lijnstuk 1'-2' is kleiner omdat bij hogere druk de verdampingswarmte afneemt en de verdampingstemperatuur toeneemt. Door nu alle punten 1-1' enz. en 2-2' enz. met elkaar te verbinden wordt, evenals in het p-V-diagram, een kromme verkregen die het coëxistentiegebied omsluit.

Het deel KA van de grenskromme is de verzadigde vloeistoflijn, het deel KB de verzadigde damplijn.

De kritieke isotherm is een raaklijn in de top van de kromme. Bij de kritieke druk is de verdampingswarmte $r = 0$, zodat ook de entropieverandering tijdens ,,verdampen'' nul is.

Fig. 9.37

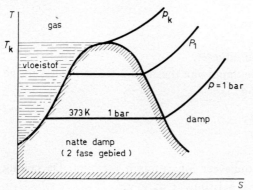

Het vloeistofgebied wordt ingesloten door de verzadigde vloeistoflijn, de T-as en de kritieke isotherm.

Het diagram is nogmaals afgebeeld in fig. 9.37. De vloeistof-isobaren zijn hierin niet aangegeven. Deze lopen namelijk zo dicht bij elkaar dat het verschil op geen enkele redelijke schaal zichtbaar gemaakt kan worden.

Het is daarom een goede benadering al deze isobaren met elkaar en met de verzadigde vloeistoflijn te laten samenvallen.

Slechts voor water van zeer hoge druk is deze benadering niet juist. De soortelijke warmte is bij hoge drukken zelfs bij benadering niet constant, zodat in de nabijheid van het kritieke punt isobaren ook niet logaritmisch meer verlopen. Bij de opzet van het diagram werd gemakshalve uitgegaan van een nulpunt bij 0 °C en 1 bar. Bij de in de praktijk gebruikelijke entropietabellen is het nulpunt gekozen bij 0 °C en 0,0061 bar.

Zoals bekend maakt dit principieel geen verschil.

In het T-S-diagram van fig. 9.38 zijn de lijnen van constant dampgehalte en die van constant volume aangegeven.

Voor toestand 4 geldt:

$$s_4 = x s_2 + (1 - x) s_1$$

Hieruit volgt dat $s_4 - s_1 = x (s_2 - s_1)$.

Voor $x = 0,4$ is dus het lijnstuk 1-4 het 0,4de deel van het lijnstuk 1-2.

Door nu elke lijn 1-2, 1'-2' enz. in een gelijk aantal delen te verdelen en de overeenkomstige punten met elkaar te verbinden, verkrijgt men de lijnen van constant dampgehalte die hier gestippeld zijn aangegeven.

In het dampgebied geldt voor de entropieverandering langs een isochoor door punt 2:

$$s - s_2 = c_v \ln \frac{T}{T_2} = c_v \ln \frac{T}{T_v}$$

Fig. 9.38

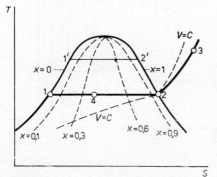

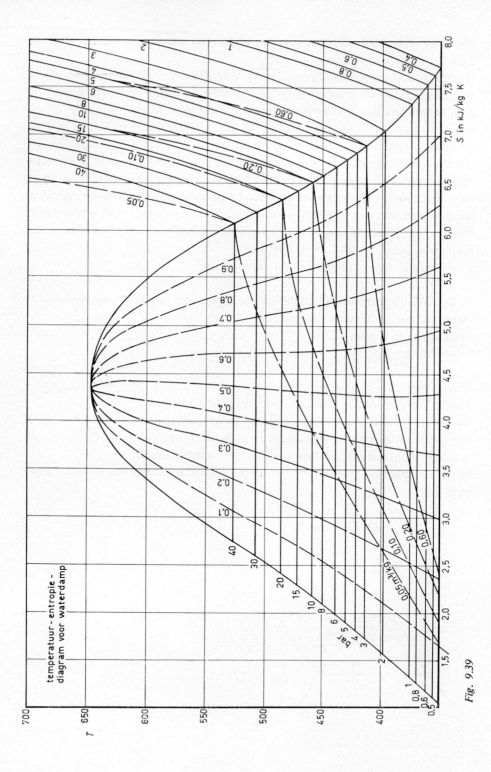

temperatuur-entropie-
diagram voor waterdamp

Fig. 9.39

S in kJ/kg K

158

Ook dit levert een logaritmische kromme, waarvan de richtingscoëfficient:

$$\frac{dT}{ds} = \frac{T}{c_v}$$

Daar $c_v < c_p$ is $\dfrac{T}{c_v} > \dfrac{T}{c_p}$ en loopt deze kromme dus steiler dan een isobaar.

Een isochoor in het coëxistentiegebied kan als volgt worden bepaald: Eerst wordt de waarde v aangenomen van de isochoor die men wil tekenen. Vervolgens wordt bij een willekeurige temperatuur T de waarde van v_{vl} en v_d uit de stoom-tabel afgelezen. Voorwaarde is dat T zo gekozen is dat $v_d > v$.

Dan kan uit:

$$v = x\,v_d + (1 - x)\,v_{vl}$$

de x worden berekend. De waarde van T en x worden in het diagram uitgezet. Dit wordt herhaald voor andere temperaturen (mits $< T$), zodat men een serie punten verkrijgt waarin v dezelfde waarde heeft. De aldus gevonden isochoor is in fig. 9.38 gestippeld weergegeven. Een volledig T-S-diagram met bijgeschreven waarden is in fig. 9.39 afgebeeld.

IX.17. Gemiddelde temperatuur van warmtetoevoer en -afvoer

In fig. 9.40, 9.41 en 9.42 zijn drie kringprocessen getekend, waarvan:
a   de toegevoerde hoeveelheid warmte Q_1 hetzelfde is:
   $Q_1 \triangleq$ opp. 1-2-6-5 = opp. 1'-2'-6-5 = opp. 1''-2''-6-5;
b   de hierbij optredende entropieverandering ΔS gelijk is;
c   de afgevoerde hoeveelheid warmte Q_2 hetzelfde is:
   $Q_2 \triangleq$ opp. 3-4-5-6 = opp. 3'-4'-5-6 = opp. 3''-4''-5-6.
Hieruit volgt dan het rendement:

$$\eta = \frac{Q_1 - Q_2}{Q_1}$$

voor elk van deze kringprocessen dezelfde waarde heeft. Heeft men dus een proces volgens fig. 9.41 of fig. 9.42, dan ondergaat het rendement geen ver-andering wanneer de figuur wordt omgevormd tot een rechthoek volgens fig. 9.40.

De warmtetoevoer in fig. 9.41 en fig. 9.42 kan men zich dus vervangen denken door een warmtetoevoer bij constante temperatuur T'_{m1} resp. T''_{m1}

T'_{m1} en T''_{m1} noemt men de *gemiddelde temperatuur van warmtetoevoer.*
Het is de hoogte van de rechthoek waarvan het oppervlak en de entropieveran-dering dezelfde waarde hebben als van het oorspronkelijke proces van warmte-toevoer 1'-2' resp. 1''-2''.

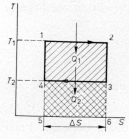

Fig. 9.40

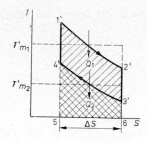

Fig. 9.41

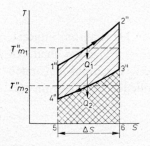

Fig. 9.42

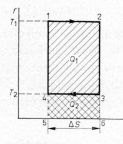

Fig. 9.43

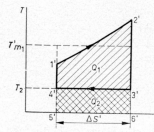

Fig. 9.44

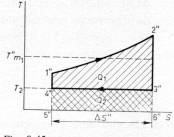

Fig. 9.45

Volgens eenzelfde redenering noemt men $T'_{m2} = T''_{m2} = T_2$ de gemiddelde temperatuur van warmteafvoer.

$$T_2 \, \Delta S = T'_{m2} \, \Delta S = T''_{m2} \, \Delta S$$

160

Men kan hieruit concluderen dat het onverschillig is of de warmte bij constante, dalende of stijgende temperatuur wordt toegevoerd resp. afgevoerd.
Het rendement blijft hetzelfde zolang T_{m1}, T_{m2} en de entropieverandering dezelfde waarde houden.

We beschouwen nu drie kringprocessen (fig. 9.43, 9.44, 9.45) waarvan de warmte-toevoer dezelfde waarde heeft, maar waarbij de gemiddelde temperatuur, waarbij de warmte wordt toegevoerd, verschillend is.

$$Q_1 \triangleq \text{opp. } 1\text{-}2\text{-}6\text{-}5 = \text{opp. } 1'\text{-}2'\text{-}6'\text{-}5' = \text{opp. } 1''\text{-}2''\text{-}6''\text{-}5''$$

en

$$T_1 > T'_{m1} > T''_{m1}$$

De warmte-afvoer geschiedt bij constante temperatuur T_2, welke voor al deze processen dezelfde waarde heeft.
Het rendement is achtereenvolgens:

$$\eta = 1 - \frac{T_2}{T_1}$$

$$\eta' = 1 - \frac{T_2}{T'_{m1}}$$

$$\eta'' = 1 - \frac{T_2}{T''_{m1}}$$

Daar $T_1 > T'_{m1} > T''_{m1}$ is $\eta > \eta' > \eta''$.

(De rendementen zijn slechts aan elkaar gelijk indien $T_2 = 0$ K. Alle toegevoerde warmte wordt dan in arbeid omgezet en $\eta = \eta' = \eta'' = 100$ %).
De warmtehoeveelheid die onverbruikt door de machine gaat en een onvermijdelijk verlies betekent is gelijk aan:

$$T_2 \, \Delta S, \ T_2 \, \Delta S' \text{ en } T_2 \, \Delta S''$$

Daar de grootte van het verlies bij een bepaalde T_2 door de entropiestijging wordt bepaald, is een proces des te gunstiger naarmate bij de warmtetoevoer de entropieverandering kleiner is. Bij een gegeven Q_1 betekent dit een warmtetoevoer bij een zo hoog mogelijke gemiddelde temperatuur. Het ideaal is dus een Carnotproces waarbij het verschil tussen T_1 en T_2 zo groot mogelijk is.

Toepassing 1

Water van 27 °C en 1 bar wordt door verwarming bij constante druk omgezet in stoom van 200 °C. Bereken de entropiestijging als gegeven is dat bij 1 bar $t_v = 99,6$ °C, $r = 22565$, kJ/kg, en dat voor c_p 1,97 kJ/kg K kan worden genomen.

161

Oplossing

$$s_2 - s_1 = 4,2 \ln \frac{372,6}{300} + \frac{2256,5}{372,6} + 1,97 \ln \frac{473}{372,6}$$

$$s_2 - s_1 = 0,909 + 6,056 + 8,959 = \mathbf{9,924} \text{ kJ/kg K}$$

Hetzelfde antwoord kan worden gevonden door de entropie nul te stellen bij 1 bar en 0 °C (s_0) en vervolgens ($s_1 - s_0$) af te trekken van $s_2 - s_0$.

Toepassing 2

Stoom van 10 bar en 400 °C expandeert isentroop tot op 0,1 bar. Bereken het vochtgehalte van de stoom na de expansie. Gegeven:

Bij 10 bar is de verzadigingstemperatuur $t_v = 180$ °C.
Bij 0,1 bar is de verzadigingstemperatuur $t_v = 46$ °C.
Bij 10 bar is de verdampingswarmte $r = 2\,015$ kJ/kg.
Bij 0,1 bar is de verdampingswarmte $r = 2\,392$ KJ/kg.
$c_p = 2,2$ kJ/kg K.

Oplossing

Stelt men de entropie van water van 0 °C en 1 bar, nul, dan kan voor de entropie s_1 van stoom van 10 bar en 400 °C volgens (9.19) worden geschreven:

$$s_1 = 4,2 \cdot 2,3 \log \frac{453}{273} + \frac{2015}{453} + 2,2 \cdot 2,3 \log \frac{673}{453}$$

$$s_1 = 2,125 + 4,448 + 0,870 = 7,443 \text{ kJ/kg K}$$

Voor de toestand van de stoom na expansie zijn drie mogelijkheden.
1 de stoom is nog oververhit. In dat geval kan de entropie in de eindtoestand worden gevonden uit:

$$s_2 = c \ln \frac{T_v}{T_0} + \frac{r}{T_v} + c_p \ln \frac{T_2}{T_v}$$

Hierin zijn T_v en r natuurlijk de verdampingstemperatuur en verdampingswarmte behorende bij de einddruk.
2 de stoom is juist verzadigd. De entropie is:

$$s_2 = c \ln \frac{T_v}{T_0} + \frac{r}{T_v}$$

3 de stoom is nat:

$$s_2 = c \ln \frac{T_v}{T_0} + \frac{x\,r}{T_v}$$

Is van de eindtoestand niets bekend, dan kan men het beste van veronderstelling 2 uitgaan. Constateert men nu dat de berekende s_2 gelijk is aan s_1, dan is de veronderstelling juist geweest want bij een isentrope toestandsverandering blijft de entropie constant. Is daarentegen $s_2 < s_1$ dan betekent dit dat s_2 te klein is, d.w.z. de stoom is oververhit. Men moet dan formule 1 gebruiken met T_2 als onbekende. Is $s_2 > s_1$ dan is de stoom in de eindtoestand nat en kan uit $s_1 = s_2$ en s_2 volgens 3 het dampgehalte x worden berekend. Past men deze

162

werkwijze toe op het vraagstuk dan gaat men dus uit van de onder 2 genoemde formule:

$$s_2 = 4,2 \cdot 2,3 \log \frac{319}{273} + \frac{2392}{319} = 0,653 + 7,499 = 8,152 \text{ kJ/kg K}$$

Nu is $s_2 > s_1$, zodat de stoom in de eindtoestand nat moet zijn (zoals ook al uit het gevraagde blijkt).

$$s_2 = 4,2 \cdot 2,3 \log \frac{319}{273} + \frac{x \cdot 2392}{319} = 0,653 + 7,499 \ x.$$

Uit $s_1 = s_2$ volgt:

$$7,443 = 0,653 + 7,499 \ x \to x = 0,905$$

Het stoomgehalte in de eindtoestand is 90,5 %, het vochtgehalte is derhalve **9,5** %.

IX.18. Vraagstukken

14. Bepaal het entropieverschil tussen water 50 °C en verzadigde stoom van 12 bar, waarvan de temperatuur 188 °C bedraagt. De verdampingswarmte bij 12 bar is 1 987 kJ/kg, $c_w = 4,2$ kJ/kg K.

15. Bepaal het entropieverschil tussen verzadigde stoom van 12 bar en natte stoom van 40 bar, waarvan het vochtpercentage 20 % bedraagt. De verdampingstemperatuur bij 40 bar is 250 °C, de verdampingswarmte 1 716 kJ/kg. Bij 12 bar zijn deze waarden 188 °C resp. 1 987 kJ/kg.

16. Bereken het entropieverschil tussen 20 kg verzadigde stoom van 12 bar en oververhitte stoom van 40 bar en 450 °C. De soortelijke warmte van de oververhitte stoom is 2,63 kJ/kg K. Voor verdere gegevens zie opgave 15.

17. 20 kg water van 30 °C wordt gemengd met 50 kg water van 86 °C. Bepaal de totale entropieverandering als de soortelijke warmte van het water $c = 4,2$ kJ/kg K bedraagt (2 manieren).

18. Stoom van 5 bar en 350 °C expandeert isentroop tot op 0,1 bar. Bepaal het vochtpercentage aan het einde van de expansie.
    Gegeven:
    0,1 bar: $t_v = 46$ °C, $r = 2\ 392$ kJ/kg;
    5 bar: $t_v = 152$ °C, $r = 2\ 107$ kJ/kg, $c_p = 2,0$ kJ/kg K.

19. Stoom van 10 bar en 3 % vocht expandeert isentroop tot 0,2 bar. Wat is de temperatuur en het vochtpercentage in de eindtoestand?
    Gegeven:
    10 bar: $t_v = 180$ °C, $r = 2\ 015$ kJ/kg;
    0,2 bar: $t_v = 60$ °C, $r = 2\ 358$ kJ/kg.

20. Stoom van 1 bar en een watergehalte van 10 % wordt volgens een isentroop gecomprimeerd tot 30 bar. Wat wordt daarbij de temperatuur?
Gegeven:
1 bar: $t_v = 100\,°C$, $r = 2\,257$ kJ/kg;
30 bar: $t_v = 234\,°C$, $r = 1\,798$ kJ/kg, $c_p = 2,63$ kJ/kg K.

21. Hoeveel graden moet stoom van 50 bar worden oververhit als na een isentrope expansie tot op 5 bar de stoom juist droog is?
Gegeven:
5 bar: $t_v = 152\,°C$, $r = 2\,107$ kJ/kg;
50 bar: $t_v = 264\,°C$, $r = 1\,641$ kJ/kg, $c_p = 2,75$ kJ/kg K.

22. Ammoniak van 1,90 bar en $-20\,°C$ wordt isentroop gecomprimeerd tot 6,15 bar. Als de damp nu juist droog is geworden, wat was dan het vochtpercentage in de begintoestand?
Gegeven:
1,90 bar: $t_v = -20\,°C$, $r = 1\,328$ kJ/kg;
6,15 bar: $t_v = +10\,°C$, $r = 1\,226$ kJ/kg;
Soortelijke warmte van ammoniak is 4,12 kJ/kg K.

HOOFDSTUK X

Enthalpie

X.1. Inleiding

Een definitie van de enthalpie werd reeds op pag. 113 gegeven

$$H = U + pV \qquad \text{(a)}$$

De enthalpie is een combinatie van de drie toestandsgrootheden U, p en V en dus zelf ook een toestandsgrootheid. Evenals U noemt men H een *afgeleide* toestandsgrootheid.

Daar het niet mogelijk is de totale inwendige energie van een systeem vast te stellen, is ook voor de enthalpie geen absolute waarde op te geven. Slechts het verschil in enthalpie tussen twee toestanden is te berekenen. Dit verschil is natuurlijk weer onafhankelijk van de wijze waarop men het proces tussen begin- en eindtoestand laat verlopen.

Evenals de entropie wordt ook de enthalpie in een zekere toestand nul gesteld en berekent men de enthalpie in een willekeurige andere toestand door van dit nulpunt uit te gaan.

Op deze wijze kan men in elke toestand een waarde van de enthalpie opgeven. Het enthalpieverschil tussen twee toestanden $(H_2 - H_1)$ wordt dus eigenlijk bepaald als verschil van $H_2 - H_0$ en $H_1 - H_0$, waarbij H_0 de enthalpie in de begintoestand voorstelt. Deze H_0 valt weg, zodat de keuze van de begintoestand en de waarde die men de enthalpie daar geeft niet van invloed zijn op de uitkomst van de berekeningen.

Voor water en waterdamp zijn de enthalpiewaarden, uitgedrukt in kJ/kg, in de tabellen II en III vermeld. Evenals voor de entropie is het nulpunt van de enthalpie gekozen bij 0 °C en 0,0061 bar. De berekening is uitgevoerd volgens vrij gecompliceerde, half empirische vergelijkingen.

De enthalpie van verzadigde vloeistof is aangeduid met h_{vl}, die van verzadigde damp met h_d.

In het coëxistentiegebied kan de enthalpie h van natte damp worden berekend uit:

$$h = xh_d + (1\text{-}x)\, h_{vl}$$

Bij oververhitte damp kan de temperatuur bij een gegeven druk elke willekeurige waarde hebben, mits $> T_v$. De tabellen voor oververhitte damp zijn dan ook zeer uitgebreid. Een zeer klein gedeelte ervan is weergegeven in tabel III.

De invoering van het begrip enthalpie is van bijzonder belang, omdat, zoals al in VIII.2. t/m 9. tot uiting kwam, verschillende berekeningen hierdoor zeer vereenvoudigd worden. Speciaal bij de warmtewisseling met constante druk wordt deze toestandsgrootheid toegepast.

X.2. Warmteoverdracht bij constante druk

Differentiatie van (a) levert:

$$dH = dU + d(pV) = dU + p\,dV + V\,dp$$

$$dU + p\,dV = dH - V\,dp$$

Na substitutie hiervan in $dQ = dU + p\,dV$ vindt men:

$$\boxed{dQ = dH - V\,dp} \tag{10.1}$$

waarmee de enthalpie inplaats van de inwendige energie in de eerste hoofdwet is ingevoerd. Deze vergelijking mag alleen worden toegepast als de toestandsverandering omkeerbaar verloopt.

Voor een proces waarbij de druk constant is volgt zowel uit (10.1) als uit de algemene energievergelijking (8.2) dat:

$$\boxed{Q = H_2 - H_1} \tag{10.2}$$

De aan een systeem bij constante druk toegevoerde warmte is gelijk aan de vermeerdering van de enthalpie van het systeem.

Beschikt men over enthalpietabellen dan kunnen in een dergelijk geval toe- en afgevoerde warmtehoeveelheden op eenvoudige wijze worden bepaald.

Uitgaande van (8.2) werd de uitdrukking (10.2) reeds in VIII.5. afgeleid. Daaruit blijkt dat (10.2) ook voor niet omkeerbare processen mag worden toegepast.

Ideaal gas

Wordt aan een ideaal gas bij constante druk warmte toegevoerd, dan is volgens (3.8):

$$Q = m\,c_p(T_2 - T_1)$$

zodat ook:

$$H_2 - H_1 = m\,c_p(T_2 - T_1)$$

Voor de eenheid van massa:

$$\boxed{h_2 - h_1 = c_p(T_2 - T_1)} \tag{10.3}$$

Uit (10.3) blijkt dat als de temperatuur constant blijft, ook de enthalpie niet zal veranderen.

Dit volgt ook uit de definitie van de enthalpie, waarin zowel U als het produkt pV alleen van de temperatuur afhangen. Een isotherm is dus tevens een lijn van constante enthalpie (isenthalp).

Omdat H een toestandsgrootheid is, die alleen afhangt van de temperatuur, is dus voor *elk willekeurig proces* met dezelfde begin- en eindtemperatuur de enthalpieverandering hetzelfde. Voor de berekening werd een isobaar gekozen, maar uit het bovenstaande zal duidelijk zijn dat de gevonden uitdrukking (10.3) algemeen geldig is en niet beperkt is tot toestandsveranderingen met constante druk.

Vergelijk hiermee $u_2 - u_1 = c_v\,(T_2 - T_1)$ (pag. 29) van welke betrekking ook is aangetoond dat de geldigheid niet beperkt is tot toestandsveranderingen waarbij het volume constant blijft.

Overgang vloeistof-damp

In fig. 10.1 is een proces 1-2 afgebeeld waarbij aan 1 kg vloeistof met temperatuur T_1 bij constante druk warmte wordt toegevoerd. Is de verdampingstemperatuur T_v en wordt oververhitte damp verkregen met temperatuur T_2, dan is de toe te voeren warmtehoeveelheid:

$$Q_{1-2} = c\,(T_v - T_1) + r + c_p(T_2 - T_v)$$

Fig. 10.1

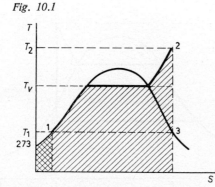

167

Tevens geldt (10.2), zodat:

$$\boxed{h_2 - h_1 = c(T_v - T_1) + r + c_p(T_2 - T_v)} \qquad (10.4)$$

In een tabel kan $h_2 = c\,(T_v - 273) + r + c_p\,(T_2 - T_v)$ worden afgelezen, evenals $h_1 = c\,(T_1 - 273) = ct_1$. Het verschil tussen h_2 en h_1 komt overeen met (10.4).

Voor een vloeistof beneden de verzadigingstemperatuur zijn geen enthalpie waarden opgenomen. Daar de soortelijke warmte voornamelijk van de *temperatuur* afhankelijk is, kan een gemiddelde waarde van c uit tabel II worden berekend.

Is de temperatuur b.v. 160 °C dan is $c \approx \dfrac{670,1}{158,8} = 4,22$ kJ/kg K.

In het T-S-diagram kan een warmtehoeveelheid als een oppervlak worden aangegeven. Wordt het nulpunt van de enthalpie bij 0 °C genomen dan komt in fig. 10.1 de enthalpie van de oververhitte damp (h_2) overeen met het naar links gearceerde oppervlak, de enthalpie van de vloeistof (h_1) met het naar rechts gearceerde oppervlak.

Is in de eindtoestand de damp verzadigd, dan is:

$$Q_{1-2} = h_2 - h_1 = h_d - h_1$$

Wordt natte damp verkregen met dampgehalte x dan is:

$$Q_{1-2} = h_2 - h_1 = \{x\,h_d + (1 - x)\,h_{vl}\} - h_1$$

Bij isentrope expansie van 1 kg oververhitte stoom in een turbine is de geleverde arbeid volgens (8.4) gelijk aan de enthalpiedaling van de stoom in de turbine. In fig. 10.2 is dus:

$$W_{i_{3-4}} = h_3 - h_4$$

Fig. 10.2   Fig. 10.3

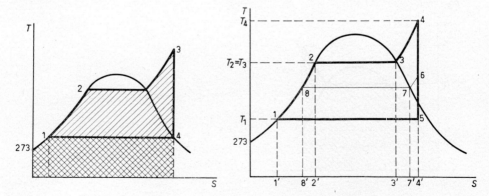

168

hetgeen overeenkomt met het verschil tussen het naar links gearceerde oppervlak (h_3) en het naar rechts gearceerde oppervlak (h_4)

$$W_{i_{3-4}} \triangleq \text{opp. } 1\text{-}2\text{-}3\text{-}4$$

In fig. 10.3 is het kringproces in een *turbine-installatie* afgebeeld. Hierin is:

1-2 de verwarming van het water van de begintemperatuur T_1 tot de verdampingstemperatuur T_2.

2-3 verdamping van de vloeistof.

3-4 oververhitting van de gevormde damp tot T_4.

4-5 isentrope expansie tot op de condensordruk.

5-1 condensatie van de afgewerkte stoom.

Opp. 1-2-2′-1′ $\triangleq$ de warmte die aan de vloeistof moet worden toegevoerd
$$= h_2 - h_1.$$

Opp. 2-3-3′-2′ $\triangleq$ de verdampingswarmte $= h_3 - h_2$.

Opp. 3-4-4′-3′ $\triangleq$ de oververhittingswarmte $= h_4 - h_3$.

Opp. 5-1-1′-4′ $\triangleq$ de in de condensor af te voeren warmte $= h_1 - h_5$.

De arbeidslevering van de turbine:

$$W_i = h_4 - h_5 \triangleq \text{opp. } 1\text{-}2\text{-}3\text{-}4\text{-}5$$

Uitgaande van het feit dat de geleverde arbeid het verschil is tussen de toe- en afgevoerde hoeveelheid warmte, komt men tot hetzelfde resultaat.
Het rendement:

$$\eta = \frac{Q_1 - Q_2}{Q_1} = \frac{\text{opp. } 1\text{-}2\text{-}3\text{-}4\text{-}5}{\text{opp. } 1\text{-}2\text{-}3\text{-}4\text{-}4'\text{-}1'}$$

Ligt de condensordruk zo hoog dat de stoom na expansie nog oververhit is (b.v. toestand 6), dan komt de warmte die in de condensor moet worden afgevoerd overeen met opp. 6-7-8-8′-4′.
De af te voeren oververhittingswarmte $\triangleq$ opp. 6-7-7′-4′.
Het rendement:

$$\eta = \frac{\text{opp. } 2\text{-}3\text{-}4\text{-}6\text{-}7\text{-}8}{\text{opp. } 8\text{-}2\text{-}3\text{-}4\text{-}4'\text{-}8'}$$

X.3. Enthalpie-entropiediagram

In dit diagram wordt op de verticale as de enthalpie en op de horizontale as de entropie uitgezet.
Volgens (10.2) kan de bij $p = C$ overgedragen warmte als de lengte van een verticaal lijnstuk worden opgemeten evenals volgens (8.4) de arbeid bij een al of niet omkeerbare adiabatische toestandsverandering. In een T-S-diagram kunnen warmtehoeveelheden door planimetreren van oppervlakken worden be-

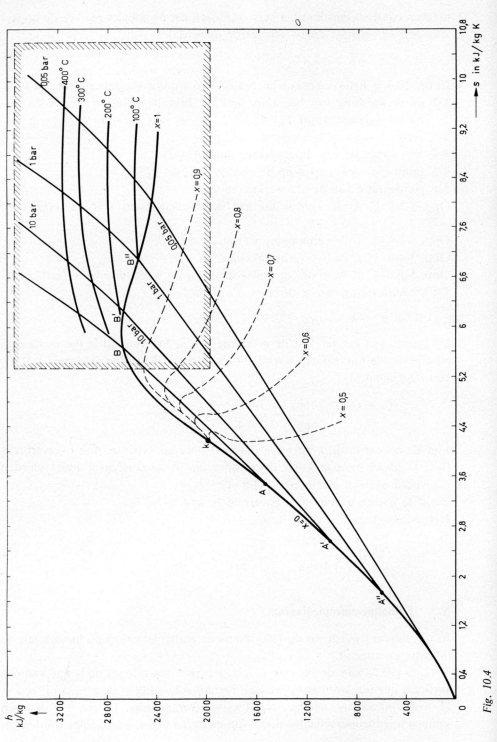

Fig. 10.4

170

paald hetgeen uiteraard zeer tijdrovend is. In de techniek is het diagram voor *water* en *waterdamp* van zeer groot belang. In fig. 10.4 is dit diagram afgebeeld. Worden h_{vl} en s_{vl} alsmede h_d en s_d, ontleend aan tabellen, uitgezet, dan wordt de grenskromme verkregen die het coëxistentiegebied insluit.

De bovenste grenskromme ($x = 1$) en de onderste grenskromme ($x = 0$) komen samen in het kritieke punt K.

Omdat de toestand van oververhitte stoom meestal door p en t en die van natte stoom door p en x wordt gegeven, zijn in dit diagram isobaren, isothermen en lijnen van constant dampgehalte aangegeven.

Voor een punt in het coëxistentiegebied geldt:

$$h = q + x\,r \quad (q = \text{vloeistofwarmte})$$

$$s = c \ln \frac{T_v}{273} + \frac{xr}{T_v}$$

Eliminatie van x uit deze twee vergelijkingen levert de volgende vergelijking:

$$h = T_v s - c\,T_v \ln \frac{T_v}{273} + q$$

Voor een isotherm kunnen de laatste twee termen tot één constante C worden samengenomen, zodat:

$$h = T_v s - C$$

Een isotherm in het coëxistentiegebied is dus een rechte lijn met T_v als richtings-coëfficiënt. Hoe hoger de temperatuur is, hoe steiler de isotherm loopt.

In het kritieke punt is de temperatuur en dus ook de helling van de isotherm maximaal. Dit punt is niet het hoogste punt van de grenskromme, zoals in het *T-S*-diagram, maar is een buigpunt van de kromme.

Isothermen vallen in het coëxistentiegebied samen met de isobaren, omdat bij verdampen zowel T als p constant zijn.

Lijnen van constant dampgehalte, worden gevonden door iedere isotherm AB, A'B', enz. in een aantal gelijke delen te verdelen en alle overeenkomstige punten met elkaar te verbinden.

Deze lijnen zijn gestippeld weergegeven.

Ook in het dampgebied zijn de enthalpie- en entropiewaarde voor een bepaalde p en t aan tabellen te ontlenen.

Door de punten van gelijke druk met elkaar te verbinden verkrijgt men iso-baren; door het verbinden van de punten van gelijke temperatuur, isothermen.

Isobaren in het dampgebied lopen vrijwel logaritmisch. Ze sluiten vloeiend aan op de isobaren van het coëxistentiegebied.

Isothermen daarentegen vertonen op de grenskromme een knik. De eigen-

171

schappen van een damp benaderen die van een ideaal gas des te beter naarmate de druk lager of zijn temperatuur hoger is. Vandaar dat de isothermen steeds meer horizontaal gaan lopen.

Soms zijn ook lijnen van constant volume in het diagram aangegeven, zodat men ook volumina snel kan bepalen.

Deze lijnen lopen in het gehele diagram iets steiler dan de isobaren. In de top van het diagram liggen, voor de meest gebruikte drukken, de punten B_1, B_2 enz. dicht bij elkaar en maken het diagram onoverzichtelijk. Bovendien is voor de praktijk het dampgebied en het bovenste deel van het coëxistentiegebied het meest belangrijk. Van een h-s-diagram vindt men dan ook meestal alleen het in fig. 10.4 omlijnde gedeelte vergroot afgebeeld, hetgeen de aflees-nauwkeurigheid bevordert.

Een exemplaar van een dergelijk diagram is aan dit boek toegevoegd.

Lijnen van constant volume zijn hierin groen aangegeven.

Toepassing 1

Aan een ketel wordt per uur 10,8 ton water van 86 °C toegevoerd. De ketel levert over-verhitte stoom van 20 bar en 350 °C ($h = 3\ 136$ kJ/kg), die in een turbine-installatie isentroop expandeert tot 0,6 bar, waarbij het vochtgehalte 9 % bedraagt. Bereken het vermogen dat de turbine ontwikkelt, de hoeveelheid warmte die in de condensor wordt afgegeven en het rendement van de gehele installatie.

Gegeven:

Bij 0,6 bar: $t_v = 86$ °C $h_{vl} = 359$ kJ/kg $r = 2\ 293$ kJ/kg, $h_d = 2\ 652$ kJ/kg.

Oplossing

Het proces is afgebeeld in fig. 10.5

$$W_i = h_3 - h_4$$

Fig. 10.5

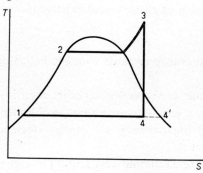

De enthalpie in het coëxistentiegebied kan niet uit de stoomtabel worden afgelezen, maar moet worden berekend met:

$$h_4 = 0,91 \, h_{4'} + 0,09 \, h_1$$

met:

$$h_4 = h_1 + 0,91 \, r$$

of met:

$$h_4 = h_{4'} - 0,09 \, r$$

h_1 en $h_{4'}$ kunnen uit de enthalpietabel voor water en waterdamp worden afgelezen. Met $h_{4'} = 2652$ kJ/kg vindt men:

$$h_4 = 2\,652 - 0,09 \cdot 2\,293 = 2\,445,6 \text{ kJ/kg}$$

Dus $W_i = h_3 - h_4 = 3\,136 - 2\,445,6 = 690,4$ kJ/kg

$$P = \frac{10\,800}{3\,600}\, 690,4 = \mathbf{2\,071,2 \text{ kW}}.$$

In de condensor wordt afgegeven:

$$Q_{4-1} = h_4 - h_1 = 2\,445,6 - 359,0 = 2\,086,6 \text{ kJ/kg}$$

$$Q_{4-1} = 3 \cdot 2\,086,6 = \mathbf{6259,8 \text{ kJ/s}}$$

Het rendement is:

$$\eta = \frac{h_3 - h_4}{h_3 - h_1} = \frac{690,4}{3\,136 - 359} = \frac{690,4}{2\,777} = \mathbf{0,249}.$$

Toepassing 2

Aan stoom in een afgesloten ruimte wordt warmte toegevoerd. Toon aan dat de warmte-toevoer niet overeenkomt met de toeneming van de enthalpie.

Oplossing

Geven we de begintoestand aan met 1, de eindtoestand met 2, dan is:

$$h_2 - h_1 = (u_2 + p_2 v_2) - (u_1 + p_1 v_1) = (u_2 - u_1) + (p_2 v_2 - p_1 v_1) \qquad \text{(a)}$$

$$u_2 - u_1 = h_2 - h_1 - (p_2 v_2 - p_1 v_1) \qquad\qquad\qquad\qquad\qquad\qquad \text{(a)}$$

Volgens de eerste hoofdwet geldt voor een constant-volume proces:

$$Q_{1-2} = u_2 - u_1 \qquad\qquad\qquad\qquad\qquad\qquad\qquad\qquad \text{(b)} \qquad\qquad \text{(b)}$$

Uit (a) en (b) blijkt dat Q_{1-2} niet gelijk is aan de toeneming van de enthalpie. Dit is alleen het geval als de druk constant is.

Toepassing 3

Een ideaal gas ($k = 1,4$) expandeert polytroop, waarbij de temperatuur 184 °C daalt. De verandering van de inwendige energie bedraagt $-136{,}25$ kJ/kg, de geleverde arbeid $W_i = 236{,}65$ kJ/kg.

Bereken Δh, R, c_p en c_v, de overgedragen warmte in kJ/kg en de n-waarde van de polytroop.

Oplossing

$$\frac{\Delta h}{\Delta u} = \frac{c_p\,(T_2 - T_1)}{c_v\,(T_2 - T_1)} = k. \qquad \Delta h = k\Delta u = 1{,}4\,(-136{,}25) = -\mathbf{190{,}75}\ \text{kJ/kg}$$

$$\Delta u = c_v\,(T_2 - T_1) \to c_v = \frac{-136{,}25}{-184} = \mathbf{0{,}740}\ \text{kJ/kg K}$$

$$k = \frac{c_p}{c_v} \to c_p = 1{,}4 \cdot 0{,}740 = \mathbf{1{,}036}\ \text{kJ/kg K}.$$

$$R = c_p - c_v = 1{,}036 - 0{,}740 = \mathbf{0{,}296}\ \text{kJ/kg K}$$

$$Q = \Delta h + W_i = -190{,}75 + 236{,}65 = \mathbf{45{,}9}\ \text{kJ/kg}$$

$$W_i = \frac{-n}{n-1}\,R(T_2 - T_1) \to \frac{n}{n-1} = \frac{236{,}65}{0{,}296 \cdot 184} = 4{,}33 \to n = \mathbf{1{,}3}.$$

X.4. Vraagstukken

Bij de oplossing van de vraagstukken gebruik maken van tabel II, III en IV en indien noodzakelijk, van het *h-s*-diagram.

Indien de enthalpie van water niet in de tabel staat vermeld kan worden aangenomen dat de soortelijke warmte van water 4,2 kJ/kg K bedraagt.

1. Een stoommachine van 100 kW verbruikt 4 kg verzadigde stoom van 8 bar voor een arbeidslevering van 1 MJ. Het voedingswater wordt met 50 °C aan de ketel toegevoerd. De ketel heeft een rendement van 85 % en wordt gestookt met olie met een stookwaarde van 38 MJ/kg. Hoeveel olie wordt per dag verbruikt? Wat wordt de diameter van de stoomleiding als voor de stoomsnelheid 20 m/s wordt aangenomen? Wat is het rendement van de gehele installatie?

2. 500 kg natte stoom wordt bij een constante druk van 10 bar tot 250 °C verwarmd. Als hiervoor 468 kJ/kg moet worden toegevoerd, bepaal dan het vochtpercentage in de begintoestand. Bereken het volume van de stoom in begin- en eindtoestand alsmede bij de oververhitting de gemiddelde waarde van de soortelijke warmte. Voor stoom van 10 bar en 250 °C is $v = 0{,}2326$ m³/kg.

3. In een condensor met een druk van 0,05 bar condenseert 50 ton stoom per uur. Het vochtgehalte van de stoom is 10 %. Als het koelwater 10 °C in temperatuur stijgt en het condensaat 5 °C wordt nagekoeld, hoeveel ton koelwater is dan per uur nodig?

4. Stoom van 40 bar en 450 °C die door een leiding stroomt wordt door het inspuiten van water van 30 °C in verzadigde toestand gebracht. Hoeveel kg water is hiervoor per kg verzadigde stoom nodig en met welk percentage neemt de dichtheid van de stoom toe? Voor stoom van 40 bar en 450 °C is $v = 0{,}0799$ m³/kg.

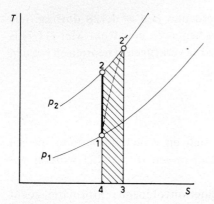

Fig. 11.4

rendement bij compressie van een gas is derhalve:

$$\eta_i = \frac{T_2 - T_1}{T_{2'} - T_1} \tag{11.6}$$

Zowel bij compressie als expansie van een ideaal gas kan, bij een gegeven drukverhouding en begintemperatuur, de eindtemperatuur T_2 met de derde wet van Poisson worden berekend. Vervolgens kan, met een gegeven of aangenomen waarde van η_i de $T_{2'}$ uit (11.6) worden bepaald.

De toe te voeren arbeid is dan:

$$W_i = -(h_{2'} - h_1) = -c_p(T_{2'} - T_1)$$

Wordt de druk van een *vloeistof* met behulp van een pomp verhoogd van p_1 tot p_2 en verloopt het proces isentroop, dan is volgens (8.7):

$$W_i = -v(p_2 - p_1)$$

Met $\eta_i = \dfrac{W_{i_{o.}}}{W_{i_{n.o.}}} = \dfrac{\Delta h_{o.}}{\Delta h_{n.o.}}$ wordt bij een niet omkeerbare compressie:

$$W_{i_{n.o.}} = \frac{-v(p_2 - p_1)}{\eta_i} \tag{11.7}$$

Deze uitdrukking kan ook worden toegepast bij compressie van een gas als de drukverhouding klein is (ventilator). Voor v moet de gemiddelde waarde van het soortelijk volume bij de drukken p_1 en p_2 worden ingevuld.

Daar een vloeistof vrijwel onsamendrukbaar is, kan worden aangenomen dat de waarde van v alleen van de temperatuur afhankelijk is. Wordt de (zeer kleine) temperatuurstijging bij compressie verwaarloosd, dan kan bij een gegeven begintemperatuur het soortelijk volume in een tabel worden opgezocht.

181

Wordt b,v. water van 180 °C gecomprimeerd dan is $v = 1,128$ dm^3/kg. (zie tabel II), onafhankelijk van de waarde van begin- en einddruk. Met (11.7) is een zeer goede benadering van de pomparbeid te verkrijgen. Theoretisch zouden we echter moeten schrijven:

$$W_{i_{n.o.}} = -(h_{2'} - h_1) = \frac{h_1 - h_2}{\eta_i}$$

waarin 2' de werkelijke eindtoestand voorstelt en 2 de eindtoestand bij een isentrope compressie. De waarde van h_2 kan in een stoomtabel worden opgezocht omdat p_2 en $s_2 = s_1$ bekend zijn.

De in dit boek afgedrukte tabellen geven echter onvoldoende informatie, zodat deze werkwijze hier niet mogelijk is.

XI.5. Smoren

Wordt bij een stationaire stroming de druk van het medium verlaagd zonder dat arbeid wordt geleverd, terwijl bovendien geen warmte-uitwisseling met de omgeving plaatsvindt, dan is volgens (8.3):

$$h_2 - h_1 + \tfrac{1}{2}(c_2^2 - c_1^2) = 0$$

De vermeerdering van de kinetische energie is practisch te verwaarlozen, zodat:

$$\boxed{h_1 = h_2} \tag{11.8}$$

Voor de bovengenoemde toestandsverandering die men *smoren* noemt, is hiermee dus een zeer eenvoudig criterium gevonden. In het h-s-diagram kan dit proces door een horizontale lijn worden weergegeven.

De drukverlaging bij smoren wordt veroorzaakt door een plaatselijke vernauwing in de leiding. In de praktijk, waar het dikwijls nodig is om de druk van een medium te verlagen, maakt men hiervoor gebruik van een z.g. ,,reduceer''. In de directe omgeving van de reduceer verkeert het medium niet in evenwicht.

Om te voldoen aan de veronderstelling van pag. 30, dat begin- en eindtoestand van een proces altijd evenwichtstoestanden zijn, moet de toestand van het medium op enige afstand voor en na de plaats van smoren worden genomen. Smoren is een typisch niet omkeerbaar proces. Het oppervlak onder een lijn van constante enthalpie komt in een p-V-diagram niet overeen met een arbeidshoeveelheid, en in een T-S-diagram niet met een warmtehoeveelheid.

De bovengevonden betrekking (11.8) geldt niet alleen voor ideale gassen maar ook voor willekeurige andere stoffen, b.v. vloeistoffen.

Smoren van gassen

Voor een *ideaal* gas geldt volgens (10.3):

$$h_2 - h_1 = c_p(T_2 - T_1)$$

De enthalpie is dus alleen een functie van de temperatuur. Bij smoren van een ideaal gas zal daarom de temperatuur niet veranderen. Dit geldt ook voor reële gassen van lage druk.

Bij hogere drukken echter treedt wel een temperatuurverandering op. Hiervan wordt gebruik gemaakt bij het vloeibaar maken van gassen.

Reële gassen zoals lucht, zuurstof, stikstof, kooldioxide enz. vertonen een geringe temperatuurdaling bij smoren, zoals bij proeven door Joule en Kelvin is aangetoond. Waterstof daarentegen gaf een geringe temperatuurstijging te zien. Uit een nader onderzoek van dit verschijnsel bleek er voor elk gas een temperatuur te bestaan waaronder smoring een temperatuurdaling en waarboven het smoren een temperatuurstijging te zien gaf. Deze temperatuur — de z.g. inversietemperatuur — is gelijk aan 6,75 T_k, waarin T_k de kritieke temperatuur van het gas voorstelt.

Voor waterstof ligt de inversietemperatuur aanzienlijk onder kamertemperatuur (waarbij de proeven werden uitgevoerd), zodat hier de temperatuur bij smoren steeg.

De temperatuurverandering bij het smoren van reële gassen noemt men wel het Joule-Kelvineffect.

Smoren van natte damp

Nemen we als voorbeeld natte stoom met een druk p_1 en een stoomgehalte x_1. De enthalpie is:

$$h_1 = q_1 + x_1\, r_1$$

q_1 = vloeistofwarmte bij de druk p_1;
r_1 = verdampingswarmte bij de druk p_1.
De eindtoestand van de stoom, na smoring, kan gelegen zijn (fig. 11.5):

1 Binnen het coëxistentiegebied, b.v. in punt 2.
   Het stoomgehalte x_2 in de eindtoestand is dan te bepalen uit:

$$h_1 = h_2$$

of:

$$q_1 + x_1\, r_1 = q_2 + x_2\, r_2$$

q_2 en r_2 zijn de vloeistofwarmte en verdampingswarmte bij de druk p_2.

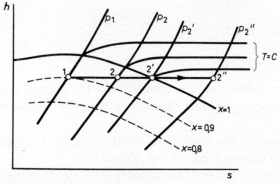

Fig. 11.5

2 Op de verzadigde damplijn.

Uit $q_1 + x_1 r_1 = q_{2'} + x_{2'} r_{2'}$ berekent men dan dat $x_{2'} = 1$.

3 In het dampgebied. In dat geval is:

$$q_1 + x_1 r_1 = q_{2''} + r_{2''} + c_p(T_{2''} - T_v)$$

Hierin is $T_{2''}$ de onbekende eindtemperatuur en T_v de verdampingstemperatuur bij de druk $p_{2''}$.

Bij de berekening gaat men uit van de onder 1 genoemde formule. Zou men hieruit moeten concluderen dat $x_2 > 1$, dan moet de onder 3 genoemde formule worden toegepast.

Uit het *h-s*-diagram (fig. 11.5) blijkt duidelijk dat men door smoren de stoom minder vochtig en zelfs oververhit kan maken. Smoren komt in de techniek veel voor. In het dampgebied verandert de temperatuur door smoren weinig, in het coëxistentiegebied daarentegen aanzienlijk.

XI.6. Entropie en omkeerbaarheid

In fig. 11.6 is een adiabatische expansie van stoom afgebeeld, die omkeerbaar (1-2) resp. niet omkeerbaar (1-2') verloopt.

Bij het proces 1-2' ontstaat t.o.v. de isentroop een arbeidsverlies:

$$W_v = W_{i_o.} - W_{i_{n.o.}} = (h_1 - h_2) - (h_1 - h_{2'}) = h_{2'} - h_2$$

Wordt aan stoom van toestand 2 bij constante druk warmte toegevoerd tot de toestand 2' is bereikt, dan is de toegevoerde warmte $Q_{2-2'}$ hieraan gelijk.

$$W_v = h_{2'} - h_2 = Q_{2-2'} \triangleq \text{opp. 2-2'-7-8}.$$

Is de temperatuur van warmteafvoer T_2, dan geldt tevens dat:

$$W_v = T_2 \Delta s \triangleq \text{opp. 2-2'-7-8}$$

waarin Δs de entropiestijging bij de expansie voorstelt.

184

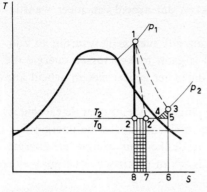

Fig. 11.6

Verloopt de expansie volgens 1-3, dan komt het verlies overeen met het oppervlak 2-4-3-6-8.

In fig. 11.2 zijn de bovengenoemde processen 1-2, 1-2′ en 1-3 in een h-s-diagram afgebeeld. In dit diagram is het arbeidsverlies als een lijnstuk afleesbaar, waardoor berekeningen snel kunnen worden uitgevoerd.

Bij een niet omkeerbare adiabatische expansie van een gas (fig. 11.3) is het arbeidsverlies eveneens:

$$W_v = W_{i_o.} - W_{i_{n.o.}} = h_{2'} - h_2$$

$$h_{2'} - h_2 = Q_{2-2'} = c_p(T_{2'} - T_2) \triangleq \text{opp. 2-2'-3-4}$$

Een niet omkeerbare adiabatische compressie is afgebeeld in fig. 11.4.
Het arbeidsverlies is:

$$W_v = h_{2'} - h_2 \triangleq \text{opp. 2-2'-3-4}$$

Het arbeidsverlies, gearceerd aangegeven in fig. 11.3, fig. 11.4 en fig. 11.6 is ook als volgt te schrijven:

$$\boxed{W_v = \int_2^{2'} T \, ds}$$

$$(11.9)$$

Bij bovengenoemde niet-omkeerbare adiabatische processen bestaat er dus een directe relatie tussen het arbeidsverlies W_v en de entropiestijging van het systeem.

XI.7. Exergie en anergie

Bij positieve kringprocessen trachten we uit de toegevoerde warmte zoveel mogelijk mechanische arbeid te verkrijgen. Volgens de tweede hoofdwet is het echter niet mogelijk een gegeven hoeveelheid warmte volledig in arbeid om

te zetten. Daaruit werd de conclusie getrokken dat arbeid een meer waardevolle vorm van energie is dan warmte.

De verschillende vormen van energie blijken dus niet gelijkwaardig te zijn. Dit heeft ertoe geleid dat men onderscheid is gaan maken tussen energie die volledig, energie die gedeeltelijk en energie die in het geheel niet in arbeid kan worden omgezet.

Het deel dat volledig in arbeid kan worden omgezet, noemt men de exergie E, het deel dat in het geheel niet in arbeid kan worden omgezet de anergie B.

Op deze wijze is energie dus opgebouwd te denken uit exergie en anergie. Het is echter wel mogelijk dat E of B nul is. (Van elektrische energie b.v. is $B = 0$).

De eerste hoofdwet, de wet van behoud van energie, is nu ook aldus te formuleren:

De som van exergie en anergie is constant:

$$\boxed{E + B = \text{constant}} \qquad (11.10)$$

Omzetting van anergie in exergie is niet mogelijk; dat zou in strijd zijn met de definitie die we van anergie hebben gegeven.

De omzetting van exergie in anergie is wel mogelijk maar niet wenselijk omdat dit laatste een technisch onbruikbare vorm van energie is.

Verloopt een proces *omkeerbaar*, dan kan exergie niet in anergie overgaan. Om het systeem in de begintoestand terug te brengen zou anergie weer in exergie moeten overgaan en deze omzetting is per definitie niet mogelijk.

Bij een niet-omkeerbaar proces echter, zal wel exergie in anergie worden omgezet. Men spreekt dan van het *exergieverlies*. Door mechanische wrijving b.v. wordt mechanische arbeid in warmte omgezet en naar de omgeving afgevoerd (degradatie van energie). Een proces moet dus bij voorkeur zo verlopen dat geen exergieverlies optreedt.

Voor een omkeerbaar kringproces waarbij twee warmtereservoirs ter beschikking staan geldt:

$$\eta = \frac{Q_1 - Q_2}{Q_1} = \frac{T_1 - T_2}{T_1} \qquad (a)$$

Warmte toe- en afvoer vinden plaats bij constante temperatuur, T_1 resp. T_2. De afgevoerde warmte is:

$$Q_2 = \frac{T_2}{T_1} Q_1$$

Wordt de warmte afgegeven bij de omgevingstemperatuur ($T_2 = T_0$), dan komt Q_2 overeen met de anergie van de toegevoerde warmte, nl. :

$$B = Q_2 = \frac{T_0}{T_1} Q_1$$

186

De exergie van de toegevoerde warmte is dan volgens (a):

$$E = Q_1 - Q_2 = Q_1 - \frac{T_0}{T_1} Q_1 = (1 - \frac{T_0}{T_1}) Q_1$$

Dit is de *maximale* hoeveelheid arbeid die uit een gegeven warmtehoeveelheid Q_1 kan worden verkregen.

Meestal wordt de warmte niet bij constante temperatuur toegevoerd, maar bij toenemende temperatuur. Dit is afgebeeld in fig. 11.7, waar de warmtetoevoer plaatsvindt langs de omkeerbare weg 1-2. Vullen we deze toestandsverandering aan met de twee isentropen 2-3 en 1-4 en met de isotherm 3-4, dan hebben we een omkeerbaar kringproces verkregen. Is de temperatuur van warmte-afvoer T_2 zo laag mogelijk, nl. gelijk aan de omgevingstemperatuur T_0, dan kunnen met behulp van dit kringproces de exergie en anergie van de toegevoerde warmte worden berekend. We beschouwen daartoe een oneindig klein wegelement a-b en stellen ons voor dat de warmte $\mathrm{d}Q$ bij constante temperatuur $T_1 = T$ wordt overgedragen. Voor het Carnotproces a-b-c-d kan worden geschreven:

$$\frac{\mathrm{d}Q_2}{\mathrm{d}Q} = \frac{T_0}{T}$$

zodat voor het proces 1-2 geldt dat:

$$Q_2 = T_0 \int_1^2 \frac{\mathrm{d}Q}{T}$$

Dit is de *minimale* hoeveelheid warmte die moet worden afgevoerd en niet in arbeid kan worden omgezet (anergie).
Nu is:

$$\int_1^2 \frac{\mathrm{d}Q}{T} = S_2 - S_1 = \Delta S$$

zodat:

$$\boxed{B = T_0 \Delta S} \tag{11.11}$$

Hierin is ΔS de entropieverandering van het systeem tijdens de warmtetoevoer. De exergie van de toegevoerde warmte is:

$$\boxed{E = Q_1 - T_0 \Delta S} \tag{11.12}$$

Uit (11.11) en (11.12) kan men de conclusie trekken dat de entropietoeneming bij de warmtetoevoer zo klein mogelijk moet zijn. De warmte moet derhalve bij een zo hoog mogelijke temperatuur worden toegevoerd.

187

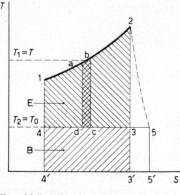

Fig. 11.7

In fig. 11.7 is:

exergie $E \triangleq$ opp. 1-2-3-4
anergie $B \triangleq$ opp. 4-3-3'-4'

In werkelijkheid is de verkregen nuttige arbeid uiteraard kleiner t.g.v. niet omkeerbare verschijnselen, waarbij een deel van de exergie in anergie overgaat (exergieverlies).
Verloopt de expansie in fig. 11.7 volgens de niet omkeerbare adiabaat 2-5, dan komt het arbeidsverlies overeen met het opp. 3-5-5'-3', evenals het exergieverlies.
Exergieverlies en arbeidsverlies zijn echter niet altijd gelijk. Beschouwen we in fig. 11.6 de niet omkeerbare adiabatische expansie 1-2'.
Is de omgevingstemperatuur T_0 en de temperatuur van warmteafvoer T_2, dan kan het arbeidsverlies t.o.v. de isentrope expansie worden voorgesteld door het verticaal gearceerde oppervlak 2-2'-7-8, het exergieverlies door het horizontaal gearceerde oppervlak. Is $T_0 = T_2$ dan zijn arbeidsverlies en exergieverlies gelijk.
Verloopt de expansie echter volgens 1-3, dan is het arbeidsverlies weer groter dan het exergieverlies. Het verschil komt overeen met het oppervlak 3-4-5.

Toepassing 1

Door een warmtereservoir A van 1 000 K wordt per tijdseenheid 500 kJ overgedragen aan een systeem B met een temperatuur van 500 K. Als deze temperaturen constant zijn en de omgevingstemperatuur 300 K bedraagt, bereken dan:
a de entropieverandering van A, van B en van A en B tezamen;
b de anergie en exergie van de beschikbare warmtehoeveelheid vóór en na de warmteoverdracht;
c het exergieverlies bij de warmteoverdracht.

188

Oplossing

a $\Delta S_A = \dfrac{Q}{T} = \dfrac{-500}{1000} = -0,5 \text{ kJ/Ks}$

$\Delta S_B = \dfrac{Q}{T} = \dfrac{500}{500} = 1,0 \text{ kJ/Ks}$

$\Delta S_{A+B} = \Delta S_A + \Delta S_B = -0,5 + 1,0 = 0,5 \text{ kJ/Ks}$

b Van een warmtehoeveelheid (500 kJ) is bij 1 000 K:

de anergie $B = T_0 \Delta S_A = 300 \cdot 0,5 = 150 \text{ kJ/s}$

de exergie $E = Q - B = 500 - 150 = 350 \text{ kJ/s}$

De anergie van het *warmtereservoir* neemt per tijdseenheid met 150 kJ af, de exergie met 350 kJ.

Bij 500 K is van de overgedragen warmte: de anergie $B = T_0 \Delta S_B = 300 \cdot 1,0 = 300 \text{ kJ/s}$ de exergie $E = Q - B = 500 - 300 = 200 \text{ kJ/s}$.

De anergie en exergie van het *systeem* zijn dus toegenomen.

c Van de oorspronkelijke warmtehoeveelheid is de anergie met 150 kJ/s toegenomen, de exergie is met dezelfde waarde afgenomen. Dit „verlies"is ook te berekenen uit:

$T_0 \Delta S_{A+B} = 300 \cdot 0,5 = 150 \text{ kJ/s}$

Opmerking

Bij dit proces is alle warmte die door het warmtereservoir is afgestaan, door het systeem opgenomen. Er zijn geen warmteverliezen, zodat men het rendement van de warmteoverdracht 100 % zou kunnen noemen.

De *exergie* van de toegevoerde warmte, die eerst 70% bedroeg $\left(\dfrac{350}{500} \cdot 100\%\right)$ is echter afgenomen tot 40% $\left(\dfrac{200}{500} \cdot 100\%\right)$.

Het exergieverlies is derhalve:

$\dfrac{350 - 200}{350} \cdot 100\% \approx 43\%.$

Hieruit blijkt dat de warmteoverdracht, bezien in het licht van de tweede hoofdwet, wel degelijk met verliezen gepaard gaat. Duidelijk is dat men het verlies kan beperken door het temperatuurverschil tussen warmtereservoir en systeem te verkleinen. Hierdoor wordt echter de warmteoverdracht vertraagd, tenzij men de warmtewisselaar dienovereenkomstig vergroot. Bij een oneindig klein temperatuurverschil tussen A en B is $\Delta S_A + \Delta S_B = 0$. In dat geval wordt geen exergie in anergie omgezet en is het exergieverlies dus nul (omkeerbare warmte overdracht). De omgevingstemperatuur T_0 bepaalt mede het exergieverlies en moet blijkbaar zo laag mogelijk zijn. Kunstmatige verlaging van deze temperatuur heeft echter geen zin daar de winst aan arbeid die men in een arbeidsmachine zou kunnen verkrijgen kleiner is dan de voor de koelinstallatie benodige arbeid.

Toepassing 2

Smoorcaloriemeter

Het doel van de smoorcaloriemeter is het bepalen van het vochtgehalte van stoom. Het toestel bestaat uit een goed geïsoleerd vat b, waarin men druk en temperatuur kan meten (fig. 11.8).

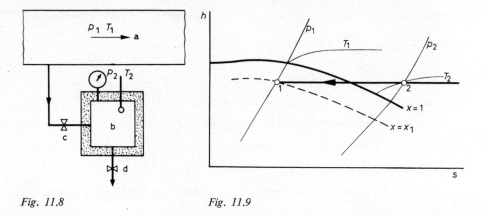

Fig. 11.8   Fig. 11.9

Het vat is met de stoomleiding a verbonden via een regelbare smoorafsluiter. De druk in
a is p_1;de temperatuur is de bij p_1 behorende verzadigingstemperatuur T_1. Het vochtgehalte
van de stoom in de leiding a bepaalt men nu als volgt.
Met de afsluiter c brengt men de stoom op een lagere druk. De instromende stoom wordt
bij d afgevoerd. Druk en temperatuur van de stoom in het vat b worden gemeten (p_2, T_2).
Men regelt nu de afsluiters c en d zodanig dat de temperatuur T_2 hoger is dan de bij p_2 behorende verzadigingstemperatuur. Men weet dan zeker dat de stoom oververhit geworden is.
Uit $q_1 + x_1 r_1 = q_2 + r_2 + c_p (T_2 - T_v)$ kan dan de x_1 worden berekend. Het vochtgehalte in de leiding is dan $(1 - x_1) \cdot 100 \%$. De waarde van q_1, r_1 en q_2, r_2, T_v kunnen in
een tabel worden opgezocht als p_1 en p_2 bekend zijn.
Ook uit het h-s-diagram kan x_1 worden gevonden. Men trekt dan een horizontaal door de
(bekende) eindtoestand 2 en bepaalt het snijpunt hiervan met de isobaar p_1. De lijn van
constant dampgehalte die door dit snijpunt gaat, bepaalt het watergehalte van de stoom
(fig. 11·9).

XI.8. Vraagstukken

Bij het oplossen van de vraagstukken gebruik maken van de tabellen II, III en IV en indien
nodig van het h-s-diagram.

1. In een goed geïsoleerde turbine met een isentroop rendement van 85 % expandeert
    72 ton stoom per uur. De enthalpie van de stoom bij intrede is 3 000 kJ/kg, de enthalpie-
    daling als de stoom isentroop zou expanderen bedraagt 1 000 kJ/kg.
    Bereken de enthalpie van de stoom na de turbine, het geleverde vermogen en de pro-
    centuele verandering van het vermogen als de intreesnelheid van de stoom (35 m/s)
    en de uittreesnelheid (150 m/s) in rekening worden gebracht.

2. In een straalbuis met een isentroop rendement van 90 % expandeert lucht van 227 °C
    van 5 bar tot 1 bar.
    Bereken de eindsnelheid van de lucht als de beginsnelheid verwaarloosbaar is.
    Teken de toestandsverandering in een T-S-diagram. $c_p = 1,005$ kJ/kg K, $k = 1,4$.

3. In een straalbuis met een isentroop rendement van 90 % expandeert stoom. Als de
    einddruk 1 bar bedraagt en de beginsnelheid kan worden verwaarloosd, bereken dan,
    zonder gebruik te maken van het h-s-diagram, de eindsnelheid van de stoom in de
    volgende gevallen.

190

a de stoomdruk is 10 bar, de stoomtemperatuur 250 °C, $s = 6,9256$ kJ/kg K;

b de stoomdruk is 10 bar, de stoomtemperatuur 400 °C, $s = 7,4626$ kJ/kg K.

Bij 1 bar kan voor de gemiddelde waarde van de soortelijke warmte 2,01 kJ/kg K worden genomen.

4. Lucht van 1 bar en 27 °C wordt tot 4 bar gecomprimeerd. Als per uur 200 kg lucht wordt aangezogen bepaal dan het toe te voeren vermogen in kW in de volgende gevallen:

a De compressie verloopt isentroop.

b De compressie verloopt niet omkeerbaar adiabatisch.

Het isentrope rendement van de compressor bedraagt 80 %.

c De compressie verloopt isentroop, maar de toevoersnelheid (20 m/s) en de afvoer-snelheid (10 m/s) moeten in rekening worden gebracht.

d Teken de compressiekromme in p-V- en T-S-diagram. $c_p = 1,005$ kJ/kg K, $k = 1,4$.

5. Een ketel produceert 80 ton stoom per uur met een druk van 50 bar en een temperatuur van 500 °C. De druk na een niet omkeerbare adiabatische expansie in een turbine is 0,05 bar. Als het vermogen van de turbine 23 MW bedraagt en het mechanisch rende-ment 90 %, wat is dan het isentrope rendement van de turbine?

Als het condensaat met 5,9 °C nakoeling uit de condensor naar de ketel wordt gepompt, wat is dan het rendement van de gehele installatie als het ketelrendement 90 % is? Wat is het olieverbruik per uur als de stookwaarde hiervan 40 MJ/kg bedraagt?

6. In een turbine expandeert 20 ton stoom per uur waarbij de warmteval bij een isentrope expansie 800 kJ/kg zou bedragen. De begintoestand van de stoom is 80 bar en 500 °C. Bepaal de eindtoestand van de stoom en het geleverde vermogen als het isentrope rendement van de turbine 85 % bedraagt.

7. Lucht expandeert adiabatisch van 10 bar en 527 °C tot 1 bar. De eindtemperatuur is 55 °C hoger dan bij isentrope-expansie. Bereken de verandering van de entropie en de enthalpie van de lucht per massaeenheid.

$c_p = 1,005$ kJ/kg K, $c_v = 0,716$ kJ/kg K, $k = 1,4$.

8. Hoeveel bedraagt het isentrope rendement van een turbine als gegeven is dat de begin-druk van de stoom 30 bar bedraagt en de einddruk 0,05 bar, het vochtgehalte bij isentrope expansie 18,5 % en bij de werkelijke expansie 9,4 % is? Wat is de gemiddelde soortelijke warmte van de oververhitte stoom?

9. In een turbine expandeert stoom isentroop van 20 bar en 300 °C tot de condensordruk van 0,5 bar. Met hoeveel procent neemt het vermogen af als de stoom vóór de turbine eerst tot 10 bar wordt gesmoord? Teken het proces in een T-S-diagram en arceer het arbeidsverlies dat door het smoren ontstaat.

10. 1 Tot welke druk moet men stoom van 5 bar en 5 % vocht smoren om juist verzadigde stoom te verkrijgen?

2 Uit stoom van 5 bar en 5 % vocht kan verzadigde stoom van 0,1 bar worden ver-kregen door:

a warmtetoevoer bij constante druk gevolgd door een isentrope expansie;

b isentrope expansie tot 0,1 bar, gevolgd door een warmtetoevoer bij constante druk.

Bepaal in de beide gevallen de verhouding tussen de geleverde arbeid en de toege-voerde warmte.

11. Wanneer stoom van 30 bar en 10 % vocht gesmoord wordt tot 2 bar, *bereken* dan het vochtgehalte in de eindtoestand?

12. Door een stoomleiding stroomt natte stoom van 30 bar waarvan het vochtgehalte m.b.v. een smoorcaloriemeter wordt bepaald. Hierin wordt een druk gemeten van 2 bar en een temperatuur van 140 °C.
    Bereken het vochtgehalte van de stoom in deze leiding als gegeven is dat de soortelijke warmte van stoom van 2 bar 2,3 kJ/kg K bedraagt.

13. Per uur expandeert 144 ton stoom van 200 bar en 500 °C in een turbine met een isentroop rendement van 80 %. De druk na de expansie bedraagt 20 bar. Vervolgens wordt de stoom opnieuw in de ketel tot 500 °C verhit en gevoerd naar een tweede turbine, waar de stoom adiabatisch expandeert tot 0,05 bar. Het isentrope rendement van deze turbine is 85 %. Het mechanisch rendement van beide turbines is 90 %. Hoeveel bedraagt het vermogen dat de turbines gezamenlijk ontwikkelen? Wat is het rendement van de gehele installatie als het voedingwater met de verzadigingstemperatuur uit de condensor naar de ketel wordt gepompt? Het ketelrendement bedraagt 85 %. Wat is het vochtgehalte van de stoom in de eindtoestand en hoeveel kJ worden per minuut in de heroververhitter overgedragen?

14. a Voor een verwarmingsinstallatie met een verbruik van 20 ton verzadigde stoom van 2 bar per uur, is stoom van 30 bar en 300 °C beschikbaar. Deze stoom wordt eerst gesmoord tot 2 bar en vervolgens afgekoeld tot de verzadigingstemperatuur door het inspuiten van water van 30 °C. Hoeveel oververhitte stoom van 30 bar en hoeveel water is nodig?
    b Wanneer de gevraagde stoom geleverd wordt door een tegendruk turbine waaraan stoom van 40 bar en 450 °C wordt toegevoerd en waaruit de stoom wordt afgevoerd met 2 bar en 200 °C, hoeveel water moet men dan inspuiten en hoeveel stoom moet aan de turbine worden toegevoerd? Wat is het isentrope rendement van de turbine en wat is het geleverde vermogen als het mechanisch rendement 90 % bedraagt?

15. Een ketel levert per uur 15 ton stoom van 20 bar en 300 °C, die in een turbine met een isentroop rendement van 70 % adiabatisch expandeert tot 0,2 bar. Na de condensor wordt het condensaat weer naar de ketel gepompt.
    Bereken het vochtgehalte van de stoom na de turbine en het geleverde vermogen als de enthalpie na een isentrope expansie tot 0,2 bar 2230 kJ/kg zou bedragen.
    Teken het proces in een T-S-diagram en geef hierin de warmte aan die in de condensor wordt afgegeven alsmede het arbeidsverlies dat ontstaat door de niet omkeerbare expansie.

16 Van een ideaal gas ($R = 287$ J/kg K, $c_p = 1,005$ kJ/kg K, $k = 1,4$) worden de entropie en enthalpie nul gesteld bij 1 bar en 0 °C.
    a Bereken per kg de entropie en enthalpie van dit gas bij 10 bar en 800 K. Geef in beide gevallen in een *T-S*-diagram de gevolgde weg aan.
    b Het gas van 10 bar en 800 K wordt gesmoord tot 1 bar waarbij de snelheidsverandering verwaarloosd kan worden. Bereken de verandering van entropie, enthalpie en inwendige energie per kg gas.

17. In een warmtewisselaar wordt per tijdseenheid 100 kg water van 50 °C tot 150 °C verwarmd door gassen ($c_p = 1,0$ kJ/kg K) van 800 °C, die daarbij afkoelen tot 200 °C.

Als de omgevingstemperatuur 27 °C bedraagt, bereken dan het exergieverlies dat bij de warmteoverdracht optreedt.

18. 100 kg water van 300 °C wordt gemengd met 50 kg water van 200 °C. Bereken het exergieverlies dat bij deze menging optreedt als de temperatuur van de omgeving 17 °C bedraagt.

HOOFDSTUK XII

Het kringproces in een turbine-installatie

XII.1. Inleiding

Een schema van het proces dat zich in een turbine-installatie afspeelt, is in fig. 12.1 aangegeven. Het werkzame medium is water, dat zich gedurende een gedeelte van het proces in de gasfase en gedurende een ander gedeelte in de vloeistoffase bevindt. Ketel, turbine, condensor en ketelvoedingpomp behoren tot de z.g. ,,open systemen''.

Daar alle componenten in serie zijn geschakeld, ondergaat de werkstof een *gesloten* kringloop. In een moderne installatie wordt het voedingwater voorverwarmd met behulp van stoom die aan de turbine wordt onttrokken. Hierdoor wordt de installatie duurder en gecompliceerder, maar zij heeft een hoger rendement. Om verschillende installaties met elkaar te kunnen vergelijken, bepaalt men hiervan het rendement en het specifieke stoomverbruik.

Fig. 12.1

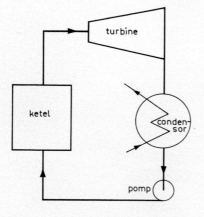

Dit laatste is het aantal kg stoom dat nodig is voor de arbeidslevering van 1 MJ (kg/MJ). De waarde hiervan kan men zien als een maat voor de afmetingen, die de installatie gaat aannemen, aangezien de grootte van de diverse onderdelen samenhangt met de hoeveelheid stoom die per tijdseenheid het kringproces doorloopt.

XII.2. Het kringproces van Carnot

In IX.2. bleek dat het maximale rendement van een kringproces wordt verkregen als de toestandsveranderingen omkeerbaar verlopen en als warmtetoevoer en -afvoer bij constante temperatuur plaatsvinden. Het meest bekende proces dat aan deze laatste voorwaarde voldoet is dat van Carnot. In fig. 12.2 is een omkeerbaar Carnot-proces afgebeeld.

Hierbij wordt aan water met verdampingstemperatuur T_1 warmte toegevoerd tot verzadigde stoom is verkregen. In een turbine expandeert de stoom isentroop van $2 \to 3$, waarna, bij constante temperatuur T_3, warmte wordt afgevoerd. Tenslotte wordt het water-stoommengsel van toestand 4 isentroop gecomprimeerd tot de begintoestand weer is bereikt. Per kg arbeidsmedium is:

de toegevoerde warmte in de ketel $\qquad Q_{1-2} = h_2 - h_1$

de geleverde arbeid in de turbine $\qquad W_{i_{2-3}} = -\Delta h = h_2 - h_3$

de in de condensor overgedragen warmte $\quad Q_{3-4} = h_4 - h_3$

de vereiste arbeid voor de compressor $\qquad W_{i_{4-1}} = -\Delta h = h_4 - h_1$

Verhoging van het rendement is te bereiken door het opvoeren van de keteldruk en het verlagen van de condensordruk. De laagst mogelijke druk wordt bepaald door de temperatuur van het beschikbare koelwater en door het vereiste temperatuurverschil tussen het koelwater en de afgewerkte stoom.

Fig. 12.2

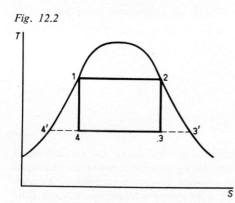

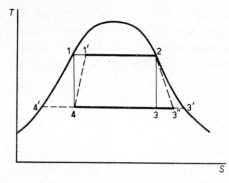

Fig. 12.3

Bij een bepaalde condensordruk zal verhoging van de keteldruk steeds leiden tot een rendementsverbetering, hoewel de toeneming bij hoge drukken relatief steeds minder wordt. Bovendien zal men constateren dat boven een bepaalde keteldruk het stoomverbruik gaat toenemen (lagere arbeidslevering per kg stoom) zodat, voor een bepaald vermogen, de afmetingen van de installatie zullen toenemen.

In de praktijk kan het kringproces van Carnot niet worden gerealiseerd. Dit komt o.a. omdat het niet mogelijk is het condensatieproces in 4 te beëindigen, terwijl aan de compressor die een water-stoommengsel van zeer groot volume, tot de keteldruk moet comprimeren, wel zeer bijzondere eisen zouden moeten worden gesteld.

Bovendien is de arbeidsverhouding (VII.2) laag waardoor, t.g.v. de in werkelijkheid niet omkeerbare compressie en expansie, het rendement sterk daalt.

Een Carnotproces waarbij compressie en expansie niet omkeerbaar verlopen, is in fig. 12.3 aangegeven. Bij een niet-omkeerbaar adiabatisch proces stijgt de entropie, zodat de expansie door de lijn 2-3″ en de compressie door de lijn 4-1′ kan worden voorgesteld. Het oppervlak 1′-2-3″-4, ingesloten door het kringproces, komt nu *niet* meer overeen met de nuttig geleverde arbeid.

Toepassing

Verzadigde stoom van 40 bar beschrijft een kringproces van Carnot. De condensordruk is 0,1 bar. Bepaal het rendement van het kringproces, het stoomverbruik per MJ en de arbeidsverhouding (zie fig. 12.2). Bereken rendement en specifiek stoomverbruik opnieuw als compressie en expansie niet omkeerbaar verlopen met een isentroop rendement van 0,75 resp. 0,80.

196

Oplossing

Uit tabel II leest men af:

$t_1 = t_2 = 250{,}33 \, °C.$
$h_1 = 1 \, 086{,}7 \, \text{kJ/kg} \qquad s_1 = 2{,}7949 \, \text{kJ/kg K}$
$h_2 = 2 \, 802{,}4 \, \text{kJ/kg} \qquad s_2 = 6{,}0714 \, \text{kJ/kg K}$
$t_3 = t_4 = 45{,}84 \, °C$
$h_{3'} = 2 \, 583{,}9 \, \text{kJ/kg} \qquad s_{3'} = 8{,}1480 \, \text{kJ/kg K}$
$h_{4'} = 191{,}7 \, \text{kJ/kg} \qquad s_{4'} = 0{,}6489 \, \text{kJ/kg K}$

Uit de vergelijkingen $s_2 = s_3$ en $s_3 = (1 - x_3) \, s_{4'} + x_3 \, s_{3'}$, is het dampgehalte in 3 te berekenen.

$$x_3 = \frac{s_2 - s_{4'}}{s_{3'} - s_{4'}} = \frac{5{,}4225}{7{,}4991} = 0{,}725.$$

Voor x_4 vindt men:

$$x_4 = \frac{s_1 - s_{4'}}{s_{3'} - s_{4'}} = 0{,}286.$$

Dan is:

$$h_3 = (1 - x_3) \, h_{4'} + x_3 \, h_{3'} = 1 \, 926{,}0 \, \text{kJ/kg en}$$

$$h_4 = (1 - x_4) \, h_{4'} + x_4 \, h_{3'} = 875{,}9 \, \text{kJ/kg}$$

De geleverde arbeid in de turbine:

$$W_{i_{2-3}} = h_2 - h_3 = 876{,}4 \, \text{kJ/kg}.$$

De vereiste arbeid voor de compressor:

$$W_{i_{4-1}} = -(h_1 - h_4) = -210{,}8 \, \text{kJ/kg}$$

De warmtetoevoer in de ketel:

$$Q_{1-2} = h_2 - h_1 = 1 \, 715{,}7 \, \text{kJ/kg}$$

De warmte-afvoer in de condensor:

$$Q_{3-4} = h_4 - h_3 = -1 \, 050{,}1 \, \text{kJ/kg}$$

De tijdens het kringproces geleverde arbeid:

$$\Sigma W = \Sigma W_i = W_{i_{2-3}} + W_{i_{4-1}} = 665{,}6 \, \text{kJ/kg}.$$

Het rendement:

$$\eta = \frac{\Sigma W}{Q_{1-2}} = \frac{665{,}6}{1715{,}7} \, 100\% = \mathbf{38{,}8\%}.$$

Dit moet gelijk zijn aan:

$$\eta = \frac{T_1 - T_3}{T_1} \, 100\% = \frac{204{,}49}{523{,}33} \, 100\% = 39{,}0\%.$$

Het specifieke stoomverbruik:

$$\text{s.s.v.} = \frac{1\,000}{665,6} = 1,50 \text{ kg/MJ}.$$

De arbeidsverhouding:

$$V_a = \frac{\Sigma W}{W_{i_{2-3}}} = \frac{665,6}{876,4} = 0,76.$$

Verloopt het proces niet omkeerbaar (fig. 12.3) dan is de geleverde arbeid:

$$W_{i_{2-3''}} = -0,8\,(h_3 - h_2) = 0,8 \cdot 876,4 = 701,1 \text{ kJ/kg}$$

De toegevoerde arbeid:

$$W_{i_{4-1'}} = \frac{-(h_1 - h_4)}{0,75} = \frac{-210,8}{0,75} = -281,0 \text{ kJ/kg}$$

Nu is $h_1' = h_4 + |W_{i_{4-1'}}| = 875,9 + 281,0 = 1\,156,9 \text{ kJ/kg}$ en

$$Q_{1'-2} = h_2 - h_1' = 2\,802,4 - 1\,156,9 = 1\,645,5 \text{ kJ/kg}$$

Dus:

$$\eta = \frac{701,1 - 281,0}{1\,645,5}\,100\% = \frac{420,1}{1\,645,5}\,100\% = 25,6\%$$

Het specifieke stoomverbruik:

$$\text{s.s.v.} = \frac{1\,000}{420,1} = 2,38 \text{ kg/MJ}.$$

XII.3. Het kringproces van Rankine

Een proces dat beter op de praktijk is afgestemd is dat van Rankine (fig. 12.4). Hierbij wordt de condensatie voortgezet tot alle stoom in vloeistof is overgegaan. Door een kleine en goedkope ketelvoedingpomp wordt dit water volgens de isentroop 4-5 op de keteldruk gebracht.

Fig. 12.4

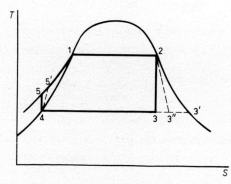

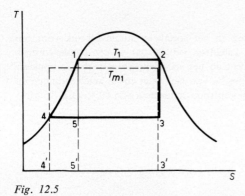

Fig. 12.5

In de ketel wordt de vloeistof eerst bij constante druk op de verdampings-temperatuur gebracht — toestandsverandering 5-1 — en vervolgens bij constante druk en temperatuur in stoom omgezet. T.o.v. een Carnot-proces werkend tussen dezelfde temperatuurgrenzen vertoont het Rankineproces de volgende verschillen:

1 Het oppervlak ingesloten door het kringproces is groter. De geleverde arbeid per kg stoom is dus groter en derhalve het specifieke stoomverbruik lager.

2 De compressie van het stoom-watermengsel is vervangen door een eenvoudige ketelvoedingpomp die veel minder arbeid vraagt. Deze arbeid is veelal klein t.o.v. de in de turbine geleverde arbeid. Bij niet te hoge keteldrukken kan deze dan ook worden verwaarloosd.

3 De arbeidsverhouding is gunstiger omdat de nuttige arbeid groter en de positieve arbeid gelijk is aan dat van een Carnot-proces. Het niet omkeerbaar verlopen van compressie en expansie zal hier dus minder invloed hebben op het thermisch rendement van de installatie.

4 De gemiddelde temperatuur van warmtetoevoer T_{m1} (fig. 12.5) is lager dan bij een Carnot-proces, de temperatuur waarbij de warmte wordt afgevoerd heeft voor beide processen dezelfde waarde.
Het thermisch rendement zal daarom lager zijn dan van het vergelijkbare Carnot-proces.

5 Bij een gegeven condensordruk zal verhoging van de keteldruk hier niet altijd leiden tot een verbetering van het rendement. Het aandeel van de verdampingswarmte is de totaal toe te voeren warmte wordt namelijk steeds kleiner, zodat maar een klein deel van de warmte bij de hoogste temperatuur wordt toegevoerd. Boven een bepaalde keteldruk zal daarom de waarde van T_{m1} dalen, hetgeen resulteert in een lager thermisch rendement.

199

Toepassing

Bereken het rendement, de arbeidsverhouding en het specifieke stoomverbruik voor een kringproces van Rankine, werkend met een keteldruk van 40 bar en een condensordruk van 0,1 bar. Bereken vervolgens het rendement en het specifieke stoomverbruik opnieuw indien de expansie van de stoom en de compressie van het water in de ketelvoedingpomp niet-omkeerbaar adiabatisch verlopen met een isentroop rendement van 80 % resp. 75 %.

Oplossing

Voor gegevens: zie voorafgaande toepassing.

Uit deze toepassing bleek dat $x_3 = 0,725$ $h_3 = 1\,926,0$ kJ/kg en $W_{i_{2-3}} = h_2 - h_3 = 876,4$ kJ/kg.

Nu is $x_4 = 0$ en de benodigde compressie-arbeid:

$$W_{i_{4-5}} = -(h_5 - h_4) \approx \frac{-(p_5 - p_4)\,v}{1\,000}\ \text{kJ/kg}$$

Hierin is v het soortelijke volume van de vloeistof bij circa 46 °C. Stel dat $v = 0,001$ m³/kg, dan is:

$$W_{i_{4-5}} = \frac{-0,001 \cdot 39,9 \cdot 10^5}{1\,000} = -4,0\ \text{kJ/kg}$$

en:

$$h_5 = h_4 + |W_{i_{4-5}}| = 191,7 + 4,0 = 195,7\ \text{kJ/kg}$$

De warmtetoevoer:

$$Q_{5-1-2} = h_2 - h_5 = 2\,802,4 - 195,7 = 2\,606,7\ \text{kJ/kg}$$

De warmte-afvoer:

$$Q_{3-4} = h_4 - h_3 = 191,7 - 1\,926,0 = -1\,734,3\ \text{kJ/kg}$$

De nuttig geleverde arbeid:

$$\Sigma W_i = W_{i_{2-3}} + W_{i_{4-5}} = 876,4 - 4,0 = 872,4\ \text{kJ/kg}$$

Het rendement:

$$\eta = \frac{\Sigma W}{Q_{5-1-2}} = \frac{872,4}{2\,606,7}\,100\% = 33,4\%$$

Het specifieke stoomverbruik:

$$\text{s.s.v.} = \frac{1\,000}{872,4} \approx 1,145\ \text{kg/MJ}$$

De arbeidsverhouding:

$$V_a = \frac{\Sigma W}{W_{i_{2-3}}} = \frac{872,4}{876,4} = 0,995$$

Bij niet-omkeerbare expansie en compressie is:

$$W_{i_{2-3''}} = 0,8\,(h_2 - h_3) = 0,8 \cdot 876,4 = 701,1\ \text{kJ/kg}$$

$$W_{i_{4-5'}} = \frac{-(p_5 - p_4)\,v}{1\,000 \cdot 0,75} \approx -5,3\ \text{kJ/kg}$$

200

$$h_{5'} = h_4 + |W_{i_{4-5'}}| = 191{,}7 + 5{,}3 = 197{,}0 \text{ kJ/kg}$$

$$Q_{5'-1-2} = 2\,802{,}4 - 197{,}0 = 2\,605{,}4 \text{ kJ/kg}$$

Het rendement:

$$\eta = \frac{701{,}1 - 5{,}3}{2\,605{,}4}\,100\% = \frac{695{,}8}{2\,605{,}4}\,100\% = \mathbf{26{,}7\%}$$

Het specifieke stoomverbruik:

$$\text{s.s.v.} = \frac{1\,000}{695{,}8} = \mathbf{1{,}44 \text{ kg/MJ}}$$

Een vergelijking van de uitkomsten van beide voorgaande toepassingen levert het volgende resultaat.

Kringproces van	Rendement omk. proces	Rendement niet omk. proces	Stoomverbruik omk. proces	stoomverbruik niet omk. proces	Arbeids-verhouding
	%	%	kg/MJ	kg/MJ	
Carnot	39,0	25,6	1,50	2,38	0,760
Rankine	33,4	26,7	1,15	1,44	0,995

Opvallend hierbij is dat bij het niet-omkeerbaar verlopende kringproces dat van Rankine zelfs een hoger rendement heeft dan dat van Carnot.

XII.4. Vraagstukken

1. Bereken voor een Carnot-proces werkend met stoom, het rendement, het specifieke stoomverbruik en de arbeidsverhouding als de keteldruk 40 bar bedraagt en de condensordruk resp. 0,4 bar en 0,05 bar. Voor gegevens: zie tabel II.

2. Bereken het voorgaande vraagstuk nogmaals bij een condensordruk van 0,05 bar en keteldrukken van resp. 100 bar en 200 bar. Voor gegevens: zie tabel II.

3. Bereken van een Carnot-proces het rendement en het specifieke stoomverbruik wanneer de expansie en de compressie niet-omkeerbaar adiabatisch verlopen. Het isentrope rendement van de turbine bedraagt 80 %, dat van de compressor 75 %. De keteldruk is 40 bar resp. 100 bar, de druk in de condensor bedraagt 0,05 bar.

4. Bereken voor een Rankine-proces, waarvan de aan de voedingpomp toe te voeren arbeid verwaarloosbaar is, het rendement en het specifieke stoomverbruik. De keteldruk is 40 bar resp. 100 bar, de condensordruk 0,05 bar.

5. Bereken de voorgaande opgave opnieuw wanneer de expansie niet-omkeerbaar adiabatisch verloopt in een turbine met een isentroop rendement van 80 %.

XII.5. Oververhitting van de stoom

De maximale temperatuur die in een turbine-installatie, werkend met verzadigde stoom, mogelijk is, wordt bepaald door de kritieke temperatuur. Voor water bedraagt deze 374 °C bij een druk van 221,3 bar. Deze temperatuur ligt beduidend lager dan de maximale temperatuur die voor moderne materialen toelaatbaar wordt geacht (550-650 °C).

De mogelijkheden van deze materialen worden dus niet ten volle benut wanneer men met verzadigde stoom werkt. Oververhit men de stoom dan verkrijgt men het T-S-diagram van fig. 12.6. Hieruit is duidelijk te zien, dat de gemiddelde temperatuur van warmtetoevoer van het proces 6-1-2-3 hoger ligt dan dit gemiddelde voor het oorspronkelijke proces 6-1-2, zodat ook het rendement hoger zal zijn. Voor het oververhitten van de stoom bestaat echter nog een andere gegronde reden.

Bij isentrope expansie van verzadigde stoom van 40 bar tot 0,1 bar bedraagt het vochtgehalte 27,5% (zie toepassing pag. 197). Stoom met een dergelijk vochtpercentage veroorzaakt echter een ontoelaatbaar grote erosie in de laatste schoepenrijen van de turbine en verlaagt bovendien het isentrope rendement hiervan. Door oververhitting van de stoom kan het vochtgehalte na expansie zodanig worden verlaagd dat de maximaal toelaatbare waarde hiervan (10 á 12%) niet wordt overschreden. De hiervoor vereiste stoomtemperatuur T_3 kan worden gevonden door het snijpunt te bepalen van de verticaal door de gewenste eindtoestand 4 (fig. 12.6) en de isobaar door 2. Zou stoom van toestand 3 niet omkeerbaar expanderen, dan stijgt de entropie en wordt het vochtgehalte in de eindtoestand lager.

Uit de grootte van het oppervlak 1-2-3-4-6 blijkt dat per kg stoom veel meer arbeid wordt geleverd, zodat het specifieke stoomverbruik afneemt.

De arbeidsverhouding die voor het Rankine-proces al dicht bij de eenheid lag, zal t.g.v. de oververhitting niet noemenswaard worden verbeterd.

Bij *gegeven* waarden van de condensatietemperatuur T_6 en stoomtemperatuur

Fig. 12.6

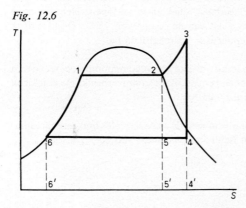

T_3 vertoont de gemiddelde temperatuur van warmtetoevoer en dus ook het thermisch rendement, een optimum dat afhankelijk is van de keteldruk.
De meest gunstige keteldruk ligt echter bij de gebruikelijke stoomtemperaturen ($> 450 \,^\circ$C) boven de kritieke druk p_k.
Is dus $t_3 > 450 \,^\circ$C, dan zal verhoging van de stoomdruk in ieder geval tot rendementsverbetering leiden zolang $p_3 < p_k$.

XII.6. Heroververhitting van de stoom

Het streven naar een hoger rendement van de turbine-installatie leidde tot het steeds verder verhogen van druk en temperatuur van de stoom. De druk-verhoging leverde technisch gezien niet veel moeilijkheden op. Gelijktijdig echter moest de temperatuur van de stoom zodanig worden verhoogd dat het vochtgehalte na expansie binnen redelijke grenzen bleef.
Fig. 12.7 toont aan dat bij het verhogen van de stoomdruk van p_1 tot p_2 het vochtgehalte in de eindtoestand toeneemt van $(1 - x_1)$ tot $(1 - x_2)$ als de ovever-hittingstemperatuur T_I dezelfde blijft. Om stoom met hetzelfde vochtpercentage te verkrijgen moet de stoomtemperatuur tot T_{II} worden verhoogd. Dit had tot gevolg dat bij verhogen van de stoomdruk de vereiste temperatuur T_{II} tenslotte zo hoog opliep dat de veilige grens voor de turbine- en ketelmaterialen werd overschreden. Men moest dus naar andere middelen uitzien om hoge stoomdrukken toe te kunnen passen met behoud van een matige stoom-temperatuur. Heroververhitten van de stoom biedt daartoe de mogelijkheid (fig. 12.8).
Hierbij wordt de stoom na gedeeltelijke expansie 3-4 in een H.D.-turbine opnieuw door de ketel geleid en bij constante druk zodanig in temperatuur

Fig. 12.7

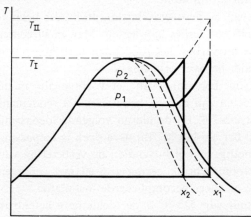

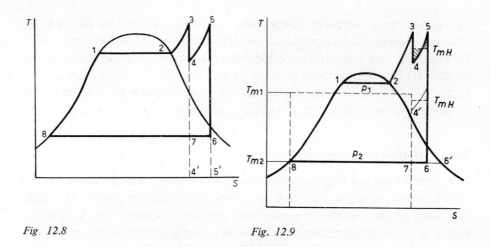

Fig. 12.8   Fig. 12.9

verhoogd ($T_5 \leqq T_3$), dat het toelaatbare vochtgehalte na de expansie 5-6 in de L.D.-turbine niet wordt overschreden. De bij de heroververhitting toe te voeren warmte komt overeen met opp. 4-5-5'-4', de arbeidswinst t.o.v. het proces 1-2-3-7-8 met opp. 4-5-6-7.

Van het proces met heroververhitting (fig. 12.9) kan het rendement hoger of lager zijn dan van het proces 1-2-3-7-8. Dit hangt af van de stoomdruk na expansie in de H.D.-turbine. Dit is te verklaren door het proces op te vatten als een combinatie van het proces 1-2-3-7-8 en het proces 4-5-6-7.

Heeft het laatstgenoemde proces een hoger rendement dan het eerstgenoemde, dan zal heroververhitting leiden tot verhoging van het rendement. Daar van beide processen de temperatuur van warmteafvoer gelijk is, is de gemiddelde temperatuur van warmtetoevoer bepalend. Is deze van het toegevoegde heroververhittingsproces Tm_H, dan zal bij een expansie tot p_4 het rendement van de installatie stijgen, omdat $T_{mH} > T_{m1}$, bij een expansie tot $p_{4'}$ echter zal het dalen, zoals in fig. 12.9 duidelijk tot uiting komt.

Het is dus duidelijk dat de keuze van de heroververhittingsdruk zeer belangrijk is en dat een onjuiste keuze zelfs tot verlies kan leiden. Men moet echter wel bedenken dat, niettegenstaande dit verlies, het rendement toch hoger kan liggen dan dat van een proces zonder heroververhitting.

In het laatste geval immers zal i.v.m. beperking van het vochtgehalte in de eindtoestand de keteldruk lager moeten zijn dan p_1, zodat ook het rendement lager zal zijn dan van het proces 1-2-3-7-8. Bij de hierna volgende toepassing wordt uitgegaan van stoom van 40 bar en 450 °C. Bij deze druk is toepassing van heroververhitting echter niet nodig, terwijl bovendien de verbetering van het rendement en het specifieke stoomverbruik gering zijn en niet opwegen tegen het nadeel van een duurdere en meer gecompliceerde installatie.

Uitgaande van een stoomtemperatuur van 525 °C is de toelaatbare keteldruk voor installaties zonder heroververhitting ca. 95 bar. Hierbij is het watergehalte van de stoom na de expansie ca. 13%. Bij hogere drukken moet heroververhitting worden toegepast. In Europa zijn dan de meest gebruikte stoom-condities 140-200 bar en 525 °C met een heroververhitting eveneens tot 525 °C. De theoretische winst is in de praktijk niet bereikbaar t.g.v. druk- en stralings-verliezen in de heroververhitterleidingen en omdat de kringloop eenvoudiger werd voorgesteld dan ze in de praktijk wordt uitgevoerd, zoals in XII.8 zal worden aangetoond.

Toepassing

Bereken voor een kringproces van Rankine met heroververhitting het rendement en het specifieke stoomverbruik. De keteldruk is 40 bar, de condensordruk 0,1 bar. Oververhittings-temperatuur 450 °C, heroververhittingstemperatuur eveneens 450 °C. De einddruk van de eerste expansie bedraagt 24 bar.

Oplossing

Het proces is afgebeeld in fig. 12.9
Volgens de enthalpie-tabel is:

$h_{6'} = 2\,583,9$ kJ/kg, $h_8 = 191,7$ kJ/kg, $h_3 = 3\,329,0$ kJ/kg.

$h_5 = 3\,350,7$ kJ/kg, $s_5 = 7,1924$ kJ/kg K

$s_{6'} = 8,1480$ kJ/kg K, $s_8 = 0,6489$ kJ/kg K.

Uit het h-s-diagram volgt dat $h_4 = 3\,170$ kJ/kg
De warmtetoevoer:

$$Q = Q_{8-1-2-3} + Q_{4-5}$$

$$Q_{8-1-2-3} = h_3 - h_8 = 3\,329,0 - 191,7 = 3\,137,3 \text{ kJ/kg}$$

$$Q_{4-5} = h_5 - h_4 = 3\,350,7 - 3\,170 = 180,7 \text{ kJ/kg}$$

Dus $\Sigma Q = 3\,137,3 + 180,7 = 3\,318,0$ kJ/kg.

De totaal geleverde arbeid:

$$W = W_{i_{3-4}} + W_{i_{5-6}}$$

$$W_{i_{3-4}} = h_3 - h_4 = 3\,329,0 - 3\,170 = 159,0 \text{ kJ/kg}$$

$$W_{i_{5-6}} = h_5 - h_6$$

Uit $s_5 = s_6$ en $s_6 = x_6\,s_{6'} + (1 - x_6)s_8$ volgt $x_6 = 0,875$

$$h_6 = x_6\,h_{6'} + (1 - x_6)h_8 = 2\,284,9 \text{ kJ/kg}$$

zodat:

$$W_{i_{5-6}} = 3\,350,7 - 2\,284,9 = 1\,065,8 \text{ kJ/kg}$$

$$\Sigma W_i = 159,0 + 1\,065,8 = 1\,224,8 \text{ kJ/kg}$$

205

Het rendement:

$$\eta = \frac{1\ 224{,}8}{3\ 318{,}0}\ 100\% = 37\%$$

Het specifieke stoomverbruik:

$$\text{s.s.v.} = \frac{1\ 000}{1\ 224{,}8} = 0{,}815\ \text{kg/MJ}$$

Voor het proces 1-2-3-7-8 in fig. 12.9 blijkt uit een berekening dat $\eta = 36\%$ en dat het s.s.v. $= 0{,}89$ kg/MJ, zodat, door de heroververhitting het rendement met 1 % is gestegen en het specifieke stoomverbruik met ca. 10 %, is verminderd. Het vochtgehalte is gedaald van ca. 16 % tot 12,5 %.

XII.7. Vraagstukken

6. Bereken het rendement en het specifieke stoomverbruik voor een kringproces van Rankine met oververhitting van de stoom wanneer de keteldruk 40 bar, de condensordruk 0,05 bar en de stoomtemperatuur resp. 300 °C, 400 °C en 500 °C bedraagt. De arbeid voor de ketelvoedingpomp, wordt verwaarloosd. Zie tabel II en III.
    Voor stoom van 40 bar en 300 °C is $s = 6{,}3652$ kJ/kg K.
    Voor stoom van 40 bar en 400 °C is $s = 6{,}7677$ kJ/kg K.
    Voor stoom van 40 bar en 500 °C is $s = 7{,}0879$ kJ/kg K.

7. Bereken het voorgaande vraagstuk opnieuw wanneer het isentrope rendement van de turbine 80% bedraagt.

8. Bereken het rendement en het specifieke stoomverbruik van de voorgaande toepassing met behulp van het h-s-diagram en tabel II en III opnieuw als de druk na de H.D.-turbine 10 bar resp. 4 bar bedraagt. De heroververhittingstemperatuur is in beide gevallen 450 °C.

9. Bereken met behulp van het h-s-diagram het rendement van een turbine-installatie volgens fig. 12.6 alsmede het vochtgehalte na expansie. De stoomdruk bedraagt 100 bar, de stoomtemperatuur 500 °C, de condensordruk 0,05 bar. De arbeid voor de ketelvoedingpomp wordt verwaarloosd.
    Als de stoom na expansie tot 14 bar opnieuw tot 500 °C wordt verhit, bepaal dan het vochtgehalte in de eindtoestand, het rendement en de toeneming van de geleverde arbeid in procenten.
    Bereken de rendementen eveneens met behulp van de gemiddelde temperatuur van warmtetoevoer en afvoer.

10. Een ketel levert per uur 150 ton stoom van 90 bar en 525 °C. In een turbine vindt expansie plaats tot de stoomdruk 20 bar is geworden. Vervolgens wordt de stoom tot 500 °C heroververhit, waarna deze in een L.D.-turbine expandeert tot 0,05 bar. Het isentrope rendement van beide turbines bedraagt 85%, het ketelrendement is 90 %.
    Bereken met behulp van een h-s-diagram de warmtehoeveelheid die aan de kete moet worden toegevoerd in MJ/s, het specifieke stoomverbruik en het vermogen dat de installatie levert.

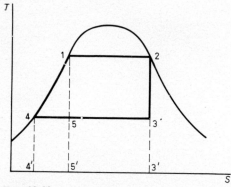

Fig. 12.10

XII.8. Voedingwater voorwarming

Het is bekend dat het rendement van het Rankine-proces 1-2-3-4 (fig. 12.10) lager is dan dat van het Carnot-proces 1-2-3-5. Zou men echter in staat zijn de warmtehoeveelheid 4-1-5'-4' uit het proces zelf te onttrekken, dan zou de warmtetoevoer *van buiten af* geheel tijdens het isothermische proces 1-2 plaatsvinden en zou het rendement van Carnot weer worden bereikt. Voorwaarde hierbij is dat de warmte-overdracht tijdens het proces 4-1 omkeerbaar geschiedt, zodat het temperatuurverschil tussen het warmte-afgevende en het warmte-opnemende medium op ieder ogenblik oneindig klein moet zijn. In principe zou men dit kunnen bereiken door het water met temperatuur T_4 in tegenstroom door de turbine te leiden, zoals in fig. 12.11 is aangegeven. Hiermee is het theoretisch mogelijk de temperatuur van het water omkeerbaar tot T_1 op te voeren. De warmtehoeveelheid opgenomen door het water moet gelijk

Fig. 12.11

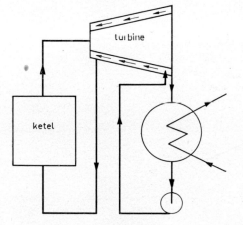

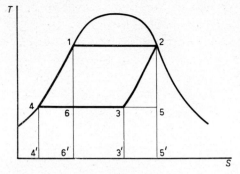

Fig. 12.12

zijn aan de door de stoom afgegeven warmte tijdens de expansie, zodat in fig. 12.12:

opp. 2-3-3'-5' = opp. 4-1-6'-4'

Zoals uit deze figuur blijkt is de expansiekromme nu geen adiabaat meer. De krommen 2-3 en 1-4 lopen „evenwijdig".
De van buiten af toe te voeren warmtehoeveelheid:

$$Q_{1-2} \triangleq \text{opp. 1-2-5'-6'}$$

De af te voeren warmtehoeveelheid:

$$Q_{3-4} \triangleq \text{opp. 3-4-4'-3'} = \text{opp. 5-6-6'-5'}$$

$$\eta = \frac{Q_{1-2} - Q_{3-4}}{Q_{1-2}} = \frac{\text{opp. 1-2-5-6}}{\text{opp. 1-2-5'-6'}} = \eta_c$$

Fig. 12.13

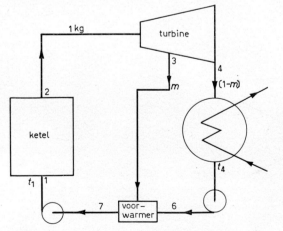

Het rendement van het Rankine-proces, waarbij het voedingwater tot op de verzadigingstemperatuur behorende bij de keteldruk, wordt verwarmd, is dus blijkbaar gelijk aan dat van het Carnot-proces. De geleverde arbeid is gelijk aan de arbeid die bij een Carnot-proces wordt verkregen (opp. 1-2-3-4 = opp. 1-2-5-6), zodat het specifieke stoomverbruik van beide processen gelijk is. De arbeidsverhouding is echter veel gunstiger (geen compressie-arbeid) en ongeveer gelijk aan die van het Rankine-proces zonder voedingwatervoorwarming.

In de praktijk is de geschetste werkwijze niet uitvoerbaar. Het vochtgehalte in toestand 3 is veel te hoog, maar bovendien is het niet mogelijk een turbine te ontwerpen die op efficiënte wijze als arbeidsmachine en als warmtewisselaar kan dienstdoen. Men benadert dit principe dan zo goed mogelijk door een gedeelte van de stoom op een bepaalde plaats aan de turbine te onttrekken en hiermee het water te verwarmen in een apart opgestelde warmtewisselaar. Het meest eenvoudige geval, één aftappunt aan de turbine en één voorwarmer, is geschetst in fig. 12.13, het bijbehorende *T-S*-diagram in fig. 12.14.

Van elk kg stoom dat de ketel produceert, wordt een gedeelte — stel *m* — afgetapt in 3. De resterende hoeveelheid — (1-*m*) — expandeert tot de condensordruk, condenseert en wordt met een pomp naar de voorwarmer geperst. Hierin wordt de afgetapte stoom van toestand 3 *gemengd* met het condensaat van toestand 6.

Wanneer *m* voldoende groot is, kan de temperatuur van het voedingwater worden opgevoerd tot op de condensatie temperatuur van de aftapstoom, zodat men 1 kg water van toestand 7 verkrijgt. Dit water wordt dan met de ketelvoedingpomp weer in de ketel gebracht. Hierin moet een warmtehoeveelheid overeenkomend met opp. 7-1-2-4'-5' aan het arbeidsmedium worden toegevoerd.

De afbeelding in het *T-S*-diagram geeft moeilijkheden, omdat het proces

Fig. 12.14

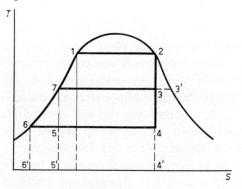

eigenlijk een combinatie is van twee kringprocessen. Immers, slechts de hoeveelheid (1-m) doorloopt het gehele proces 1-2-4-6. De afgetapte hoeveelheid m neemt alleen deel aan de kringloop 1-2-3-7. De waarde van m kan worden bepaald uit een warmtebalans over de voorwarmer.

$$mh_3 + (1 - m)h_6 = 1 \cdot h_7$$

h_6 en h_7 kunnen uit een tabel worden afgelezen, h_3 kan worden berekend. T.o.v. een Rankine-proces volgens fig. 12.5 zijn het rendement en het specifieke stoomverbruik gestegen. Het rendement is hoger omdat het water met een hogere temperatuur aan de ketel wordt toegevoerd en daardoor de T_{m1} hoger ligt. Het specifieke stoomverbruik is gestegen doordat de per kg stoom vrijkomende arbeidshoeveelheid kleiner is geworden. Dit laatste is een gevolg van het feit dat slechts de hoeveelheid (1-m) het gehele kringproces doorloopt.

De gunstigste druk om de stoom uit de turbine te onttrekken kan men bepalen door het punt 3 achtereenvolgens op diverse plaatsen van de expansiekromme 2-4 te leggen en telkens het rendement van de bijbehorende kringloop te berekenen. Het blijkt dan dat aftappen in 2 of 4 geen rendementsverbeterıng t.o.v. het Rankine-proces oplevert.

Bij verwarming met verse stoom wordt dit veroorzaakt door het feit dat deze stoom nog geen arbeid heeft geleverd, terwijl stoom van toestand 4 niet in staat is het water boven de condensatietemperatuur te verwarmen. Een maximale waarde voor het rendement wordt verkregen wanneer de temperatuur T_3 midden tussen T_1 en T_6 ligt.

Het mengen van stoom van toestand 3 met water van toestand 6 is een niet omkeerbaar proces, omdat het temperatuurverschil tussen de twee media niet oneindig klein is. Voor het omkeerbaar verlopen zouden oneindig veel aftappunten aan de turbine en oneindig veel voorwarmers nodig zijn. Wordt het water dan bovendien nog verwarmd tot de verdampingstemperatuur T_1 i.p.v. tot T_7, dan is het rendement van het proces 1-2-4-6 weer gelijk aan dat van een Carnot-proces.

De gehele uitwendige warmtetoevoer vindt dan immers plaats bij constante temperatuur T_1.

In het voorgaande werd verondersteld dat menging plaats vindt van het voedıngwater en de aftapstoom. Aan mengvoorwarmers zijn echter verschillende nadelen verbonden, zodat algemeen warmtewisselaars voorzien van pijpenbundels worden toegepast. De stoom die om de pijpen stroomt, condenseert en het condensaat wordt of naar de stoomruimte van een voorgaande voorwarmer gevoerd (fig. 12.16) of met behulp van een pomp geperst in de voedingwaterleiding nà de betreffende voorwarmer. Vóór de ketelvoedingpomp is wel een mengvoorwarmer geplaatst. Deze dient als buffer om sterke fluctuaties in de stoomproduktie van de ketel op te vangen en als ontgasser. Lucht en koolzuur, die verantwoordelijk zijn voor corrosie in de ketel en de condensaatleidingen, worden hier door een speciale inrichting naar buiten afgevoerd.

Toepassing

In een turbine-installatie werkend met verzadigde stoom van 40 bar en een condensordruk van 0,1 bar wordt het water in één mengvoorwarmer verwarmd tot 158,8 °C. Bepaal het rendement en het specifieke stoomverbruik.

Oplossing

Zie fig. 12.13 en fig. 12.14 en de gegevens van tabel II. Uit deze tabel volgt dat bij een condensatietemperatuur van 158,8 °C de aftapdruk 6 bar moet zijn. Hierbij is dan:

$$h_7 = 670,1 \text{ kJ/kg}$$
$$s_7 = 1,9300 \text{ kJ/kg K}$$
$$h_{3'} = 2\,755,2 \text{ kJ/kg}$$
$$s_{3'} = 6,7555 \text{ kJ/kg K}$$

Bij 40 bar is:

$$h_2 = 2\,802,4 \text{ kJ/kg}$$
$$s_2 = 6,0714 \text{ kJ/kg K}$$

Uit $s_2 = s_3$ en $s_3 = x s_{3'} + (1 - x_3) s_7$ volgt:

$$x_3 = 0,86$$

Dus $h_3 = 0,86 \cdot 2\,755,2 + 0,14 \cdot 670,1 = 2\,463,3$ kJ/kg

Een warmtebalans over de voorwarmer levert:

$$m h_3 + (1 - m) h_6 = 1 \cdot h_7$$

$$m \cdot 2\,463,3 + (1 - m)\,191,7 = 670,1 \rightarrow m = \frac{478,4}{2\,271,6} = 0,21 \text{ kg}$$

De geleverde arbeid $W_i = 1\,(h_2 - h_3) + (1 - m)\,(h_3 - h_4)$.

$h_4 = 1\,926,0$ kJ/kg (berekend bij de toepassing op pag. 197)

$$W_i = (2\,802,4 - 2\,463,3) + 0,79\,(2\,463,3 - 1\,926,0) = 763,6 \text{ kJ/kg}$$

De warmtetoevoer:

$$Q_{7-2} = h_2 - h_7 = 2\,802,4 - 670,1 = 2\,132,3 \text{ kJ/kg}$$

Het rendement $\eta = \dfrac{763,6}{2\,132,3}\,100\% = \mathbf{35,8\%}$

Het specifieke stoomverbruik s.s.v. $= \dfrac{1\,000}{763,6} = \mathbf{1,31 \text{ kg/MJ}}$

Voor het Rankine-proces zonder voorwarming werd in de toepassing op blz. 200 gevonden: $\eta = 33,4\%$, s.s.v. $= 1,15$ kg/MJ. Zowel het rendement als het specifieke stoomverbruik zijn hierbij dus lager dan bij het kringproces met voedingwatervoorwarming d.m.v. aftapstoom.

XII.9. Kringproces met oververhitting van de stoom en voedingwater voorwarming

In centrales en scheepsinstallaties is dit het gebruikelijke kringproces.

In fig. 12.15 is het proces getekend waarbij het voedingwater in één trap wordt verwarmd tot T_8.

Wanneer de aftapstoom oververhit is, neemt men aan dat het voedingwater verwarmd kan worden tot de condensatietemperatuur behorende bij de aftapdruk.

In fig. 12.15 kan dus, met de aftapstoom van toestand 4 het water tot $T_9 = T_8$ worden voorverwarmd.

De toe te voeren warmte per kg geproduceerde stoom bedraagt:

$$Q = h_3 - h_8 \cong \text{opp. } 1\text{-}2\text{-}3\text{-}5'\text{-}6'\text{-}8$$

De arbeid die bij isentrope expansie wordt geleverd, is:

$$W_i = 1(h_3 - h_4) + (1 - m)(h_4 - h_5)$$

In XII.8 werd opgemerkt dat het rendement van de installatie met één voorwarmer zo groot mogelijk is als $T_8 = \dfrac{T_1 + T_7}{2}$.

Om verschillende redenen wijkt men in de praktijk hiervan af, zodat de eindtemperatuur van het water bij vraagstukken zal worden opgegeven.

Worden meer voorwarmers opgesteld, dan kan worden aangetoond dat het grootste rendement wordt verkregen als de totale temperatuurstijging van het water in gelijke intervallen wordt verdeeld.

Dus bij een temperatuurverhoging van 50 °C tot 170 °C in drie voorwarmers stijgt de temperatuur in elke voorwarmer 40 °C. De aftapdrukken moeten dan zo gekozen worden dat de bijbehorende condensatietemperaturen resp. 170 °C,

Fig. 12.15

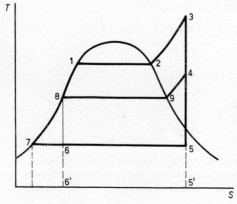

130 °C en 90 °C bedragen. Het aantal voorwarmers varieert van twee of drie voor installaties met matige stoomdrukken (b.v. 40 bar) tot zes à acht voor grote landinstallaties, werkend met zeer hoge stoomdrukken.

Daar elke volgende voorwarmer minder tot een verdere rendementsverbetering bijdraagt, is een groot aantal voorwarmers slechts bij installaties van groot vermogen economisch verantwoord.

Berekening van het kringproces kan, en dit geldt trouwens ook voor de vorige toepassing, het beste geschieden met behulp van het h-s-diagram.

De enthalpie van water kan hierin echter niet worden afgelezen, zodat deze aan een tabel moet worden ontleend of moet worden benaderd door de soortelijke warmte van het water op 4,2 kJ/kg K te stellen.

Toepassing

Bereken rendement en specifiek stoomverbruik van een turbine-installatie, werkend volgens het Rankine-proces met oververhitting en voedingwatervoorwarming. De stoomcondities na de ketel zijn 40 bar, 450 °C; de condensordruk bedraagt 0,1 bar. Het voedingwater wordt in twee voorwarmers van 45,8 °C tot 167,8 °C verwarmd. Alleen de eerste voorwarmer is een mengvoorwarmer. Bereken de stoomhoeveelheden die aan de turbine moeten worden onttrokken en het door de turbine ontwikkelde vermogen als per uur 50 ton stoom door de ketel wordt geleverd. Teken het proces in een T-S-diagram en geef een schema van de installatie. Stel de enthalpie van water gelijk aan 4,2 t kJ/kg.

Fig. 12.16

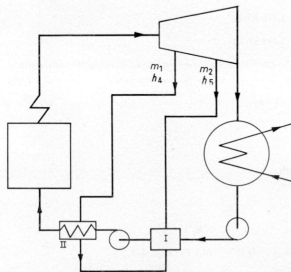

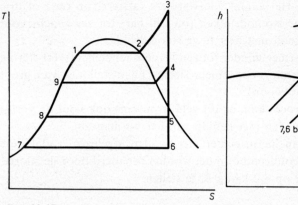

Fig. 12.17

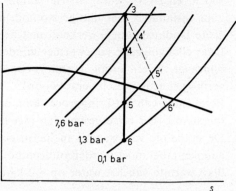

Fig. 12.18

Oplossing

Temperatuurstijging per voorwarmer:

$$\frac{167,8 - 45,8}{2} = 61 \text{ °C.}$$

Verwarming in voorwarmer I: 45,8 °C → 106,8 °C.
Verwarming in voorwarmer II: 106,8 °C → 167,8 °C.
Bij een condensatietemperatuur van 106,8 °C behoort een druk van ca. 1,3 bar, bij 167.8 °C een druk van 7,5 bar (uit *h-s*-diagram). Door de isobaren p = 7,5 bar en p = 1,3 bar te snijden met de expansielijn 3-6 vindt men in het *h-s*-diagram (fig. 12.18) de punten 4 en 5. Uit dit diagram leest men nu af:

$$h_3 = 3\,329,0 \text{ kJ/kg} \qquad h_4 = 2\,870 \text{ kJ/kg}$$

$$h_5 = 2\,550 \text{ kJ/kg} \qquad h_6 = 2\,195 \text{ kJ/kg}$$

Om de aftaphoeveelheden te kunnen berekenen stelt men voor elke voorwarmer een warmtebalans op, beginnend met de laatste. Dit levert, uitgaande van een ketelproduktie van 1 kg/h:

$$m_1 \cdot h_4 + 1 \cdot h_8 = m_1 \cdot h_9 + 1 \cdot h_9$$

$$m_1 \cdot 2\,870 + 1 \cdot 448,5 = (m_1 + 1)\,703,1$$

$$m_1 = 0,117 \text{ kg/kg.}$$

Totaal: 50 000 · 0,117 = **5 850** kg/h.

Voor de eerste voorwarmer geldt:

$$m_2 \cdot h_5 + m_1 \cdot h_9 + (1 - m_1 - m_2)\,h_7 = 1 \cdot h_8$$

$$m_2 \cdot 2\,550 + 0,117 \cdot 703,1 + (1 - 0,117 - m_2)\,192,4 = 448,5$$

$$m_2 = 0,0835 \text{ kg/kg. Totaal } 50\,000 \cdot 0,0835 = \textbf{4 175} \text{ kg/h}$$

214

De geleverde arbeid is nu:

$$50\,000\ (h_3 - h_4) = 50\,000\ (3\,329,0 - 2\,870) = \qquad\qquad 22\,950\ \text{MJ/h}$$
$$(50\,000 - 5\,850)\ (h_4 - h_5) = 44\,150\ (2\,870 - 2\,550) = \qquad 14\,128\ \text{MJ/h}$$
$$(50\,000 - 5\,850 - 4\,175)\ (h_5 - h_6) = 39\,975\ (2\,550 - 2\,195) = \qquad 14\,191\ \text{MJ/h}$$
$$\overline{} +$$

In de ketel wordt toegevoerd: $\qquad\qquad\qquad\qquad\qquad\qquad\qquad$ $51\,269\ \text{MJ/h}$

$$Q_{9-3} = 50\,000\ (h_3 - h_9) = 50\,000\ (3\,329,0 - 703,1) = 131\,295\ \text{MJ/h}.$$

Het rendement $\eta = \dfrac{51\,269}{131\,295}\ 100\% = \mathbf{39{,}0\%}$ (36,0% zonder voedingwater voorwarming).,

Het specifieke stoomverbruik $\dfrac{50\,000}{51\,269} = \mathbf{0{,}975}\ \text{kg/MJ}$ (0,89 kg/MJ zonder voedingwater voorwarming). Het geleverde vermogen:

$$P = \frac{51\,269}{3\,600} = \mathbf{14{,}25\ MW}$$

Opmerking

Verloopt de expansie niet-omkeerbaar adiabatisch dan is de gang van zaken praktisch dezelfde. Het enige verschil bestaat hierin dat nu het snijpunt bepaald moet worden van de isobaren p = 7,5 bar en p = 1,3 bar met de werkelijke expansiekromme, die in fig. 12.18 gestippeld is getekend. De betreffende punten zijn van een accent voorzien.

XII.10. Vraagstukken

Oplossen met behulp van h-s-diagram en de tabellen II en III.

11. Een turbine-installatie werkt met stoom van 50 bar en 450 °C. De condensordruk bedraagt 0,2 bar, het isentroop rendement van de turbine is 80%. Wat is het geleverde vermogen als per seconde 11,7 kg stoom door de turbine stroomt? Wat is het thermisch rendement van de installatie als de temperatuur van het condensaat uit de condensor 60 °C bedraagt? Bepaal het watergehalte van de stoom aan het einde van de expansie en de warmtehoeveelheid die bij constante druk per seconde moet worden toegevoerd om droge stoom te verkrijgen? De soortelijke warmte van water is 4,2 kJ/kg K.

12. Als men in het voorgaande vraagstuk tussen condensor en ketel een ideale mengvoorwarmer plaatst die het water tot 150 °C verwarmt, bij welke druk en temperatuur moet dan stoom uit de turbine worden afgetapt? Wat is nu het geleverde vermogen als de stoomproduktie van de ketel gelijk blijft, en wat het thermisch rendement van de installatie?

13. In een turbine met een isentroop rendement van 90 % en een mechanisch rendement van 97% expandeert stoom van 40 bar en 450 °C tot 0,05 bar. Het condensaat uit de condensor wordt door twee warmtewisselaars naar de ketel teruggepompt. In elke warmtewisselaar stijgt de temperatuur 60 °C. Het verwarmingsmedium is aftapstoom van de turbine. Het condensaat hiervan wordt met de verzadigingstemperatuur naar de voorgaande voorwarmer teruggevoerd. Het condensaat van de eerste voorwarmer stroomt terug naar de condensor. De condensatietemperatuur van de aftapstoom is 10 °C hoger dan de temperatuur van het ketelvoedingwater bij uittrede van de desbetreffende voorwarmer. Het vermogen dat de turbine ontwikkelt is 30 MW. De ketel

heeft een rendement van 90%; de brandstof hiervoor is olie met een stookwaarde van 40 MJ/kg. De soortelijke warmte van de vloeistof is 4,2 kJ/kg K.

Bepaal met behulp van het *h-s*-diagram:

a de stoomproduktie van de ketel in t/h;   c het olieverbruik van de ketel in t/h;

b de hoeveelheden aftapstoom in t/h;   d het rendement van de installatie;

e de stoomproduktie van de ketel en het rendement van de installatie als het voeding-water niet zou worden voorgewarmd.

14. Een turbine-installatie werkt met stoom van 80 bar en 470 °C. De condensordruk bedraagt 0,1 bar. Als de machine 50 MW ontwikkelt en per seconde 51 kg stoom door de turbine stroomt, wat is dan het isentrope rendement van de turbine? Als men herover-verhitting tot 400 °C toepast en men kan de eerste expansie laten eindigen bij 12 bar of 24 bar, welke druk zou men dan kiezen als het isentrope rendement van de L.D.-turbine 80% is en het water uit de condensor met de bij de condensordruk behorende verzadigingstemperatuur aan de ketel wordt toegevoerd. Teken de kringloop in het *T-S*-diagram een geef door arcering de toe- en afgevoerde warmtehoeveelheden aan.

15. Een ketel levert per uur 50 ton stoom van 50 bar en 450 °C. Deze worden geleid naar een turbine met een isentroop rendement van 75 %. De druk in de condensor bedraagt 0,1 bar. Het condensaat wordt hierin tot 40 °C nagekoeld en vervolgens via twee voorwarmers naar de ketel gepompt. In de eerste voorwarmer wordt het water tot 70 °C verwarmd, vervolgens in de tweede tot 120 °C. De benodigde stoom wordt afgetakt van de turbine. Het condensaat van de verwarmingsstoom van de eerste voorwarmer wordt met 70 °C naar de condensor gevoerd; de tweede voorwarmer is een meng-voorwarmer. Bepaal het vermogen dat de turbine ontwikkelt, de temperatuurstijging van het koelwater in de condensor wanneer er per uur 5 300 ton doorstroomt en het ketelrendement als per uur 4 ton olie met een stookwaarde van 40 MJ/kg wordt ver-bruikt. De soortelijke warmte van water wordt gesteld op 4,2 kJ/kg K.

16. Een ketel levert stoom van 100 bar en 500 °C die door een hogedruk (H.D.)-turbine wordt geleid. Hieruit ontwijkt de stoom met een druk van 15 bar en een temperatuur van 250 °C. In de ketel wordt deze stoom opnieuw verhit tot 450 °C en vervolgens naar een lagedruk (L.D.)-turbine gevoerd, waarvan het isentroop rendement 85% bedraagt. In de condensor achter de L.D.-turbine heerst een druk van 0,05 bar. Het condensaat wordt de ketel ingepompt via drie voorwarmers. Een L.D.-voorwarmer die het water tot 70 °C verwarmt (hoeveelheid aftapstoom m_1), een middeldruk (M.D.)-voorwarmer die het verder verwarmt tot 110 °C (aftaphoeveelheid m_2) en een H.D.-voorwarmer die het water een eindtemperatuur van 160 °C geeft (aftaphoeveelheid m_3). Het condensaat van de aftapstoom van de L.D.-voorwarmer wordt naar de condensor geleid; dat van de H.D.-voorwarmer naar de M.D.-voorwarmer. Deze laatste is een mengvoorwarmer. Aangenomen wordt dat de afgetapte stoom het water slechts kan verwarmen tot de verzadigingstemperatuur behorende bij de aftapdruk, terwijl het condensaat van L.D.-en H.D.-voorwarmers ook met de condensatietemperatuur wordt afgevoerd. Aan-genomen mag worden dat de soortelijke warmte van water 4,2 kJ/kg K bedraagt.

Gevraagd:

a het isentrope rendement van de H.D.-turbine;

b druk en temperatuur van de stoom in elk aftappunt en de afgetapte hoeveelheden m_1, m_2 en m_3 als per uur 120 ton stoom door de ketel wordt geleverd;

c het geleverde vermogen en het percentage hiervan dat door de H.D.-turbine wordt geleverd;

d het rendement van de installatie als de warmtetoevoer 126 MJ/s bedraagt.

HOOFDSTUK XIII

De gasturbine

XIII.1. Inleiding

Dit werktuig behoort tot de stromingsmachines. Het arbeidsproces is principieel gelijk aan dat van een verbrandingsmotor, namelijk compressie, verbranding en expansie. Bij de verbrandingsmotor speelt het gehele proces zich af in de motorcilinder; bij gasturbine-installaties zijn de delen waarin deze processen plaatsvinden gescheiden.

Fig. 13.1 geeft een schema van de installatie. Compressor en turbine zijn mechanisch gekoppeld en bestaan uit sneldraaiende rotoren voorzien van schoepen. De nuttig geleverde arbeid wordt b.v. gebruikt om een generator te drijven.

De voordelen van deze uitvoering t.o.v. zuigermachines zijn o.a. het constante draaimoment, de kleine afmetingen en goede balancering.

In vergelijking met een stoomturbine-installatie ontbreekt hier de condensor en de stoomketel, zodat voor een bepaald vermogen de afmetingen en het gewicht klein kunnen zijn.

Hoewel het kringproces van de installatie reeds door Joule (1818-1889) was aangegeven, is men pas veel later tot een practische uitvoering gekomen. De oorzaak hiervan was dat het rendement van de installatie zeer laag was tengevolge van verliezen in compressor en turbine en doordat de temperatuur van de gassen vóór de turbine niet hoog genoeg kon worden opgevoerd.

Fig. 13.1

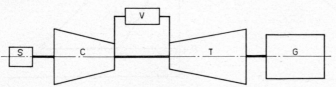

Dank zij het beschikbaar komen van hittebestendige materialen en door een betere aerodynamische vormgeving van de schoepen kon hierin verbetering worden gebracht.

XIII.2. Beschrijving van de installatie

Het kringproces van Joule, dat wordt gerealiseerd in een gasturbine-installatie, bestaat uit twee adiabaten verbonden door twee isobaren (fig. 13.2 en 13.3). Het proces verloopt als volgt:

1 Het aanzuigen ($p_1 T_1$) en adiabatisch comprimeren van lucht in een turbo-compressor C.
2 Warmtetoevoer bij constante druk p_2 in een verbrandingskamer V.
3 Arbeidslevering door adiabatische expansie tot de begindruk p_1 in een turbine T.
  Een groot deel van deze arbeid (circa 2/3 deel) is nodig om de compressor aan te drijven.
4 Afvoer van de verbrandingsgassen.

Door de hoge gassnelheden verlopen compressie en expansie adiabatisch. In de verbrandingskamer wordt in een deel van de lucht (ca. 20 %) de brandstof ingespoten. Het resterende deel stroomt om de verbrandingskamer heen, koelt deze af en mengt zich daarna met de verbrandingsgassen tot de gewenste eindtemperatuur T_3. De verbrandingskamer staat in open verbinding met compressor en turbine, zodat de druk hierin vrijwel constant blijft.
Meestal worden de verbrandingsgassen naar buiten afgevoerd en wordt op-nieuw atmosferische lucht aangezogen.
Het maakt echter geen verschil of gassen van toestand 4 worden afgevoerd en nieuwe lucht van toestand 1 wordt aangezogen, of dat men zich voorstelt

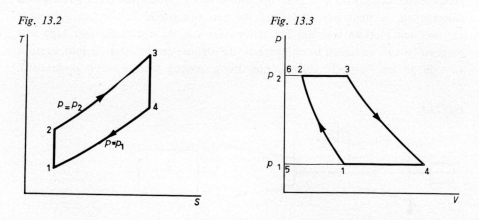

Fig. 13.2   Fig. 13.3

218

dat de gassen van 4 → 1 bij constante druk worden afgekoeld. In beide gevallen gaat dezelfde warmtehoeveelheid verloren.

Op deze wijze komt men tot het gesloten kringproces van fig. 13.3. Op de horizontale as is het totale gasvolume afgezet dat per tijdseenheid door de installatie stroomt.

Van een „cilindervolume" kan men nu immers niet meer spreken. Voor het aanlopen maakt men gebruik van de startmotor S. Zodra de arbeid die de turbine levert voldoende is om de compressor te drijven, kan deze worden uitgeschakeld.

Door verdere brandstoftoevoer ontstaat een arbeidsoverschot, waardoor de generator elektrische energie kan gaan leveren.

XIII.3. Rendement

Verlopen in fig. 13.3 compressie en expansie *omkeerbaar*, dan geldt:

voor de turbine $\quad W_{i_{3-4}} = -(h_4 - h_3) = -c_p(T_4 - T_3) \triangleq$ opp. 3-4-5-6;

voor de compressor $W_{i_{1-2}} = -(h_2 - h_1) = -c_p(T_2 - T_1) \triangleq$ opp. 1-2-6-5.

De nuttige arbeid $\Sigma W_i = c_p(T_3 - T_4) - c_p(T_2 - T_1) \triangleq$ opp. 1-2-3-4.

De toe te voeren warmte $Q_{2-3} = c_p(T_3 - T_2)$, zodat:

$$\eta = \frac{\Sigma W_i}{Q_1} = \frac{(T_3 - T_4) - (T_2 - T_1)}{T_3 - T_2} = \frac{(T_3 - T_2) - (T_4 - T_1)}{T_3 - T_2}$$

$$\eta = 1 - \frac{T_4 - T_1}{T_3 - T_2} = 1 - \frac{T_1\left(\dfrac{T_4}{T_1} - 1\right)}{T_2\left(\dfrac{T_3}{T_2} - 1\right)} \tag{a}$$

Wordt voor de drukverhouding s geschreven, dan geldt bij compressie:

$$\frac{T_2}{T_1} = \left(\frac{p_2}{p_1}\right)^{\frac{k-1}{k}} = \varepsilon^{\frac{k-1}{k}} \tag{b}$$

bij expansie:

$$\frac{T_3}{T_4} = \left(\frac{p_3}{p_4}\right)^{\frac{k-1}{k}} = \left(\frac{p_2}{p_1}\right)^{\frac{k-1}{k}} = \varepsilon^{\frac{k-1}{k}}$$

Hieruit volgt dat:

$$\frac{T_2}{T_1} = \frac{T_3}{T_4} \rightarrow \frac{T_4}{T_1} = \frac{T_3}{T_2}$$

219

Substitutie in (a) levert: $\eta = 1 - \dfrac{T_1}{T_2}$ en in verband met (b)

$$\eta = 1 - \frac{1}{\varepsilon^{\frac{k-1}{k}}}$$ (13.1)

Theoretisch blijkt het rendement alleen van ε afhankelijk te zijn. De waarde van η is maximaal wanneer ε zo groot mogelijk is. Worden T_1 en T_3 als gegeven beschouwd, dan is dit het geval als de temperatuur T_2 na compressie gelijk is aan T_3 (fig. 13.4). Bij een isentrope compressie geldt algemeen dat:

$$\varepsilon = \left(\frac{T_2}{T_1}\right)^{\frac{k}{k-1}}$$

Nu is $T_2 = T_3$, zodat:

$$\varepsilon_{max} = \left(\frac{T_3}{T_1}\right)^{\frac{k}{k-1}}$$ (13.2)

Na substitutie hiervan in (13.1) vindt men:

$$\eta_{max} = 1 - \frac{1}{T_3/T_1} = 1 - \frac{T_1}{T_3}$$

Het rendement is gelijk aan dat van een Carnot-proces, omdat de warmte-toevoer plaatsvindt bij de hoogste temperatuur die in het proces voorkomt, en de warmte wordt afgevoerd bij de laagste temperatuur.
Deze ε-waarde heeft geen *practische* betekenis, omdat de bij het kringproces geleverde arbeid — het horizontaal gearceerde oppervlak in fig. 13.4 — tot nul nadert. De arbeid die de turbine levert is dan gelijk aan de arbeid die de compressor nodig heeft.

Fig. 13.4

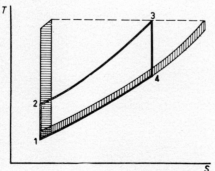

220

Het andere uiterste ontstaat wanneer de eindtemperatuur T_3 volledig wordt veroorzaakt door warmtetoevoer, d.w.z. $\varepsilon = 1$.
Wanneer $\varepsilon \to 1$, dan nadert de nuttig geleverde arbeid — het verticaal gearceerde oppervlak in fig. 13.4 — tot nul, evenals het rendement.

XIII.4. Optimale drukverhouding

Tussen de genoemde ε-waarden bestaat een drukverhouding waarbij het arbeidsoppervlak 1-2-3-4 maximaal is.
Deze kan als volgt worden bepaald:

$$\Sigma W_i = W_{i_{3-4}} + W_{i_{1-2}} = mc_p(T_3 - T_4 - T_2 + T_1)$$

Nu is $\dfrac{T_2}{T_1} = \dfrac{T_3}{T_4} \to T_4 = \dfrac{T_3}{T_2}T_1$, zodat:

$$W_i = mc_p\left(T_3 - \frac{T_3 T_1}{T_2} - T_2 + T_1\right)$$

Bij gegeven T_1 en T_3 kan het maximum van deze functie worden gevonden door W_i naar T_2 te differentiëren en het diffentiaalquotiënt nul te stellen.

$$\frac{dW_i}{dT_2} = 0 \to mc_p\left(\frac{T_3 T_1}{T_2^2} - 1\right) = 0$$

$$\left.\begin{array}{l} T_2^2 = T_1 T_3 \to \dfrac{T_2}{T_1} = \dfrac{T_3}{T_2} \\[2mm] \text{Algemeen geldt:}\ \dfrac{T_2}{T_1} = \dfrac{T_3}{T_4} \end{array}\right\} \quad \therefore\ T_2 = T_4$$

De temperaturen na compressie en expansie zijn dus aan elkaar gelijk.

Daarbij is $\varepsilon = \left(\dfrac{T_2}{T_1}\right)^{\frac{k}{k-1}} = \left(\dfrac{\sqrt{T_1 T_3}}{T_1}\right)^{\frac{k}{k-1}} = \left(\dfrac{T_3}{T_1}\right)^{\frac{k}{2(k-1)}}$

$$\boxed{\varepsilon = \left(\frac{T_3}{T_1}\right)^{\frac{k}{2(k-1)}}}^* \qquad\qquad (13.3)$$

---

* Deze ε-waarde kan ook worden gevonden door voor W_i te schrijven:

$$W_i = mc_p T_3\left(1 - \frac{1}{\varepsilon^{(k-1)/k}}\right) - mc_p T_1\left(\varepsilon^{(k-1)/k} - 1\right)$$

en deze uitdrukking naar ε te differentiëren.

Voor deze waarde van ε zijn de afmetingen van de installatie minimaal.
De gevonden ε ingevuld in (13.1) levert voor het rendement:

$$\eta = 1 - \left(\frac{T_1}{T_3}\right)^{\frac{1}{2}}$$ (13.4)

XIII.5. Het niet-omkeerbare kringproces

In het voorgaande zijn de verliezen die ontstaan door het in werkelijkheid niet omkeerbaar verlopen van compressie en expansie buiten beschouwing gelaten. De gevonden resultaten hebben dan ook geen praktische betekenis. Tengevolge van deze verliezen is de arbeid die de turbine levert, kleiner en de arbeid die aan de compressor moet worden toegevoerd, groter.

Op de nuttige arbeid — het verschil van twee grote arbeidshoeveelheden — hebben de verliezen een grote invloed. Dit volgt ook uit de lage waarde van de arbeidsverhouding V_a (Zie volgende toepassing). Zo zal b.v. in het horizontaal gearceerde proces van fig. 13.4 de nuttige arbeid die in werkelijkheid wordt geleverd, veel kleiner zijn dan is aangegeven.

Dit betekent dat bij verhoging van de drukverhouding de nuttige arbeid op een gegeven moment nul wordt maar de warmtetoevoer niet. Het gevolg is dat het rendement nul wordt in plaats van dat van het vergelijkbare Carnotproces.

Het werkelijke rendement is dan ook niet alleen afhankelijk van ε, zoals in XIII.3. werd gevonden, maar ook van de isentrope rendementen van turbine en compressor, alsmede van T_1 en T_3. Is T_1 laag dan is bij een gegeven drukverhouding de benodigde arbeid voor de compressor klein (pag. 62), terwijl bij een hoge waarde van T_3 de arbeid die de turbine levert, groot is. Daardoor stijgt de waarde van V_a.

De laagste temperatuur T_1 wordt bepaald door de temperatuur van de aangezogen lucht, de hoogste temperatuur T_3 door de kwaliteit van de toegepaste materialen, de aard van de brandstof en de geëiste levensduur van de installatie. Gewoonlijk varieert T_3 tussen 600 °C en 750 °C. Deze temperaturen zijn lager dan de piektemperaturen bij zuigermotoren, omdat geen koeling plaats vindt en de eerste rij turbineschoepen constant aan deze hoge temperatuur is blootgesteld.

Toepassing

In het kringproces van een gasturbine-installatie is de hoogste temperatuur 1 000 K, de laagste 300 K, de drukverhouding $\varepsilon = 6$, de isentrope rendementen van compressor en turbine 85%. Bereken het rendement van het kringproces. $k = 1,4$.

Oplossing

In figuur 13.5 is:

$$T_2 = \left(\frac{p_2}{p_1}\right)^{\frac{k-1}{k}} T_1 = 1{,}67 \cdot 300 = 501 \text{ K}$$

$$T_4 = \left(\frac{p_4}{p_3}\right)^{\frac{k-1}{k}} T_3 = 0{,}6 \cdot 1\,000 = 600 \text{ K}$$

$$\eta_{ic} = \frac{T_2 - T_1}{T_{2'} - T_1} \rightarrow T_{2'} - T_1 = \frac{T_2 - T_1}{\eta_{ic}} = \frac{501 - 300}{0{,}85} = 237 \text{ K}$$

$$T_{2'} = T_1 + 237 = 537 \text{ K}$$

Voor de expansie geldt:

$$T_3 - T_{4'} = \eta_{iT}\,(T_3 - T_4) = 0{,}85\,(1\,000 - 600) = 340 \text{ K}$$

$$T_{4'} = T_3 - 340 = 660 \text{ K}$$

De compressor arbeid:

$$W_{i_{1-2'}} = -\,mc_p\,(T_{2'} - T_1) = -\,c_p \cdot 237 \text{ kJ/kg}$$

De turbine-arbeid:

$$W_{i_{3-4'}} = -\,mc_p\,(T_{4'} - T_3) = c_p \cdot 340 \text{ kJ/kg}$$

De toegevoerde warmte:

$$Q_{2'-3} = m\,c_p\,(T_3 - T_{2'}) = c_p \cdot 463 \text{ kJ/kg}$$

zodat:

$$\eta = \frac{340 - 237}{463} \cdot 100\% = \mathbf{22{,}2\%}$$

Het rendement van het omkeerbaar verlopende proces:

$$\eta = \frac{(1\,000 - 600) - (501 - 300)}{1\,000 - 501} \cdot 100\% = \frac{400 - 201}{499} \cdot 100\% \approx \mathbf{40\%}$$

Fig. 13.5

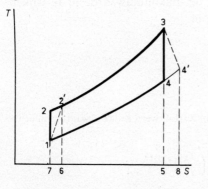

223

Het niet omkeerbare proces heeft dus een aanzienlijk lager rendement. Dit was te verwachten aangezien de arbeidsverhouding

$$V_a = \frac{199}{400} \approx 0,5 \qquad \text{een lage waarde heeft. Het proces is dan ook zeer}$$

gevoelig voor het niet omkeerbaar verlopen van compressie en expansie.

Bij de huidige toelaatbare waarden van T_3 ligt het rendement beneden dat van een stoominstallatie. Toepassing van dit type krachtwerktuig vindt dan ook alleen plaats waar een hoog rendement niet op de eerste plaats komt, maar wel b.v. de kleine afmetingen, het lage gewicht, het snelle starten of de lage onderhoudskosten.

Bij de berekening van de nuttige arbeid zijn de mechanische rendementen van compressor en turbine niet in rekening gebracht. Deze liggen zo hoog dat dit op de uitkomsten maar weinig invloed heeft.

De nuttige arbeid:

$$W = Q_1 - Q_2 \triangleq \text{opp. } 2'\text{-3-5-6} - \text{opp. } 4'\text{-1-7-8} = \text{opp. } 7\text{-1-}2'\text{-3-}4'\text{-8}$$

$$- (\text{opp. } 1\text{-}2'\text{-6-7} + \text{opp. } 3\text{-}4'\text{-8-5}) - \text{opp. } 4'\text{-1-7-8}$$

$$W \triangleq \text{opp. } 1\text{-}2'\text{-3-}4' - \text{opp. } (1\text{-}2'\text{-6-7} + 3\text{-}4'\text{-8-5})$$

Naarmate het isentrope rendement van compressor en turbine lager is, is de som van de laatste twee oppervlakken groter en is de nuttige arbeid derhalve kleiner.

Uit (13.1) bleek dat η stijgt naarmate ε toeneemt.

In werkelijkheid is dat niet het geval. Zou voor een gegeven waarde van η_{ic}, η_{iT}, T_1 en T_3, het thermisch rendement worden berekend voor verschillende waarden van ε en de resultaten grafisch worden uitgezet, dan blijkt de kromme een maximum te vertonen.

Ook de nuttige arbeid uitgezet tegen ε vertoont een optimum*.

In de praktijk kiest men uit deze laatste kromme de meest gunstige waarde van ε, waardoor de afmetingen van de installatie zo klein mogelijk zijn.

Het rendement blijkt daarbij niet veel van de maximumwaarde af te wijken, daar $\eta = f(\varepsilon)$ in dit gebied vrij vlak verloopt.

---

* Het optimum is op dezelfde wijze te bepalen als in XIII.4, werd gedaan, waarbij nu echter ook η_{ic} en η_{iT} een rol spelen. Men vindt nu dat:

$$\varepsilon = \left(\frac{T_3}{T_1} \eta_{ic} \cdot \eta_{iT}\right)^{\frac{k}{2(k-1)}} \text{ inplaats van } \varepsilon = \left(\frac{T_3}{T_1}\right)^{\frac{k}{2(k-1)}}$$

XIII.6. Middelen tot verbetering van het rendement

Verbetering van het kringproces is te bereiken door:

1. Het verminderen van het warmteverlies in de afgevoerde gassen door het toepassen van een warmtewisselaar (regenerator). Hierin wordt de lucht na de compressor verwarmd d.m.v. de hete gassen die uit de turbine stromen, zodat in de verbrandingskamer minder warmte behoeft te worden toegevoerd.
2. Het verminderen van de, voor de compressor benodigde arbeid. Dit kan men bereiken door de compressie in meer trappen uit te voeren en de lucht tussen de trappen te koelen.
3. Het vergroten van de door de turbine geleverde arbeid door het opvoeren van de inlaattemperatuur. De schoepmaterialen stellen echter een grens aan de toelaatbare maximumtemperatuur. Zonder deze grens te overschrijden kan men de expansiearbeid vergroten door het toepassen van herverhitting. Hierbij worden de gassen, na gedeeltelijke expansie, opnieuw tot de begintemperatuur verwarmd.
4. Het verminderen van de verliezen door o.a. het verbeteren van de schoepvorm van de compressor en turbine, en het verlagen van de drukverliezen in aan- en afvoerleidingen.

XIII.7. Regenerator

Is de ε-waarde kleiner dan volgt uit (13.3) dan is $T_4 > T_2$ (fig. 13.7). Wordt nu een warmtewisselaar geplaatst volgens het schema van fig. 13.6, dan kan hierin de temperatuur van de lucht na de compressor met behulp van de uitlaatgassen van de turbine worden verhoogd. In een ideale warmtewisselaar die in tegenstroom is geschakeld, kan de temperatuur tot $T_{2'} = T_4$ worden opgevoerd. De uitlaatgassen kunnen daarbij worden afgekoeld tot $T_{4'} = T_2$, als wordt

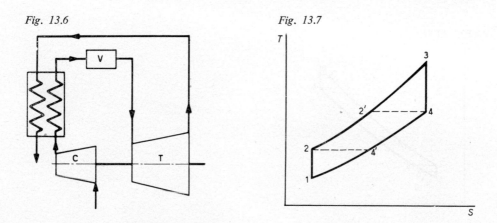

Fig. 13.6   Fig. 13.7

aangenomen dat de massa van de uitlaatgassen alsmede de soortelijke warmte hiervan gelijk zijn aan die van de aangezogen lucht. Nu is:

$$W_{i_{3-4}} = -mc_p(T_4 - T_3)$$

$$W_{i_{1-2}} = -mc_p(T_2 - T_1)$$

$$Q_{2'-3} = mc_p(T_3 - T_{2'})$$

zodat het rendement:

$$\eta = \frac{(T_3 - T_4) - (T_2 - T_1)}{T_3 - T_{2'}} = \frac{(T_3 - T_4) - (T_2 - T_1)}{T_3 - T_4} = 1 - \frac{T_2 - T_1}{T_3 - T_4}$$

$$\eta = 1 - \frac{T_1\,[(T_2/T_1) - 1]}{T_3\,[1 - (T_4/T_3)]}$$

$$\eta = 1 - \frac{T_1}{T_3} \cdot \frac{\varepsilon^{(k-1)/k} - 1}{1 - 1/\varepsilon^{(k-1)/k}} = 1 - \frac{T_1}{T_3}\,\varepsilon^{(k-1)/k}$$

$$\boxed{\eta = 1 - \frac{T_1}{T_3}\,\varepsilon^{(k-1)/k}}$$

(13.5)

Bij gegeven T_1 en T_3 is η maximaal voor $\varepsilon = 1$.

$$\eta_{max} = 1 - \frac{T_1}{T_3}$$

Uit fig. 13.8 ziet men dat hoe meer ε tot 1 nadert, des te hoger de temperatuur is waarbij de (uitwendige!) warmtetoevoer plaats heeft.

Het is duidelijk dat in de limiettoestand $\varepsilon = 1$, waarbij alle warmte bij de hoogste temperatuur wordt toegevoerd en bij de laagste temperatuur wordt afgevoerd, het rendement gelijk is aan dat van een Carnot-proces.

Fig. 13.8

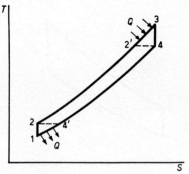

Bij hogere waarden van ε neemt T_2 toe en T_4 af. Is $T_2 = T_4$ dan heeft opstelling van een regenerator geen zin.

De drukverhouding waarbij dit optreedt werd in XIII.4 gevonden

$$\left[\varepsilon = \left(\frac{T_3}{T_1}\right)^{\frac{k}{2(k-1)}}\right]$$

Deze waarde van ε ingevuld in (13.5) levert dan ook hetzelfde rendement op als in XIII.4 werd gevonden $\left[\eta = 1 - \left(\dfrac{T_1}{T_3}\right)^{\frac{1}{2}}\right]$.

In de praktijk zal $T_{2'} = T_4$ (fig. 13.7) nooit worden bereikt, daar hiervoor een oneindig groot verwarmend oppervlak (V.O.) nodig is. Hoeveel V.O. verantwoord is hangt o.a. af van het vermogen van de installatie.

Is de werkelijke eindtemperatuur van de lucht $T_{2''}$ dan is het regeneratorrendement:

$$\eta_r = \frac{T_{2''} - T_2}{T_4 - T_2} = \frac{\text{werkelijke temp. stijging}}{\text{temp. stijging bij } \infty \text{ groot V.O.}}$$

Dit rendement zal als regel variëren tussen 50% en 75%.

Door uitwendige warmtetoevoer moet de temperatuur van $T_{2''}$ tot T_3 worden opgevoerd. Zou derhalve ε naderen tot de theoretisch meest gunstige waarde ($\varepsilon = 1$), dan nadert de geleverde arbeid tot nul maar de toe te voeren warmte niet. Het resultaat is dat het rendement dan nul is. Ook hier zal men dus nauwkeurig moeten nagaan wat de meest gunstige waarde van ε is, rekening houdend met η_r, η_{ic} en η_{iT}.

Een en ander is in fig. 13.9 globaal weergegeven. De kromme 1 geeft het rendementsverloop voor een installatie zonder regenerator met $\eta_{ic} = \eta_{iT} = 100\%$, berekend volgens (13.1). Mét een regenerator ($\eta_r = 100\%$) verkrijgt men kromme 2 voor b.v. $T_3 = 1\,000$ K, voor een lagere waarde van T_3 de

Fig. 13.9

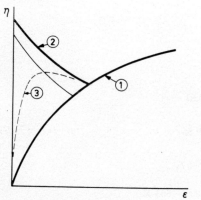

227

daaronder gelegen (dun aangegeven) kromme. De invloed van de regenerator is theoretisch dus het grootst bij hoge temperatuur T_3 en lage drukverhouding. In de snijpunten van de krommen 1 en 2 zijn de rendementen van de installatie met en zonder regenerator gelijk.

De hierbij behorende ε-waarden zijn die, waarbij het arbeidsoppervlak maximaal is en T_2 gelijk is aan T_4.

Wordt η_r in rekening gebracht, dan wordt het verloop geheel anders, zoals uit de gestippelde kromme 3 blijkt. Bij lage drukverhouding wordt $\eta = 0$ inplaats van η-Carnot.

Onder bepaalde omstandigheden kan opstelling van een regenerator voordelen bieden. De warmteoverdrachtscoëfficiënt is echter laag, zodat voor een bepaalde temperatuurstijging van de lucht een groot V.O. nodig is. Dit heeft een aanzienlijke ruimte- en gewichtstoename van de installatie tot gevolg. Bovendien zal t.g.v. de stromingsweerstand in de warmtewisselaar een drukverlies van de lucht optreden.

Toepassing

Van een gasturbine-installatie met regenerator is gegeven:
Temperatuur van de aangezogen lucht $T_1 = 300$ K.
Temperatuur na de compressor $T_{2'} = 480$ K.
Temperatuur voor de turbine $T_3 = 900$ K
Temperatuur na de turbine $T_{4'} = 646$ K
De drukverhouding $\varepsilon = 4$; het regeneratorrendement $\eta_r = 74\%$
Per seconde wordt 30 kg lucht aangezogen, $c_p = 1,005$ kJ/kg K, $k = 1,4$.
Gevraagd wordt het volgende te berekenen:
a het inwendig rendement van compressor en turbine;
b de temperatuur $T_{2''}$ van de lucht na de regenerator
c het rendement van de installatie;
d het geleverde vermogen.

Oplossing

a $\quad T_2 = T_1 \varepsilon^{\frac{k-1}{k}} = 300 \cdot 1,487 = 446$ K

$\quad T_4 = \dfrac{900}{1,487} = 605$ K

$\quad \eta_{ic} = \dfrac{T_2 - T_1}{T_{2'} - T_1} = \dfrac{446 - 300}{480 - 300} = \dfrac{146}{180} = \mathbf{0,81}$

$\quad \eta_{iT} = \dfrac{T_3 - T_{4'}}{T_3 - T_4} = \dfrac{900 - 646}{900 - 605} = \dfrac{245}{295} = \mathbf{0,86}$

b $\quad \eta_r = \dfrac{T_{2''} - T_{2'}}{T_{4'} - T_{2'}} \rightarrow T_{2''} = \eta_r (T_{4'} - T_{2'}) + T_{2'}$

$\quad T_{2''} = 0,74 (646 - 480) + 480 = 123 + 480 = \mathbf{603}$ K

228

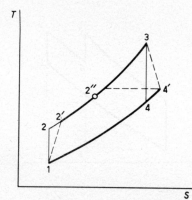

Fig. 13.10

$$c \quad \eta = \frac{(T_3 - T_{4'}) - (T_{2'} - T_1)}{T_3 - T_{2''}} = \frac{(900 - 646) - (480 - 300)}{900 - 603} = \frac{74}{297} = 0{,}249$$

$$\eta = \mathbf{24{,}9\%}$$

d $\quad$ P $= m\,c_p\,(T_3 - T_{4'}) - m\,c_p\,(T_{2'} - T_1)$

$\quad$ P $= 30 \cdot 1{,}005\,(900 - 646 - 480 + 300) = 30 \cdot 1{,}005 \cdot 74$ kJ/s

$\quad$ P $= \mathbf{2\,230}$ kW

XIII.8. Tussenkoeling en herverhitting

De nuttig geleverde arbeid per kg lucht kan worden vergroot door de arbeid
benodigd voor de compressie te verlagen en de arbeid die door de turbine
wordt geleverd, te verhogen.

Het eerste is mogelijk door de compressor als meertrapscompressor uit te
voeren en de lucht tussen de trappen te koelen.

Bij tweetrapscompressie met tussenkoeling tot de begintemperatuur T_1 is de
arbeidsbesparing maximaal wanneer de drukverhouding per trap gelijk is (V.8).
De arbeidsbesparing komt overeen met het gearceerde oppervlak in fig. 13.11
en deze arbeid komt ten goede aan de nuttig geleverde energie.

Bij herverhitting wordt na gedeeltelijke expansie van het gas, hierin opnieuw
brandstof ingespoten.

Bij constante druk wordt de temperatuur opgevoerd, bij voorkeur tot de
maximum waarde die voor de schoepmaterialen toelaatbaar is. Deze werkwijze
is mogelijk door de zeer grote luchtovermaat die wordt toegepast.

In fig. 13.12 is 4-5 het herverhittingsproces gevolgd door de expansie 5-6 in de
lagedrukturbine. De toe te voeren warmte in de herverhitter komt overeen
met opp. 4-5-5'-4', de arbeidswinst t.o.v. het proces 1-2-3-7 komt overeen
met opp. 4-5-6-7. Is $T_5 = T_3$, dan geldt ook hier dat dit oppervlak maximaal is,
indien de drukverhouding per trap gelijk wordt genomen.

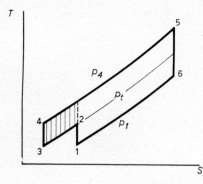

Fig. 13.11

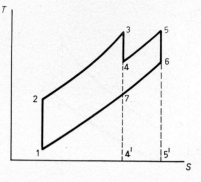

Fig. 13.12

Zowel door meertrapscompressie als door herverhitting neemt de nuttige arbeid toe, alsmede de arbeidsverhouding V_a. De toe te voeren warmte is echter ook groter geworden, zodat voor elk geval zal moeten worden nagegaan of ook het rendement is toegenomen.

Het rendement zal in ieder geval stijgen als tevens een regenerator wordt opgesteld. Bij meertrapscompressie b.v. zal de temperatuur van de lucht na de regenerator theoretisch altijd gelijk kunnen worden aan de temperatuur van de uitlaatgassen van de turbine, onafhankelijk van de begintemperatuur van de lucht. De nuttige arbeid neemt dus toe, terwijl de toe te voeren warmte onveranderd blijft. (Ga dit zelf na voor de herverhitting.)

Meertrapscompressie en herverhitting worden dan ook altijd gecombineerd met regeneratie van de uitlaatgassen.

Het aantal trappen bij compressie en expansie moet theoretisch zo groot mogelijk worden genomen. Bij een oneindig aantal trappen verkrijgt men het kringproces van Ericsson (VI.8.), waarvan het rendement gelijk is aan dat van een Carnot-proces. Uit praktische overwegingen wordt het aantal trappen echter tot twee beperkt.

Toepassing

Van een gasturbine-installatie is het kringproces afgebeeld in fig. 13.11.
De totale drukverhouding $\varepsilon = 9$, $T_1 = T_3 = 300$ K, $T_5 = 900$ K, $k = 1,4$.

Bereken:
a het thermisch rendement van de installatie;
b idem als een regenerator wordt opgesteld; $\eta_r = 100\%$;
c het thermisch rendement van de installatie zonder regenerator en zonder tweetraps-compressor.

230

Oplossing

a De drukverhouding per trap is $\sqrt{\varepsilon} = 3$.
$T_2 = 1,369 \cdot 300 = 410,7$ K

$$T_6 = \frac{900}{1,873} = 480 \text{ K}$$

$$\eta = \frac{(900 - 480) - 2\,(410,7 - 300)}{900 - 410,7} \cdot 100\% = \frac{420 - 221,4}{489,3} \cdot 100\%$$

$$\eta = \frac{198,6}{489,3} \cdot 100\% = \mathbf{40,6\%}$$

b $$\eta = \frac{(900 - 480) - 2\,(410,7 - 300)}{900 - 480} \cdot 100\% = \frac{198,6}{420} \cdot 100\% = \mathbf{47,3\%}$$

c Met $\varepsilon = 9$ wordt de temperatuur na compressie 561,9 K, zodat

$$\eta = \frac{(900 - 480) - (561,9 - 300)}{900 - 561,9} \cdot 100\% = \frac{420 - 261,9}{338,1} \cdot 100\%$$

$$\eta = \frac{158,1}{338,1} \cdot 100\% = \mathbf{46,7\%}$$

Door vergelijking van de onder a en c gevonden antwoorden blijkt dat twee-trapscompressie leidt tot rendementsdaling.

Opstelling van een regenerator heeft in geval c geen enkele zin, zoals uit de temperaturen na compressie (561,9 K) en expansie (480 K) blijkt. Het zou zelfs leiden tot rendementsdaling doordat de lucht na de compressor warmte overdraagt aan de uitlaatgassen. Plaatsing van een regenerator geeft alleen rendementsverbetering als

$$\varepsilon < \left(\frac{T_3}{T_1}\right)^{\frac{k}{2(k-1)}} \text{ (zie XIII.4.). In dit geval zou } \varepsilon < 3^{1,75} = 6,8 \text{ moeten zijn.}$$

XIII.9. Vraagstukken

1. Van een gasturbine-installatie volgens fig. 13.2 is gegeven: $T_1 = 300$ K, $T_3 = 9\,00$
   $c_p = 1,0$ kJ/kg K, $k = 1,4$.
   De installatie verwerkt 30 kg lucht per seconde.
   Bereken rendement en vermogen voor een drukverhouding van 5, 10 en 15.

2. Bereken opgave 1 opnieuw als gegeven is dat het isentrope rendement van zowel compressor als turbine 85% bedraagt. Welke conclusie kan uit de uitkomsten worden getrokken?

3. Bereken voor het kringproces van opgave 1 de drukverhouding waarbij de geleverde arbeid maximaal is.
   Bepaal bij deze drukverhouding het rendement van de installatie, alsmede het geleverde vermogen.
   Vergelijk de uitkomst van de berekening met die van opgave 1.

4. Van een gasturbine-aggregaat zijn bij een beproeving de volgende waarden gemeten:
   Inlaattemperatuur compressor 300 K.
   Uitlaattemperatuur compressor 474 K.
   Temperatuur voor de turbine 1 000 K.
   Temperatuur na de turbine 712 K
   Temperatuur na de regenerator 542 K
   De drukverhouding $\varepsilon = 4$, $k = 1,4$
   Bereken het isentrope rendement van compressor en turbine, het rendement van de regenerator, alsmede het rendement van de gehele installatie.

5. Van een gasturbine-installatie volgens fig. 13.2 is $T_1 = 300$ K, $T_3 = 1\,000$ K, $\varepsilon = 4$ en $k = 1,4$.
   Het isentrope rendement van de compressor is 80%, dat van de turbine 85%.
   a Bepaal van de installatie het rendement en het specifieke brandstofverbruik in g/MJ als de stookwaarde van de brandstof 40 MJ/kg bedraagt.
   b Wat wordt het rendement als een regenerator wordt opgesteld met een rendement van 70%.

6. Van een gasturbine-installatie is de temperatuur voor de compressor 300 K, de temperatuur voor de turbine 1 000 K. Per seconde stroomt er 20 kg lucht door de installatie. De drukverhouding $\varepsilon = 6,25$. Het isentrope rendement van turbine en compressor is 85%. $c_p = 1,0$ kJ/kg K, $k = 1,4$.
   Bepaal:
   a Het rendement en vermogen van de installatie.
   b Het rendement als de compressie in twee trappen wordt uitgevoerd.
   De drukverhouding per trap is gelijk; na de eerste trap wordt de lucht weer tot de begintemperatuur afgekoeld.
   c Het rendement en vermogen als bovendien een regenerator met een rendement van 60% aan de installatie wordt toegevoegd.

7. Van een gasturbine-aggregaat, werkend volgens fig. 13.2, is $T_1 = 300$ K, $T_2 = 475$ K, $T_3 = 1\,000$ K, $p_1 = 1$ bar en $k = 1,4$.
   Bereken:
   a Het rendement van de installatie.
   b Het rendement van de installatie als de gassen na expansie tot 2,5 bar opnieuw tot 1 000 K worden verhit.
   c Het onder b gevraagde opnieuw, als het isentrope rendement van de compressor 85% bedraagt en dat van de turbine 90%.
   d Het rendement, als bovendien een regenerator wordt toegevoegd met een rendement van 75%.

232

HOOFDSTUK XIV

De compressiekoelmachine

XIV.1. Werking van de compressiekoelmachine

In fig. 14.1 is een compressiekoelinstallatie schematisch aangegeven. De voornaamste onderdelen hierin zijn:

— de compressor I;
— de condensor II;
— de expansiemachine III;
— de verdamper IV.

De werking van de installatie is als volgt:

Vanuit de expansiecilinder III stroomt het koelmedium naar een pijpenbundel in de koelcel (de zg. verdamper). De druk op het medium is p_1, de temperatuur

Fig. 14.1

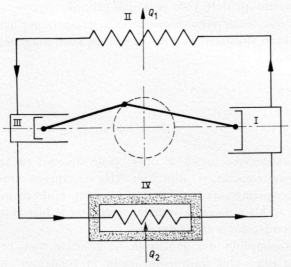

is de bij p_1 behorende verzadigingstemperatuur t_1, die b.v. -10 °C bedraagt. Zolang de temperatuur in de koelcel hoger is dan -10 °C zal warmte op de vloeistof overgaan, waardoor deze verdampt.

De damp wordt door de compressor afgezogen en tot p_2 gecomprimeerd. De samengeperste damp wordt in een condensor met behulp van koelwater tot vloeistof verdicht. Tenslotte expandeert de vloeistof in de expansiemachine weer tot op de verdamperdruk p_1, waarbij tevens de temperatuur tot de hierbij behorende verzadigingstemperatuur daalt. De kringloop is hiermee gesloten.

Het principiële verschil met de koelmachine werkend met lucht (VI.12) bestaat hierin dat het koelmedium zich gedurende een deel van het proces in de vloeistoffase bevindt.

Het voordeel van een vloeistof als koelmiddel is duidelijk wanneer men bedenkt dat de verdamping bij constante temperatuur geschiedt. Het is derhalve niet nodig de vloeistof af te koelen tot ver onder de geëiste temperatuur in de koelcel. Bovendien is de verdampingswarmte van een vloeistof vrij groot, zodat de hoeveelheid vloeistof die moet circuleren veel kleiner kan zijn dan bij een koelmachine met lucht als werkzaam medium. De voornaamste bezwaren die aan laatstgenoemde installatie verbonden waren, zijn dus bij de compressie-koelmachine ondervangen.

XIV.2. Eigenschappen van de koelmedia

Het koelmiddel wordt in de koelcel door warmtetoevoer in de gasfase gebracht en in de condensor door warmte-onttrekking weer tot vloeistof verdicht. In principe is dit proces voor ieder gas mogelijk.

Bij vele gassen zijn voor het vloeibaar maken extreme waarden van druk en/of temperatuur noodzakelijk, waardoor deze voor praktisch gebruik ongeschikt zijn. Gassen waarvan de kritieke temperatuur *boven* de kamertemperatuur ligt en die reeds bij geringe drukken vloeibaar worden, kunnen in koelinstallaties worden toegepast. Dit zijn o.a.:

Ammoniak	NH_3
Chloormethyl	CH_3Cl
Freon 12	CCl_2F_2
Koolzuur	CO_2
Zwaveldioxide	SO_2.

In fig. 14.2 is het verband aangegeven tussen de druk op de vloeistof en de daarbij behorende verdampingstemperatuur. Zijn voor NH_3 de condensatie-temperatuur t_2, de verdampingstemperatuur t_1, de bijbehorende drukken p_2 en p_1, dan zal men $p_2 - p_1$ zo klein mogelijk wensen, omdat mede hierdoor het krachtverbruik van de compressor wordt bepaald.

Wat dit betreft is SO_2 als koelmedium dus gunstig in die gebieden waar de koelwatertemperaturen hoog zijn. Om warmteoverdracht in condensor en

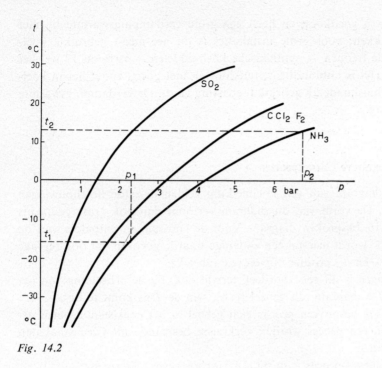

Fig. 14.2

verdamper mogelijk te maken is het noodzakelijk dat de koelwatertemperatuur lager is dan t_2 en dat de temperatuur in de koelcel hoger is dan t_1. Men neemt voor deze temperatuurverschillen ca. 10 °C, om zo het verdamper- en condensoroppervlak binnen redelijke grenzen te houden. Hoe groter het verschil is, hoe kleiner deze warmtewisselaars kunnen zijn, maar hoe hoger ook het krachtverbruik van de compressor.

Naast de prijs, brandbaarheid, reuk, giftigheid en corrosieve-eigenschappen van het koelmiddel zijn vooral ook de verdampingswarmte en het soortelijk volume van de damp bij de druk p_1 van belang. De verdampingswarmte zal men groot wensen, het soortelijk volume daarentegen laag, omdat voor een bepaalde koudeproduktie de afmetingen van de compressor dan klein kunnen zijn.

Het quotiënt van verdampingswarmte en soortelijk volume moet dus zo groot mogelijk zijn.

De reeds genoemde koelmedia hebben ieder hun voor- en nadelen.

Zo treden bij SO_2 geringe drukken op, maar het middel is niet geschikt voor lage temperaturen, omdat dan de verdampingsdruk beneden de atmosferische daalt, waardoor lucht in het systeem kan lekken. Bij CO_2 zijn de drukken juist zeer hoog, zodat dit een zwaargeconstrueerde installatie vereist.

Het genoemde quotiënt is hierbij echter bijzonder groot.

235

Ammoniak is vrij goedkoop en heeft een grote verdampingswarmte bij niet al te hoge drukken; voor grote installaties is dit het meest gebruikte koelmedium. Van de freonen — synthetische koelmiddelen — is freon 12 wel het meest bekend. Het is onbrandbaar, reukloos en niet giftig, zodat het in koelmachines voor huishoudelijk gebruik toepassing vindt. De verdampingswarmte is echter vrij laag.

XIV.3. Het negatieve Carnotproces

Voor het T-S-diagram van een koelmedium gelden dezelfde beschouwingen als voor water. De vorm van dit diagram vertoont dan ook grote gelijkenis met het in IX.16. besproken diagram. Voor de entropie en enthalpie van de vloeistof bij 0 °C wordt meestal een zodanige waarde gekozen dat ook bij lage temperaturen s_{vl} en h_{vl} positief blijven (zie tabel V).

Voor berekeningen is dit een voordeel, terwijl ook, bij de afbeelding van het proces in een T-S-diagram, dit geheel rechts van de T-as komt te liggen.

Zou het in XIV.1 besproken proces zich geheel in het coëxistentiegebied afspelen, dan kan een proces worden verkregen bestaande uit twee adiabaten en twee isothermen.

Dit negatieve Carnot-proces is in fig. 14.3 weergegeven. Hierin is:

1-2 de isentrope expansie van de vloeistof in een expansiecilinder;

2-3 de verdamping van de vloeistof t.g.v. warmteopname uit de koelcel;

3-4 de isentrope compressie van de natte damp;

4-1 de condensatie van verzadigde damp in een condensor.

$Q_1 = $ de in de condensor afgegeven warmte $\hat{=}$ opp. 4-1-2'-3'
$Q_2 = $ de warmte opgenomen in de verdamper $\hat{=}$ opp. 2-3-3'-2'
$Q_1 - Q_2 = W \hat{=}$ opp. 1-2-3-4.

Fig. 14.3

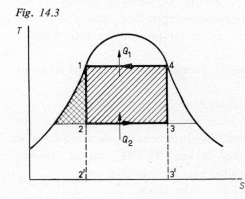

De netto toe te voeren arbeid komt overeen met het oppervlak ingesloten door het kringproces.

Ditzelfde resultaat kan worden verkregen door W op te vatten als het verschil tussen de toegevoerde arbeid in de compressor en de geleverde arbeid in de expansiecilinder.

$W_{i_{3-4}} = h_4 - h_3 \triangleq$ het naar links gearceerde oppervlak

$W_{i_{1-2}} = h_1 - h_2 \triangleq$ het naar rechts gearceerde oppervlak

De koude factor:

$$\varepsilon = \frac{Q_2}{|W|} = \frac{Q_2}{Q_1 - Q_2} = \frac{T_2(s_{3'} - s_{2'})}{(T_1 - T_2)(s_{3'} - s_{2'})} = \frac{T_2}{T_1 - T_2}$$

$$\boxed{\varepsilon = \frac{T_2}{T_1 - T_2}} \tag{14.1}$$

Dit is de maximale waarde van de koudefactor die bij de gegeven temperatuur-grenzen mogelijk is.

Uit (14.1) blijkt dat T_2 zo hoog mogelijk moet worden genomen en T_1 zo laag mogelijk. Dit betekent dat de verdampingstemperatuur niet lager moet zijn dan strikt noodzakelijk is en dat het gunstig is als men over koud koelwater kan beschikken.

Voor een koelmedium dat bij $-10\,°C$ verdampt en bij $+20\,°C$ condenseert is $\varepsilon = 8{,}76$. Deze waarde ligt aanzienlijk hoger dan die welke bereikbaar zijn bij koelinstallaties werkend met lucht.

Zijn de toestanden 1 en/of 4 niet op de grenskromme maar *in* het coëxistentie-gebied gelegen, dan blijft ε onveranderd.

Wel zal de koudeproduktie per kg koelmedium afnemen, zodat voor een zekere koelcapaciteit de circulerende hoeveelheid koelmedium groter zal moeten worden.

XIV.4. Regelkraan

De expansiecilinder is gecompliceerd, weinig bedrijfszeker en levert bovendien maar een geringe hoeveelheid arbeid, omdat bij de drukdaling het volume van het koelmedium slechts weinig toeneemt.

In de praktijk wordt deze dan ook vervangen door een regelkraan (smoor-kraan), waarmee op eenvoudige wijze de druk tot de gewenste waarde kan worden gereduceerd. De toestandsverandering verloopt hierbij volgens een lijn van constante enthalpie (smoren). Dit is een niet-omkeerbaar adiabatisch proces, waarbij de entropie toeneemt.

In fig. 14.4 is dit proces door de gestippelde kromme 1-2 aangegeven. Het kringproces als geheel is nu ook onomkeerbaar. Hoewel de warmte bij con-stante temperatuur wordt toe- en afgevoerd, is de koudefactor ε lager dan

237

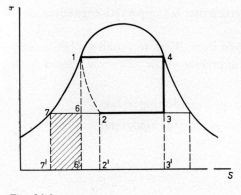

Fig. 14.4

die van het vergelijkbare Carnot-proces en bovendien niet meer onafhankelijk van het werkzame medium (zie opmerking pag. 241).

Het dampgehalte in 2 is uit:

$$h_2 = x_2 h_d + (1 - x_2) h_{vl}$$

en

$$h_1 = h_2$$

te berekenen. Oplossen van x_2 levert:

$$x_2 = \frac{h_1 - h_{vl}}{h_d - h_{vl}} = \frac{h_1 - h_{vl}}{r}$$

$$\boxed{x_2 = \frac{h_1 - h_{vl}}{r}} \qquad (14.2)$$

Hierbij zijn h_{vl} en r waarden die behoren bij de verdampingstemperatuur T_2. De dampvorming bij het smoren (of bij de expansie 1-2 in fig. 14.3), veroorzaakt weliswaar een vermindering van de koudeproduktie, maar is essentieel voor het verkrijgen van een lage temperatuur. Wordt namelijk van een vloeistof met de verzadigingstemperatuur de druk verlaagd, dan vormt zich damp.

Omdat er echter geen warmte wordt toegevoerd zal de hiervoor benodigde warmte aan de vloeistof zelf worden onttrokken, zodat deze in temperatuur daalt. De verdamping houdt op zodra de verdampingstemperatuur behorende bij de druk na de regelkraan is bereikt. De warmte die per kg koelmedium uit de koelcel kan worden opgenomen:

$$Q_2 = h_3 - h_2 \triangleq \text{opp. 2-3-3'-2'}$$

238

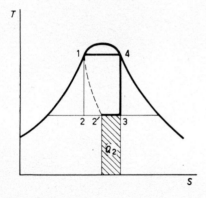

Fig. 14.5

De warmteafgifte in de condensor is gelijk gebleven, zodat de toe te voeren arbeid:

$$W = Q_1 - Q_2 \triangleq \text{opp. } 1\text{-}6'\text{-}2'\text{-}2\text{-}3\text{-}4$$

Ook geldt:

$$W = W_{i_{3-4}} = h_4 - h_3 \triangleq \text{opp. } 1\text{-}4\text{-}3\text{-}7$$

Hieruit volgt dat opp. 1-6-7 = opp. 2-2'-6'-6

T.o.v. het vergelijkbare Carnot-proces 1-6-3-4 is de koudeproduktie per kg koelmedium kleiner geworden met een bedrag

$$h_2 - h_6 \triangleq \text{opp. } 2\text{-}2'\text{-}6'\text{-}6$$

De voor het proces benodigde arbeid is tegelijkertijd met dezelfde waarde vermeerderd, zodat de koudefactor ε is afgenomen. De vermindering van de koudefactor t.o.v. een Carnot-proces met dezelfde temperatuursgrenzen is groter naarmate de verdampingstemperatuur T_2 lager is. In fig. 14.4 kan dit gemakkelijk worden nagegaan.

Ook de waarde van de kritieke temperatuur is hierop van invloed. Is deze laag, zoals bij CO_2 ($t_k = 31\ °C$), dan is bij de gebruikelijke koelwatertemperaturen de koudefactor zeer klein (fig. 14.5). Het is zelfs mogelijk dat bij een geringe verhoging van de koelwatertemperatuur of verlaging van de verdampingstemperatuur, de koudeproduktie tot nul wordt gereduceerd.

Het verlies in koudeproduktie door het wegvallen van de expansie-arbeid is meestal klein, zoals uit de volgende toepassing blijkt. Bij koelmiddelen met een lage waarde van de kritieke temperatuur kan dit verlies echter aanzienlijk zijn.

239

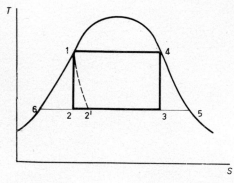

Fig. 14.6

Toepassing

Een koelinstallatie werkend met freon 12 heeft als verdampingstemperatuur $-5\,°C$, als condensatietemperatuur $+15\,°C$.
Bepaal van het kringproces volgens fig. 14.6:
a het dampgehalte na expansie en dat vóór de compressie;
b de koudefactor en koudeproduktie bij een arbeidstoevoer van 1 MJ;
c het circulatiequantum in kg/h, wanneer per uur 200 MJ uit de koelcel moeten worden ontrrokken.
Bereken a, b en c nogmaals indien de expansiecilinder door een regelkraan wordt vervangen.

Oplossing

Uit tabel VII leest men af:

$s_1 = 4{,}23577$ kJ/kg K $\qquad\qquad s_4 = 4{,}74849$ kJ/kg K

$s_6 = 4{,}16855$ kJ/kg K $\qquad\qquad s_5 = 4{,}75368$ kJ/kg K

$h_6 = 413{,}95$ kJ/kg $\qquad\qquad h_5 = 570{,}90$ kJ/kg

$h_1 = 432{,}78$ kJ/kg $\qquad\qquad h_4 = 580{,}95$ kJ/kg

Uit $s_2 = s_1$ en $s_2 = x_2\,s_5 + (1 - x_2)\,s_6$ volgt:

$$x_2 = \frac{s_2 - s_6}{s_5 - s_6} = \frac{s_1 - s_6}{s_5 - s_6} = \frac{0{,}06722}{0{,}58513} = \mathbf{0{,}115}$$

Op dezelfde wijze vindt men:

$$x_3 = \frac{s_3 - s_6}{s_5 - s_6} = \frac{s_4 - s_6}{s_5 - s_6} = \frac{0{,}57994}{0{,}58513} = \mathbf{0{,}990}$$

$$\varepsilon = \frac{T_2}{T_1 - T_2} = \frac{273 - 5}{(273 + 15) - (273 - 5)} = \frac{268}{20} = \mathbf{13{,}4}$$

De koudefactor ε kan ook berekend worden uit:

$$\varepsilon = \frac{Q_2}{W} = \frac{h_3 - h_2}{(h_4 - h_3) - (h_1 - h_2)}$$

240

De koudeproduktie:

$$Q_2 = \varepsilon\, W = \textbf{13,4 MJ/MJ}$$

$$h_2 = x_2\, h_5 + (1 - x_2)\, h_6 = 0,115 \cdot 570,90 + 0,885 \cdot 413,95 = 431,95 \text{ kJ/kg}$$

$$h_3 = x_3\, h_5 + (1 - x_3)\, h_6 = 0,99 \cdot 570,90 + 0,01 \cdot 413,95 = 569,33 \text{ kJ/kg}$$

Per kg koelmedium wordt uit de koelcel onttrokken:

$$h_3 - h_2 = 569,33 - 431,95 = 137,4 \text{ kJ/kg}$$

Het circulatiequantum is $\dfrac{200\,000}{137,4} = \textbf{1 455 kg/h.}$

Wordt een smoorkraan aangebracht dan verkrijgt men het kringproces 1-2'-3-4.

a $x_3 = 0,99$.

Uit $h_{2'} = x_2\, h_5 + (1 - x_{2'})h_6$ en $h_{2'} = h_1$ volgt:

$$x_{2'} = \frac{h_{2'} - h_6}{h_5 - h_6} = \frac{h_1 - h_6}{h_5 - h_6} = \frac{432,78 - 413,95}{570,90 - 413,95} = \frac{18,83}{156,95} = \textbf{0,12}$$

b $\varepsilon = \dfrac{Q_2}{W}$

$$Q_2 = h_3 - h_{2'} = 569,33 - 432,78 = 136,55 \text{ kJ/kg}$$

$$W_{i_{3-4}} = h_4 - h_3 = 580,95 - 569,33 = 11,62 \text{ kJ/kg}$$

$$\varepsilon = \frac{136,55}{11,62} = \textbf{11,75}$$

$$Q_2 = \varepsilon\, W = \textbf{11,75 MJ/MJ}$$

c $\dfrac{200\,000}{h_3 - h_{2'}} = \dfrac{200\,000}{136,55} = \textbf{1 465 kg/h.}$

De smoring van de vloeistof heeft dus tot gevolg dat het rendement iets lager is, en men voor het onttrekken van dezelfde hoeveelheid warmte meer freon moet laten circuleren.

Opmerking

Wordt NH_3 als koelvloeistof gebruikt dan zijn de rendementen 13,4 resp. 12,8. Hieruit blijkt dat bij het proces met smoorkraan het rendement afhankelijk is van de aard van het koelmedium, zoals in XIV.4. werd opgemerkt.

XIV.5. Droge compressie, oververhitting, nakoeling

Bij het aanzuigen van natte damp loopt de smering van de compressor gevaar. Bovendien kan smeerolie, opgenomen door het koelmedium, zich op de condensorpijpen afzetten en daardoor de warmteoverdracht belemmeren.
Deze nadelen kunnen worden vermeden als door de compressor verzadigde damp wordt aangezogen in plaats van natte damp (fig. 14.7). De koudeproductie stijgt dan tevens met een waarde overeenkomend met opp. 3-6-5'-3'.

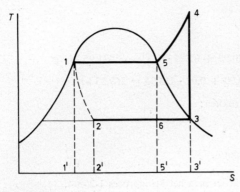

Fig. 14.7

Bij compressie van verzadigde damp (z.g. droge compressie) wordt deze over-verhit. In de condensor moet dan eerst de oververhittingswarmte, voorgesteld door het opp. 4-5-5'-3', worden afgevoerd alvorens condensatie kan beginnen. Door deze werkwijze wordt ook de waarde van de koudefactor ε beïnvloed. Is de koudefactor van het toegevoegde proces 3-4-5-6 groter dan die van het oorspronkelijke proces 1-2-6-5, dan neemt ε toe, is dat niet het geval dan zal de koudefactor afnemen. Het is duidelijk dat t.o.v. een Carnot-proces met T_1 en T_2 als temperatuurgrenzen de toevoeging van het proces 6-3-4-5 een verla-ging van de koudefactor inhoudt. De gemiddelde temperatuur van warmte-afvoer is nu immers hoger geworden.

Doordat de temperatuur in de koelcel altijd wat hoger ligt dan de verdampings-temperatuur, is het mogelijk dat de damp al in de verdamperspiralen wordt oververhit. Dit laatste kan eveneens plaatsvinden als de leidingen naar de compressor niet goed zijn geïsoleerd. De oververhitting verloopt volgens de isobaar 4-5, die in fig. 14.8 is aangegeven.
De temperatuur van het koelwater is lager dan de condensatie-temperatuur. Daardoor is het mogelijk dat het koelmiddel tot beneden de condensatie-temperatuur wordt afgekoeld.
Deze z.g. *nakoeling* verloopt volgens 1-2 in het diagram van fig. 14.8. Het dampgehalte in 3 is nu lager dan zonder nakoeling, zodat de koudeproduktie groter wordt. Omdat de toe te voeren arbeid gelijk is gebleven, is ook de waarde van ε toegenomen.
In fig. 14.8 is:
opp. 1-2-2'-1' $= h_1 - h_2 =$ warmte afgevoerd met het koelwater bij nakoeling van het koelmedium,
opp. 3-4-4'-3' $= h_4 - h_3 =$ warmte door het koelmedium tijdens de verdam-ping opgenomen,

242

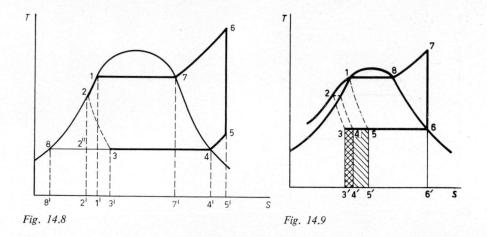

Fig. 14.8   Fig. 14.9

opp. 4-5-5'-4' $= h_5 - h_4 =$ warmte door het koelmedium tijdens de oververhitting opgenomen,

opp. 6-7-7'-5' $= h_6 - h_7 =$ de met het koelwater afgevoerde oververhittingswarmte,

opp. 7-1-1'-7' $= h_7 - h_1 =$ de met het koelwater afgevoerde condensatiewarmte.

opp. 6-7-1-8-4-5 $= h_6 - h_5 =$ de voor de compressor benodigde arbeid.

Nakoeling is van bijzondere betekenis wanneer men over weinig koelwater
beschikt. Het verschil tussen de temperatuur van het koelwater bij in- en
uittrede $(t_{wu} - t_{wi})$ is dan groot. De condensatietemperatuur t_c is dan ook
hoog, omdat deze temperatuur altijd boven de uittredetemperatuur van het
koelwater moet liggen $(t_c > t_{wu})$. Er is dus een groot verschil tussen t_c en t_{wi},
zodat, bij toepassing van tegenstroom, de nakoeling aanzienlijk kan zijn.

Ook als de condensatietemperatuur de kritieke temperatuur nadert, is nakoeling
van bijzonder belang. De isobaren in de nabijheid van het kritieke punt lopen
vrij vlak en vallen niet samen met de verzadigde vloeistoflijn.

Zelfs bij een geringe temperatuurdaling verschuift het punt 2 al merkbaar
naar links en wordt de koudeproduktie duidelijk groter. In fig. 14.9 komt de
stijging van de koudeproduktie t.g.v. nakoeling overeen met opp. 4-5-5'-4' als
de isobaar samenvalt met de grenskromme en met het opp. 3-5-5'-3' als de
isobaar door 1 loopt zoals getekend. Hierdoor ontstaat dus een ,,winst''
overeenkomend met opp. 3-4-4'-3'.

XIV.6. Meertrapscompressie

Bij grote drukverschillen tussen verdamper en condensor kan de temperatuur
in 4 (fig. 14.7) een hoge waarde bereiken. Dit kan gevaar inhouden voor de
smering. Ook bestaat de mogelijkheid dat het koelmiddel gaat ontleden

243

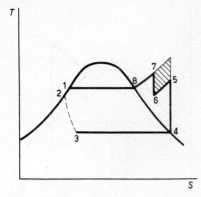

Fig. 14.10

(bij NH_3 b.v. moet de compressie-eindtemperatuur tot 130 °C worden beperkt), terwijl uiteraard de koudefactor lager zal worden.

In een dergelijk geval wordt de compressie in meer trappen uitgevoerd.

In fig. 14.10 is een tweetrapscompressie met tussenkoeling tot de temperatuur T_6 afgebeeld.

Het gearceerde oppervlak stelt de arbeidswinst voor, die groter is naarmate het bovengenoemde drukverschil groter is.

Voor berekeningen van koelinstallaties wordt gebruik gemaakt van het log p-h-diagram. Verticaal zet men de druk logaritmisch uit, zodat men op die manier ook bij de lagere drukken nog een goede afleesnauwkeurigheid verkrijgt. In fig. 14.11 is het proces, afgebeeld in fig. 14.8, weergegeven. De benodigde arbeid voor de compressor alsmede alle warmtehoeveelheden zijn hier als horizontale lijnstukken op te meten. Berekeningen kunnen derhalve zeer snel worden uitgevoerd.

Fig. 14.11

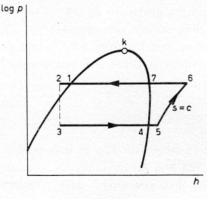

Opmerking

Bij de in dit hoofdstuk behandelde koelinstallaties spreekt men van directe koeling. Bij de indirecte koeling maakt men gebruik van een hulpmedium, meestal een oplossing van zout in water. Deze zogenaamde koelpekel wordt dan eerst door het koelmedium afgekoeld en vervolgens door de koelcel gepompt. Het koelmedium neemt nu dus niet rechtstreeks warmte uit de koelcel op. Principieel verandert er echter niets. De installatie wordt wat gecompliceerder maar heeft zekere voordelen, o.a. wat de regeling betreft. Beide werkwijzen komen voor.

XIV.7. De warmtepomp

De werking hiervan is hetzelfde als die van een koelmachine. Het doel is nu echter niet het *onttrekken van warmte* maar de *levering van warmte*. De warmte die in de condensor vrijkomt, wordt nu dus gebruikt in plaats van afgevoerd, zoals bij de koelmachine.

Fig. 14.12 geeft een schema van de installatie.

De verdamping van het medium geschiedt in I door middel van rivier- of grachtwater. Ook kan men met behulp van een ventilator lucht langs de verdamperspiralen voeren. Is de temperatuur van het water b.v. 10 °C, dan moet de verdamperdruk zo worden ingesteld dat de verdampingstemperatuur ca. 0 °C bedraagt.

De warmte die bij de condensatie in II vrijkomt, wordt aan het koelwater van de condensor afgegeven.

Wil dit koelwater geschikt zijn voor verwarmingsdoeleinden, dan moet het een temperatuur van ca. 55 °C bezitten.

Fig. 14.12

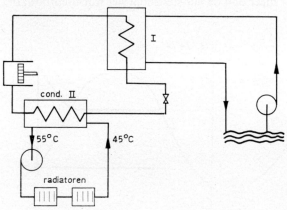

De condensatietemperatuur van het koelmedium moet dus 60-65 °C bedragen. De druk na de compressor moet derhalve zo hoog zijn dat deze condensatietemperatuur wordt bereikt.

Nadat het koelwater door de verwarmingselementen gepompt is, stroomt het met b.v. 45 °C naar de condensor terug.

Voor de beoordeling van een dergelijke installatie hanteert men het *warmteproduktiegetal* ε_w. Dit is gedefinieerd als de verhouding van de geleverde hoeveelheid warmte Q_1, en de daarvoor benodigde arbeid W.

$$\varepsilon_w = \frac{Q_1}{W} = \frac{Q_1}{Q_1 - Q_2}$$ (14.3)

Daar bij een koelmachine $\varepsilon = \dfrac{Q_2}{Q_1 - Q_2}$, is $\varepsilon_w - \varepsilon = 1$.

$$\varepsilon_w = 1 + \varepsilon$$ (14.4)

Het warmteproduktiegetal is dus steeds 1 groter dan de koudefactor van het overeenkomstige proces in de koelinstallatie. Beide worden lager naarmate het temperatuurverschil tussen verdamper en condensor groter is.

Voor een warmtepomp werkend volgens het Carnot-proces (fig. 14.13) is:

$$\varepsilon_w = \frac{T_1(s_{3'} - s_{2'})}{(T_1 - T_2)(s_{3'} - s_{2'})} = \frac{T_1}{T_1 - T_2} = \frac{T_1 - T_2 + T_2}{T_1 - T_2} = 1 + \frac{T_2}{T_1 - T_2}$$

$$\varepsilon_w = 1 + \frac{T_2}{T_1 - T_2}$$ (14.5)

Bij een droge compressie volgens 4-5 en nakoeling van de vloeistof volgens 1-2 verkrijgt men het diagram van fig. 14.14. T.o.v. het Carnot-proces is de compressie-arbeid toegenomen, maar tevens de warmte-afgifte in de condensor. In verhouding de eerste echter méér dan de laatste, zodat het warmteproduktiegetal zal afnemen.

Fig. 14.13   Fig. 14.14

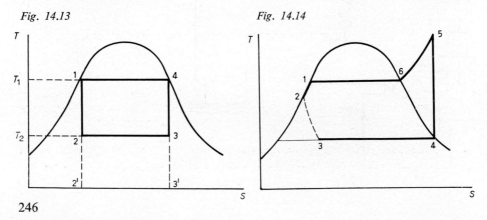

Door de nakoeling zal de warmte-afgifte in de condensor worden vergroot zonder verandering van de compressie-arbeid, zodat hierdoor het warmte-produktiegetal zal stijgen. Bij een warmtepomp zal dus, evenals voor de koelmachine, de voorziening voor nakoeling voordelen bieden.

De waarde van het warmteproduktiegetal van een warmtepomp zal in de praktijk, d.w.z. na aftrek van alle verliezen, 2-4 bedragen.

Is $\varepsilon_w = 3$, dan zal bij een energietoevoer van 1 kJ aan de compressor 3 kJ aan warmte worden geleverd. Wordt elektrische energie opgewekt met een rendement van 30%, dan moet voor elke kJ elektrische energie $\dfrac{1}{0,3} = 3,34$ kJ aan energie in de vorm van brandstof worden toegevoerd. Het totale rendement (inclusief de opwekking van de elektriciteit) is dan $\dfrac{3}{3,34} \cdot 100\% = 89,5\%$.

Bij directe verwarming van het water in een ketel zal het rendement ongeveer dezelfde waarde bezitten, zodat de warmtepomp ten aanzien van het rendement geen wezenlijke voordelen biedt. De installatie zal zelfs duurder zijn, maar daar staan enige voordelen tegenover, zoals de afwezigheid van stof en rook en de mogelijkheid om de warmtepomp in de winter voor warmtelevering en in de zomer voor warmte-onttrekking (,,koude levering'') te gebruiken.

Is de benodigde brandstof schaars en/of duur en kan de benodigde energie voor de compressor via waterkracht worden verkregen dan is een warmtepomp economisch verantwoord.

(Het stadhuis te Zürich werd in 1938 verwarmd d.m.v. een warmtepomp die rivierwater als warmtebron benutte).

XIV.8. Vraagstukken

Bij deze vraagstukken gebruik maken van tabel V t/m VIII.

1. Een koelinstallatie werkend volgens het Carnot-proces heeft een condensatietemperatuur van 20 °C. Bereken de koudefactor wanneer de verdampingstemperatuur varieert van −20 °C tot + 5 °C en zet de resultaten in een grafiek uit.

2. Zet de koudefactor eveneens uit tegen de condensatietemperatuur wanneer deze resp. 0 °C, 10 °C, 20 °C en 30 °C bedraagt. De verdamping geschiedt bij −10 °C.

3. Bepaal van het proces volgens fig. 14.7 de hoeveelheid ammoniak die per uur moet circuleren als de temperatuur in de koelcel resp. 0 °C, −10 °C, −20 °C, −30 °C en −40 °C is en de warmte die in de koelcel moet worden opgenomen in elk van de gevallen 400 MJ per uur bedraagt. De condensatietemperatuur is 20 °C.

4. Bereken de verhouding van de verdampingswarmte en het soortelijk volume van de damp bij −10 °C voor zwaveligzuur, freon 12, ammoniak en koolzuur. Welke verhouding is het gunstigst?

5. Bereken de toepassing op pag. 240 opnieuw wanneer koolzuur als koelmiddel wordt genomen.

6. Van een koelinstallatie werkend met NH_3 is gegeven dat de condensatietemperatuur 25 °C en de verdampingstemperatuur −10 °C bedraagt. Als de compressor verzadigde damp aanzuigt. bepaal dan:
   a de temperatuur en de enthalpie van de damp na de isentrope compressie als voor de soortelijke warmte van de damp bij 10,03 bar 2,5 kJ/kg K wordt aangenomen;
   b de afgevoerde warmte in de condensor per kg koelmedium en het percentage dat de oververhittingswarmte hiervan uitmaakt;
   c het dampgehalte na de regelkraan;
   d de koudefactor en de koudeproductie in kJ/kWh;
   e de circulerende hoeveelheid ammoniak als per uur 600 MJ uit de koelcel moeten worden onttrokken.

7. Bereken de koudefactor van een koelmachine met ammoniak als werkstof, als de condensatietemperatuur 25 °C bedraagt en de druk na de regelkraan 3,55 bar is. De damp is na de isentrope compressie juist verzadigd.
   Bereken het toe te voeren vermogen en de circulatiehoeveelheid in kg/h, wanneer de geëiste koelcapaciteit 400 MJ/h bedraagt. Hoe groot zijn deze bedragen wanneer de vloeistof in de condensor 5 °C wordt nagekoeld en voor de soortelijke warmte van de warmte van de vloeistof 4,2 kJ/kg K genomen mag worden? Wat is de maximale waarde van de koudefactor ε die bij de gegeven temperatuurgrenzen mogelijk is?

8. Van een koelinstallatie met freon 12 als koelmiddel is het slagvolume van de compressor 50 m³/h. De vullingsgraad van de compressor is 80%, de verdampingstemperatuur −10 °C, de condensatietemperatuur 15 °C. De compressor zuigt verzadigde damp aan; de enthalpie na de isentrope compressie bedraagt 582 kJ/kg. In een regelkraan wordt de vloeistof op de vereiste lagere druk gebracht. Teken het proces in een T-S-diagram en bereken de capaciteit van de installatie in kJ/h.
   Bepaal de elektrische energie die per uur uit het net wordt onttrokken als het rendement van de aandrijvende elektromotor 90% en het mechanisch rendement van de compressor 85% bedraagt. Als het koelwater in de condensor een temperatuurstijging van 5 °C verkrijgt. wat is dan de benodigde hoeveelheid in kg/h?

9. Van een koelinstallatie werkend met NH_3 als koelmedium is gegeven:
   De druk tijdens condenseren is 8,57 bar en de druk na de regelkraan 2,91 bar.
   De compressie van de aangezogen verzadigde damp geschiedt niet omkeerbaar adiabatisch. Na compressie is de temperatuur 350 K, de enthalpie 1 850 kJ/kg.
   Gevraagd:
   a het proces af te beelden in een T-S-diagram;
   b de gemiddelde waarde van de soortelijke warmte van de oververhitte damp;
   c het dampgehalte na de regelkraan;
   d de koudeproduktie in kJ/kg en de koudefactor ε;
   e de benodigde arbeid per kg koelmedium in het T-S-diagram aan te geven.

10. Van een compressiekoelmachine met ammoniak als werkzaam medium is de verdamperdruk 1,195 bar, de druk in de condensor 8,57 bar. Na de condensor (toestand 1) wordt de vloeibare ammoniak gesmoord (toestand 2). Bij een dampgehalte van 94% (toe-

248

stand 3) wordt het medium isentroop gecomprimeerd (toestand 4), waarbij de benodigde arbeid 251 kJ/kg bedraagt. De soortelijke warmte van de oververhitte damp is 2,52 kJ/kg K.

a Teken het proces in een T-S-diagram en geef hierin de koudeproduktie, de benodigde arbeid voor de compressor alsmede de winst in koudeproduktie, als een expansie-cilinder i.p.v. een regelkraan zou zijn aangebracht, door arcering aan.

b Stel een tabel op voor de p, T, s, h en x in de bovengenoemde vier toestanden.

c Bereken het toe te voeren vermogen, als per uur 10^3 MJ uit de koelcel moeten worden onttrokken, alsmede de koudefactor ε.

Toestandsverandering van stromende gassen en dampen

XV.1. Snelheid en doorgestroomde hoeveelheid

We beschouwen de stroming in een buis en veronderstellen dat deze zo snel verloopt dat de warmtewisseling met de omgeving kan worden verwaarloosd. Voor een stationaire *adiabatische* stroming waarbij *geen arbeid* wordt verricht is volgens (8.3):

$$0 = \Delta E_k + \Delta H$$

óf, voor 1 kg:

$$\frac{c_2^2 - c_1^2}{2} = h_1 - h_2$$

$$c_2^2 = 2(h_1 - h_2) + c_1^2$$

Voor gassen geldt volgens (10.3):

$$h_1 - h_2 = c_p(T_1 - T_2) = \frac{k}{k-1}(p_1 v_1 - p_2 v_2)$$

Voor het volume is het soortelijk volume genomen, omdat de beschouwingen voor 1 kg zijn opgezet.

Om voor een *damp* tot een dergelijke formule te komen moet het verband tussen p en V tijdens de adiabatische expansie bekend zijn.

Een dergelijke eenvoudige relatie als bij een gas ($pV^k = C$) bestaat voor een damp niet. We kunnen echter wel de expansiekromme door de vergelijking $pV^n = C$ benaderen, zodat zowel voor een damp als een gas geschreven kan worden:

$$h_1 - h_2 = \frac{n}{n-1}(p_1 v_1 - p_2 v_2)$$

Voor een gas is $n = k$; voor een damp hangt n van de expansie af. Zo is bij een expansie van stoom:

$n = 1,3$, wanneer tijdens de gehele expansie de stoom oververhit is;

$n = 1,135$, wanneer *verzadigde* stoom een adiabatische expansie ondergaat;

$n = 1,035 + 0,1\ x$, wanneer de gehele expansie zich in het coëxistentiegebied afspeelt.

Voor (a) kan men dus schrijven:

$$c_2^2 = \frac{2n}{n-1}(p_1 v_1 - p_2 v_2) + c_1^2$$

In de meeste gevallen is $c_1^2 \ll c_2^2$, zodat deze kan worden verwaarloosd.

$$c_2^2 = \frac{2n}{n-1}(p_1 v_1 - p_2 v_2)$$

Hiervoor kan met behulp van de eerste wet van Poisson worden geschreven:

$$c_2 = \sqrt{\frac{2n}{n-1}\, p_1 v_1 \left\{ 1 - \left(\frac{p_2}{p_1}\right)^{(n-1)/n} \right\}} \tag{15.1}$$

De snelheid neemt toe naarmate de einddruk p_2 lager is. Om de eindsnelheid met bovengenoemde formule te kunnen berekenen, moet de toestandsverandering isentroop verlopen. Tevens moet, zoals later zal blijken, de buisvorm aan bepaalde voorwaarden voldoen.

Door elke dwarsdoorsnede stroomt per tijdseenheid dezelfde hoeveelheid. Om deze te berekenen kan dus ook de einddoorsnede worden genomen.

$$m = \frac{A_2 c_2}{v_2}$$

Nu is: $p_1 v_1^n = p_2 v_2^n \rightarrow v_2 = \left(\frac{p_1}{p_2}\right)^{1/n} v_1$

Deze waarde van v_2 ingevuld in bovenstaande vergelijking levert tesamen met c_2 volgens (15.1):

$$m = \frac{A_2 \sqrt{\dfrac{2n}{n-1}\, p_1 v_1 \left\{ 1 - \left(\dfrac{p_2}{p_1}\right)^{(n-1)/n} \right\}}}{\left(\dfrac{p_1}{p_2}\right)^{1/n} v_1}$$

Na uitwerking vindt men:

$$m = A_2 \sqrt{\frac{2n}{n-1}\frac{p_1}{v_1}\left\{ \left(\frac{p_2}{p_1}\right)^{2/n} - \left(\frac{p_2}{p_1}\right)^{(n+1)/n} \right\}} \tag{15.2}$$

251

XV.2. Kritieke druk

Uit (15.2) volgt dat $m = 0$ als $p_2 = p_1$ en als $p_2 = 0$.

Voor een bepaalde waarde van p_2 die tussen 0 en p_1 in ligt, zal de doorstromende massa dus maximaal zijn. Bij een gegeven begintoestand kan dit maximum worden gevonden door het maximum te bepalen van de vorm tussen accoladen.

Noemt men deze vorm y, de drukverhouding $\dfrac{p_2}{p_1} = x$, dan is:

$$y = x^{2/n} - x^{(n+1)/n}$$

$$\frac{dy}{dx} = 0 \rightarrow \frac{2}{n} x^{(2/n)-1} - \frac{n+1}{n} x^{1/n} = 0.$$

Vermenigvuldiging met n en deling door $x^{1/n}$ levert:

$$x = \frac{p_2}{p_1} = \left(\frac{2}{n+1}\right)^{n/(n-1)}$$

De waarde van p_2, waarvoor de doorstromende massa maximaal is, noemt men de kritieke druk p_k. Dus:

$$\boxed{p_k = p_1 \left(\frac{2}{n+1}\right)^{n/(n-1)}} \tag{15.3}$$

De kritieke drukverhouding ingevuld in 15.2 levert:

$$m_{max} = A_2 \sqrt{\frac{2n}{n-1}\frac{p_1}{v_1}\left\{\left(\frac{2}{n+1}\right)^{2/(n-1)} - \left(\frac{2}{n+1}\right)^{(n+1)/(n-1)}\right\}}$$

$$m_{max} = A_2 \sqrt{\frac{2n}{n-1}\frac{p_1}{v_1}\left\{\left(\frac{2}{n+1}\right)^{2/(n-1)} - \left(\frac{2}{n+1}\right)^{2/(n-1)}\left(\frac{2}{n+1}\right)\right\}}$$

$$\boxed{m_{max} = A_2 \left(\frac{2}{n+1}\right)^{1/(n-1)} \sqrt{\frac{2n}{n+1}\frac{p_1}{v_1}}} \tag{15.4}$$

Het verloop van de doorstromende hoeveelheid uitgezet tegen de drukverhouding $\dfrac{p_2}{p_1}$ is in fig. 15.1 weergegeven.

Bij een drukverhouding lager dan de kritieke neemt de doorstromende hoeveelheid theoretisch tot nul af. Dit laatste lijkt zeer onwaarschijnlijk en de praktijk heeft ook uitgewezen dat dit niet gebeurt. Wordt $p_2 < p_k$, dan blijft m constant. Een verklaring hiervoor zal in XV.3 worden gegeven.

Heerst in een doorsnede de kritieke druk p_k, dan noemt men het bijbehorende

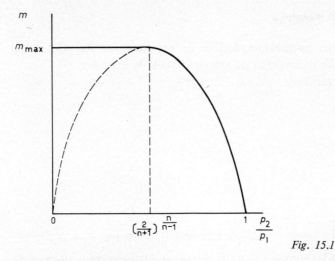

Fig. 15.1

soortelijke volume het kritieke volume v_k, en de bijbehorende snelheid de kritieke snelheid c_k.

De kritieke druk, berekend met (15.3), bedraagt voor een twee-atomig gas met $n = 1,4$, $p_k = 0,529 \, p_1$ en

voor stoom met $n = 1,3$ $p_k = 0,546 \, p_1$

voor stoom met $n = 1,135$ $p_k = 0,577 \, p_1$

Uit $pv^n = C$ volgt:

$$\frac{v_1}{v_k} = \left(\frac{p_k}{p_1}\right)^{1/n} = \frac{2}{n+1}\right)^{1/(n-1)}$$

$$\boxed{v_k = v_1 \left(\frac{n+1}{2}\right)^{1/(n-1)}} \qquad (15.5)$$

Voor een twee-atomig ideaal gas ($n = 1,4$) levert dit: $v_k = 1,58 \, v_1$.
En uit (15.1) met $p_2 = p_k$ volgt:

$$c_k = \sqrt{\frac{2n}{n-1} \, p_1 v_1 \left\{1 - \frac{2}{n+1}\right\}}$$

$$\boxed{c_k = \sqrt{\frac{2n}{n+1} \, p_1 v_1}} \qquad (15.6)$$

Voor ideale gassen is deze vorm nog te vereenvoudigen tot:

$$\boxed{c_k = \sqrt{\frac{2n}{n+1} \, RT_1}} \qquad (15.7)$$

Voor lucht van 200 °C levert dit een snelheid van circa 400 m/s.

253

XV.3. De vorm van de straalpijp

Een verklaring voor het horizontale deel in de kromme van fig. 15.1 is te vinden in het bijzondere gedrag van de stoom tijdens de expansie.
Uit de continuiteitsvergelijking:

$$\frac{A_1 c_1}{v_1} \quad \frac{A_2 c_2}{v_2}$$

volgt dat:

$$A_2 = A_1 \frac{c_1 v_2}{c_2 v_1} \tag{a}$$

Het verloop van c_2 en v_2 met de drukverhouding $\frac{p_2}{p_1}$ is in fig. 15.2 geschetst.
Hoewel de juiste vorm nog door andere factoren wordt bepaald, vertonen de krommen van gassen en dampen eenzelfde algemene tendens.
In het begin is de mate waarin het soortelijk volume toeneemt minder dan de mate waarin de snelheid toeneemt terwijl na zekere tijd dit juist omgekeerd is. Uit (a) volgt dan dat A_2 eerst moet afnemen en vervolgens weer moet toenemen. De drukverhouding waarbij A_2 minimaal is, is de reeds eerder genoemde kritieke drukverhouding. In de kleinste doorsnede — de *keel* genoemd — heersen de kritieke toestanden, dus de kritieke druk, de kritieke snelheid en het kritieke volume.

Fig. 15.2

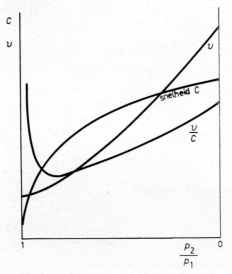

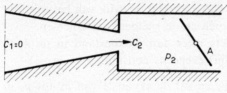

Fig. 15.3

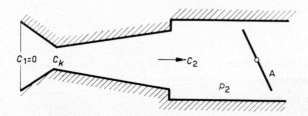

Fig. 15.4

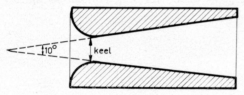

Fig. 15.5

Resumerend kan men dus zeggen dat bij een uitstroomopening volgens fig. 15.3, een z.g. convergerende straalbuis, bij een verlaging van de tegendruk p_2 (door het openen van de klep A) de snelheid steeds toeneemt. Dit gaat door totdat $p_2 = p_k$.

In de keeldoorsnede is dan de druk p_k en de snelheid c_k.

Daalt p_2 tot beneden de kritieke waarde p_k, dan blijft de toestand in de keeldoorsnede dezelfde. *Buiten* de straalbuis voltrekt zich dan de expansie van p_k tot p_2, een plotselinge niet-omkeerbare expansie, die niet meer bijdraagt tot een verhoging van de snelheid.

Heeft men daarentegen een convergente-divergente straalbuis (fig. 15.4), dan zal, bij verlaging van p_2, de druk in de keel op een zeker moment de waarde p_k bereiken.

255

De einddruk p_2 is dan echter nog hoger dan p_k, zodat de druk van het medium in het divergerende deel weer zal toenemen en de snelheid zal afnemen.
Verdere verlaging van p_2 verandert niets meer aan de toestand in de *keeldoorsnede*. De doorstromende massa blijft eveneens constant. ($= m_{max}$)

In de ontwerptoestand is echter $p_2 < p_k$ en zal de expansie van p_k tot p_2 in het divergerende deel van de straalbuis plaatsvinden. De eindsnelheid c_2 wordt daarbij groter dan c_k en kan uit (15.1) worden berekend.
De keeldoorsnede A_k wordt berekend met behulp van:

$$A_k = \frac{v_k}{c_k}$$

Daar m één gesteld is, vindt men hiermee de doortocht per kg doorgestroomd medium per seconde. Het convergerende deel is weinig belangrijk, mits deze met een goede afronding in de keel overgaat.

De einddoorsnede van het divergerende deel $A_2 = \frac{v_2}{c_2}$. Ook hier moet A_2 nog met de doorstromende massa worden vermenigvuldigd. Proefondervindelijk heeft men vastgesteld dat een kegel met een tophoek van 10° de meest gunstige vorm is voor het divergente deel. Met de gevonden A_2 ligt nu de lengte van de straalbuis vast.

Opmerking

De kritieke snelheid is nog op een andere wijze te formuleren.

Uit $p_1 v_1^n = p_k v_k^n$ volgt ook:

$$\frac{p_1 v_1^n}{v_1^{n-1}} = \frac{p_k v_k^n}{v_1^{n-1}} \rightarrow p_1 v_1 = \frac{p_k v_k v_k^{n-1}}{v_1^{n-1}}$$

$$p_1 v_1 = p_k v_k \left(\frac{v_k}{v_1}\right)^{n-1} = p_k v_k \frac{n+1}{2}$$

Dit ingevuld in:

$$c_k = \sqrt{\frac{2n}{n+1} p_1 v_1}$$

geeft:

$$\boxed{c_k = \sqrt{n p_k v_k}} \tag{15.8}$$

Voor de voortplantingssnelheid van een geluidstrilling in een gas met druk p_k

en soortelijk volume v_k is door Laplace eenzelfde formule gevonden. Vandaar dat men de snelheid c_k ook wel de geluidssnelheid noemt.

De maximaal doorstromende hoeveelheid is dus ook te schrijven als:

$$m_{max} = \frac{A_k c_k}{v_k} = \frac{A_k \sqrt{n p_k v_k}}{v_k}$$

$$\boxed{m_{max} = A_k \sqrt{n \frac{p_k}{v_k}}}$$

(15.9)

Deze uitdrukking moet overeenkomen met (15.4).

Toepassing

In een straalpijp expandeert stoom van 15 bar en 350 °C isentroop tot op 3 bar. In de eindtoestand is de stoom nog oververhit.

De doorgestroomde hoeveelheid bedraagt 3 kg/s. Bepaal volume, snelheid en druk in de keeldoorsnede, de eindsnelheid en het oppervlak van keel- en einddoorsnede in cm². Het soortelijk volume van de stoom in de begintoestand is 0,190 m³/kg.

Oplossing

$$p_k = p_1 \left(\frac{2}{n+1}\right)^{n/(n-1)}$$

Met $n = 1,3 \rightarrow p_k = 15 \cdot 0,546 = \textbf{8,2}$ bar

$$c_k = \sqrt{\frac{2n}{n+1} \, p_1 \, v_1} = \sqrt{3,22 \cdot 10^5} = \textbf{568 m/s}$$

$$v_k = v_1 \left(\frac{n+1}{2}\right)^{1/(n-1)} = v_1 \cdot 1,595 = \textbf{0,303 m}^3\textbf{/kg}$$

De eindsnelheid:

$$c_2 = \sqrt{\frac{2n}{n-1} \, p_1 \, v_1 \, \left\{1 - \left(\frac{p_2}{p_1}\right)^{(n-1)/n}\right\}} = \textbf{875 m/s}$$

Gebruikt men het h-s-diagram dan komt men tot 869 m/s

$$A_k = \frac{m \, v_k}{c_k} = \frac{3 \cdot 0,303}{568} = 0,001\,6 \text{ m}^2 = \textbf{16,0 cm}^2$$

$$A_2 = \frac{m \, v_2}{c_2}$$

Het soortelijk volume in de eindtoestand:

$$v_2 = \left(\frac{p_1}{p_2}\right)^{1/n} v_1 = 0,654 \text{ m}^3\text{/kg}$$

$$A_2 = \frac{3 \cdot 0,654}{875} = 0,002\,24 \text{ m}^2 = \textbf{22,4 cm}^2$$

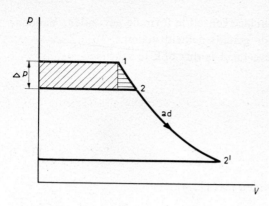

Fig. 15.6

XV.4. Stroming bij kleine drukverschillen

$$\frac{c_2^2 - c_1^2}{2} = h_1 - h_2 = -\int_1^2 v\mathrm{d}p$$

Bij zeer kleine drukveranderingen kan het volume gedurende de toestandsverandering constant worden verondersteld, zodat:

$$\frac{c_2^2 - c_1^2}{2} = -v\int_1^2 \mathrm{d}p = v(p_1 - p_2)$$

Het horizontaal gearceerde oppervlakje in fig. 15.6 wordt verwaarloosd.
Dit is toelaatbaar wanneer $p_1 - p_2 < 0,02\ p_1$.

Toepassing

Wanneer in een leiding de snelheid van een gas, tengevolge van een vergroting van de diameter, afneemt van 10 m/s tot 3 m/s, met welk bedrag neemt dan de druk toe? Het soortelijk
volume van het gas bedraagt 0,715 m³/kg.

Oplossing

$$\frac{c_1^2 - c_2^2}{2} = v(p_2 - p_1) = v\Delta p$$

Deze betrekking volgt ook uit (8.8):

$$\frac{100 - 9}{2} = 0,715\ \Delta p \rightarrow \Delta p = 63,6\ \text{N/m}^2 = \mathbf{6,5}\ \text{mm } H_2O.$$

258

XV.5. Vraagstukken

1. Bereken voor een twee-atomig gas de kritieke drukverhouding, de kritieke volumeverhouding en de kritieke snelheid als de temperatuur van het gas 227 °C bedraagt.
   $R = 287$ J/kg K, $k = 1,4$.

2. Bepaal voor verzadigde stoom van 10 bar de kritieke druk, de kritieke snelheid en het
   kritieke volume. $v_d = 0,194$ m^3/kg.

3. Bepaal van de kritieke snelheid, geschreven als $c_k = a \sqrt{p_1 \, v_1}$ m/s, de constante a
   voor een twee-atomig ideaal gas, voor verzadigde stoom en voor oververhitte stoom.

4. Bepaal voor lucht, verzadigde stoom en oververhitte stoom de maximale hoeveelheid
   die uit een opening met een oppervlak A kan wegstromen wanneer de begindruk p_1
   en het soortelijk volume in de begintoestand v_1 is.

5. In de wand van een vat bevindt zich een goed afgeronde opening. De kleinste doorsnede bevindt zich aan de binnenzijde van de wand en heeft een oppervlak van 50 mm^2.
   Door deze opening stroomt lucht van 1 bar en 300 K naar binnen. De druk in het vat
   blijft constant en wel 0,1 bar. Bereken de naar binnenstromende luchthoeveelheid.
   $R = 287$ J/kg K, $k = 1,4$.
   Bereken deze hoeveelheid eveneens wanneer de druk in het vat 0,2 bar, 0,4 bar en 0,528
   bar bedraagt.

6. Bereken de eindsnelheid die stoom verkrijgt in de volgende gevallen:
   a Expansie van verzadigde stoom van 12 bar tot 0,2 bar in een convergente straalbuis;
   b Expansie van verzadigde stoom van 12 bar tot 0,2 bar in een rechte buis;
   c Expansie van stoom van 12 bar en 350 °C tot 0,2 bar in een convergente straalbuis;
   d Expansie van verzadigde stoom van 12 bar tot 0,2 bar in een convergente-divergente
      straalbuis. Het soortelijk volume van de verzadigde stoom is 0,163 m^3/kg, van de
      oververhitte stoom 0,234 m^3/kg.

7. In een vat bevindt zich lucht van 27 °C en een overdruk van 200 mm H$_2$O t.o.v. de
   atmosferische druk die 73,5 cm Hg bedraagt.
   Hoeveel gram lucht stroomt per seconde door een goed afgeronde opening van 80
   mm^2 uit het vat? $R = 287$ J/kg K.

8. In een leiding stroomt een gas onder een overdruk van 125 mm H$_2$O. De barometerstand
   is 76 cm Hg. De temperatuur van het gas bedraagt 7 °C, de dichtheid bij 0 °C en
   76 cm Hg 0,80 kg/m^3. Hoeveel m^3 gas stroomt per uur uit een opening van 1 cm^2?

HOOFDSTUK XVI

Warmte-overdracht

XVI.1. Inleiding

Talrijk zijn de gevallen waarbij warmte-overdracht in de techniek een rol speelt. In elke ketel, condensor, oliekoeler, luchtverhitter enz. wordt warmte van het ene medium op het andere overgedragen.

De overgang van warmte kan echter op verschillende manieren plaatsvinden, namelijk:

1   door *geleiding*, dit is warmte-overdracht binnen de beschouwde stof, waarbij de deeltjes met de hoogste temperatuur een deel van hun trillings-energie afstaan aan de minder energierijke. De deeltjes veranderen hierbij niet van plaats.

2   door *stroming* (convectie), dit is warmte-overdracht door beweging van deeltjes in een vloeibaar of gasvormig medium;

3   door *straling*, dit is warmte-overdracht tussen twee lichamen die niet met elkaar in aanraking zijn.

Een noodzakelijke voorwaarde voor het optreden van 1, 2 of 3 is het bestaan van een temperatuurverschil. Zolang dit aanwezig is, zal warmte van een plaats van hogere temperatuur stromen naar een plaats van lagere temperatuur.

In de praktijk voltrekt zich de warmte-overdracht meestal niet afzonderlijk, maar door een combinatie van 1, 2 en 3.

In een ketel b.v. wordt door straling warmte aan de wanden van de vuurhaard afgegeven. Deze warmte wordt door de pijpwand geleid en gaat tenslotte door geleiding en convectie op het water over.

Aangezien zowel 1, 2 als 3 aparte wetten volgen, zullen ze afzonderlijk worden behandeld.

WARMTEGELEIDING

XVI.2. Warmtegeleiding door een vlakke wand

We beschouwen een vlakke wand van een homogeen materiaal, waarvan de afmetingen zo groot worden verondersteld dat de randinvloeden buiten beschouwing kunnen blijven.

Zijn de (constante) oppervlaktetemperaturen T_1 en T_2 en is de dikte δ, dan leert de ervaring dat in stationaire toestand de doorstromende warmtehoeveelheid Q (in J)

recht evenredig is met $\begin{cases} \text{het temperatuurverschil } T_1 - T_2 \text{ (in K),} \\ \text{het oppervlak van de wand } A \text{ (in m}^2\text{),} \\ \text{de tijdsduur van de warmte-overgang } z \text{ (in s)} \end{cases}$

en omgekeerd evenredig met de dikte δ (in m).

$$\text{Dus } Q = \lambda \, A \, z \, \frac{T_1 - T_2}{\delta}$$

Hierin is λ een evenredigheidscoëfficiënt die de *warmtegeleidingscoëfficiënt* wordt genoemd en die afhankelijk is van het materiaal van de wand.

Neemt men $T_1 - T_2 = 1$ K, $z = 1$ s, $A = 1$ m^2 en $\delta = 1$ m dan is $Q = \lambda$, zodat λ de hoeveelheid warmte voorstelt die per seconde door een wand stroomt waarvan de dikte 1 m is, het oppervlak 1 m^2 en het temperatuurverschil tussen de oppervlakken 1 K. Derhalve wordt λ uitgedrukt in watt per meter Kelvin (J/msK = W/m K).

Enige waarden van λ vindt men in onderstaande tabel.

Warmtegeleidingscoëfficiënt λ bij 20 °C			
	W/m K		W/m K
koper	350	chamottesteen	1,20
aluminium	210	glas	1,15
zink	111	porselein	0,8...1,9
messing	80...115	ketelsteen	0,7...2,3
zuiver ijzer	70	asbest	0,22
gietijzer	58	olie	0,13
staal met 5 % Ni	35	lucht	0,025

De hoogste waarden van λ vindt men bij metalen, de laagste bij gassen. Legeringsbestanddelen hebben een grote invloed op de λ-waarden; enige sporen van bijmengselen kunnen de λ al zeer sterk doen veranderen. De geleidingscoëfficiënt is nog in geringe mate afhankelijk van de temperatuur, bij gassen van de temperatuur en de druk.

261

Van de lage geleidingscoëfficiënt van gassen maakt men gebruik bij isolatie-materialen. Deze bestaan n.l. uit een zeer poreus materiaal waarin een groot volume lucht kan worden opgesloten.

Neemt men bij een gegeven temperatuurverschil een gemiddelde waarde van λ aan, dan is het verloop van de temperatuur rechtlijnig (fig. 16.1).

Beschouwt men de warmtehoeveelheid die per tijdseenheid overgaat, ook wel de warmtestroom Φ (in J/s = W) genoemd, dan geldt:

$$\Phi = \lambda A \frac{T_1 - T_2}{\delta}$$

of:

$$\Phi = \frac{A(T_1 - T_2)}{\delta/\lambda} \tag{a}$$

Heeft men een wand opgebouwd uit meer lagen, b.v. 3 (fig. 16.2), met ver-schillende warmtegeleidingscoëfficiënt en dikte, dan is in stationaire toestand de warmtestroom die door elk van de wanden geleid wordt, dezelfde.

Dus volgens (a):

$$\Phi = \lambda_1 A \frac{T_1 - T'}{\delta_1} \rightarrow T_1 - T' = \frac{\Phi \, \delta_1}{\lambda_1 \, A}$$

$$\Phi = \lambda_2 A \frac{T' - T''}{\delta_2} \rightarrow T' - T'' = \frac{\Phi \, \delta_2}{\lambda_2 \, A}$$

$$\Phi = \lambda_3 A \frac{T'' - T_2}{\delta_3} \rightarrow T'' - T_2 = \frac{\Phi \, \delta_3}{\lambda_3 \, A}$$

Fig. 16.1

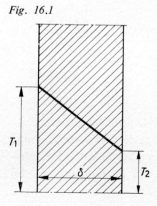

Fig. 16.2

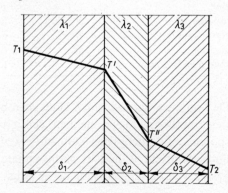

Sommering levert:

$$T_1 - T_2 = \frac{\Phi}{A}\left(\frac{\delta_1}{\lambda_1} + \frac{\delta_2}{\lambda_2} + \frac{\delta_3}{\lambda_3}\right)$$

$$\Phi = \frac{A(T_1 - T_2)}{\dfrac{\delta_1}{\lambda_1} + \dfrac{\delta_2}{\lambda_2} + \dfrac{\delta_3}{\lambda_3}}$$

$$\boxed{\Phi = \frac{A(T_1 - T_2)}{\Sigma\,\dfrac{\delta}{\lambda}}} \qquad (16.1)$$

De uitkomst van de berekening levert een formule van dezelfde gedaante als (a). In de noemer moet nu de som van de verhoudingen δ/λ worden ingevuld. Het temperatuurverschil in elke laag is evenredig met δ/λ. Hoe groter deze verhouding is, hoe groter het temperatuurverschil moet zijn om een bepaalde warmtestroom te verkrijgen.

Voor de *getalwaarde* van $T_1 - T_2$ maakt het uiteraard geen verschil of deze in graden Celsius dan wel in Kelvin wordt uitgedrukt.

Opmerking

1   Tussen de warmtestroom volgens (16.1) en de wet van Ohm $\left(I = \dfrac{U}{R}\right)$

bestaat een zekere overeenkomst. Het potentiaalverschil U kan vergeleken worden met het temperatuurverschil, de stroom I met de warmte-

stroom, terwijl de warmteweerstand $R_w = \Sigma\dfrac{1}{\lambda}\dfrac{\delta}{A}$ analoog is met de elek-

trische weerstand.

2   In de scheidingsvlakken tussen twee platen treden overgangsweerstanden op.
Deze zijn echter verwaarloosbaar als de platen stevig op elkaar worden gedrukt.

XVI.3.   Warmtegeleiding door een buiswand

Fig. 16.3 stelt een dikwandige buis voor met inwendige straal r_1, uitwendige straal r_2, met een wandtemperatuur T_1 aan de binnenzijde en T_2 aan de buitenzijde.

Is $T_1 > T_2$, dan zal warmte van binnen naar buiten stromen waarbij het te passeren oppervlak steeds groter wordt.

Op een willekeurige afstand x van het middelpunt is het oppervlak

$$A = 2\pi \, x \, l$$

waarin l de buislengte voorstelt.

Een cilinder met oneindig kleine wanddikte dx en een temperatuurverschil dT kan als een vlakke wand worden beschouwd. De warmtedoorgang is dan volgens (a):

$$\Phi = -\lambda \, A \frac{dT}{dx} = -\lambda \, 2\pi \, x \, l \frac{dT}{dx}$$

Het minteken moet hier worden toegevoegd omdat bij een toeneming van x, de temperatuur afneemt.

Uit bovenstaande formule volgt dan dat:

$$dT = \frac{-\Phi \, dx}{2\pi \, \lambda l x}$$

$$\int_{T_1}^{T_2} dT = \frac{-\Phi}{2\pi \, \lambda l} \int_{r_1}^{r_2} \frac{dx}{x}$$

Na integratie:

$$T_2 - T_1 = \frac{-\Phi}{2\pi \, \lambda l} \ln \frac{r_2}{r_1} \rightarrow \Phi = \frac{2\pi \, \lambda l}{\ln \frac{2}{r_1}} T_1 - T_2)$$

Deelt men door l dan is:

$$\Phi = \frac{2\pi \, \lambda}{\ln \frac{r_2}{r_1}} (T_1 - T_2) \qquad\qquad \text{(b)}$$

de warmtestroom per meter buislengte uitgedrukt in $J/ms = W/m$. De temperatuur daling verloopt hier niet lineair zoals bij een vlakke wand, maar volgens een logaritmische kromme (fig. 16.3).

Bestaat de buiswand uit meer lagen (b.v. een geïsoleerde stoomleiding) met geleidingscoëfficiënten λ_1 en λ_2, dan kan men, analoog aan de berekening van de vlakke wand schrijven (fig. 16.4):

$$\Phi = \frac{2\pi\lambda_1}{\ln \frac{r'}{r_1}} (T_1 - T') \rightarrow T_1 - T' = \frac{\Phi \ln \frac{r'}{r_1}}{2\pi\lambda_1}$$

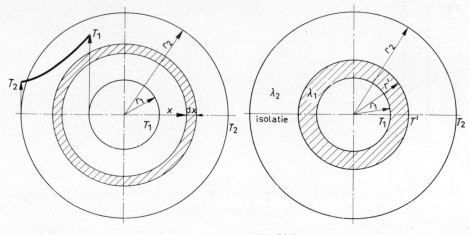

Fig. 16.3   Fig. 16.4

$$\Phi = \frac{2\pi\,\lambda_2}{\ln \dfrac{r_2}{r_,}}(T' - T_2) \to T' - T_2 = \frac{\Phi \ln \dfrac{r_2}{r'}}{2\pi\,\lambda_1}$$

Sommering levert: $T_1 - T_2 = \Phi\left(\dfrac{\ln \dfrac{r'}{r_1}}{2\pi\,\lambda_1} + \dfrac{\ln \dfrac{r_2}{r'}}{2\pi\,\lambda_2}\right)$

$$\Phi = \frac{T_1 - T_2}{\dfrac{\ln (r'/r_1)}{2\pi\,\lambda_1} + \dfrac{\ln (r_2/r')}{2\pi\,\lambda_2}}$$

$$\boxed{\Phi = \frac{T_1 - T_2}{\Sigma\,\dfrac{\ln r_u/r_i}{2\pi\lambda}}} \qquad (16.2)$$

Hierin zijn r_i en r_u de in- en uitwendige straal van de betreffende laag en is λ de bijbehorende geleidingscoëfficiënt.

Opmerking

Een dunwandige buis kan berekend worden als een vlakke plaat, dus m.b.v. (a) van pag. 262.

$$\Phi = \frac{A(T_1 - T_2)}{\delta/\lambda}\ \text{(in J/s)}$$

265

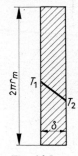

Fig. 16.5

Hierin is δ de wanddikte ($\delta = r_2 - r_1$) en A het buisoppervlak. Per meter buislengte is $A = 2\pi r_m$ waarin r_m de gemiddelde straal voorstelt.

$$r_m = \frac{r_1 + r_2}{2}$$

$$\boxed{\Phi = \frac{2\pi\, r_m (T_1 - T_2)}{\delta/\lambda}} \quad \text{(in W/m)} \tag{16.3}$$

Zolang $r_2 < 1,5\, r_1$ is de hierbij gemaakte fout te verwaarlozen.

Toepassing

Een stoompijp van 100 m lengte met 20/26 mm diameter, heeft een wandtemperatuur aan de binnenzijde van 150 °C. De temperatuur van de buitenwand bedraagt 120 °C. Wat is het warmteverlies in J/ms. Als deze leiding met een 3 cm dikke laag geïsoleerd wordt waarbij de temperatuur aan de buitenzijde van de isolatie 20 °C bedraagt, wat is dan de jaarlijkse besparing in guldens als de prijs van 10^6 kJ f 2,- bedraagt en de leiding 300 dagen per jaar in bedrijf is $\lambda_{\text{pijp}} = 50$ W/m K. $\lambda_{\text{isolatie}} = 0,02$ W/m K.

Oplossing

Uit (16.3) volgt:

$$\Phi = \frac{2\pi \cdot 0,0115 \cdot 30 \cdot 50}{0,003} = \textbf{3 610} \text{ J/m.s}$$

Na het aanbrengen van de isolatie is volgens (16.2):

$$\Phi = \frac{130}{\dfrac{2,3 \log \dfrac{13}{10}}{2\pi \cdot 50} + \dfrac{2,3 \log \dfrac{43}{13}}{2\pi \cdot 0,02}} = 13,7 \text{ J/ms.}$$

Besparing 3 610 − 13,7 = 3 596,3 J/ms

Jaarlijkse besparing $\dfrac{3\,596,3 \cdot 300 \cdot 24 \cdot 3\,600 \cdot 100}{10^9} \cdot 2 = f\,\textbf{18 600,—}$

XVI.4. Vraagstukken

1. Van een wand van 300 m² is bekend dat de warmtedoorgang 15 kJ/s bedraagt. De wanddikte is 15 cm, het temperatuurverschil tussen buiten- en binnenwand is 100 °C· Bereken de warmtegeleidingscoëfficiënt λ.

2. De temperatuur aan de buitenzijde van een stoomleiding met een wanddikte van 0,5 cm is 200 °C. De buitendiameter is 25 cm, de temperatuur aan de binnenzijde 220 °C. Bereken het warmteverlies in kJ/m²s als de geleidingscoëfficiënt van de pijp 50 W/mK bedraagt.

3. Van een elektrische oven zijn de inwendige afmetingen 50 × 50 × 75 cm. De oven is opgebouwd uit een laag vuurvaste steen van 15 cm ($\lambda = 0,5$ W/mK), waaromheen een isolatielaag van 10 cm is aangebracht ($\lambda = 0,05$ W/mK). Het geheel is afgedekt met een 2,5 mm dikke plaat ($\lambda = 50$ W/mK).
Bepaal het warmteverlies in J/s als de oppervlaktetemperatuur van de plaat 40 °C en die van de steen aan de binnenzijde 600 °C bedraagt. De invloed van de hoeken wordt buiten beschouwing gelaten.

4. Van een stoomleiding met een uitwendige diameter van 254 mm en een wanddikte van 7 mm, is de temperatuur aan de binnenwand 350 °C en de leidinglengte 50 m. Wat is de minimumdikte van de aan te brengen isolatie wanneer men eist dat de warmte-verliezen maximaal 200 MJ per uur mogen bedragen? $\lambda_{\text{pijp}} = 50$ W/m K, $\lambda_{\text{isolatie}} = 0,1$ W/mK. De temperatuur aan de buitenzijde van de isolatie bedraagt 30 °C.

5. Een stenen wand van een oven met een oppervlakte van 8 m² en een geleidingscoëfficiënt van 0,5 W/mK is afgedekt met een aluminiumplaat van 2 mm dikte. Als de oppervlakte-temperatuur van de steen aan de binnenzijde 800 °C bedraagt en die van het aluminium aan de buitenzijde 50 °C, wat is dan de dikte van de stenen wand als per uur 150 MJ door de wand wordt geleid? Heeft de aluminiumlaag zin voor vermindering van de warmtegeleiding? λal. = 200 W/mK.

XVI.5. Warmte-overgang en warmtegeleiding

Vormt een vlakke wand met dikte δ de scheiding tussen twee media (vloeistof of gas) met temperatuur T_1 resp. T_2, dan bestaat de warmte-overdracht uit drie processen, nl.:
1 de warmte-overdracht van het warme medium op de wand;
2 de warmtegeleiding door de wand;
3 de warmte-overgang van de wand op het koude medium.
Om 1 te doen plaatsvinden is het noodzakelijk dat $T_1 > T_1'$ (fig. 16.6), zodat:

$$T_1 > T_1' > T_2' > T_2$$

In stationaire toestand zullen de deeltjes die hun warmte hebben afgegeven resp. opgenomen, door nieuwe moeten worden vervangen. Er treedt dus altijd een stroming van het warme en het koude medium op. Aangenomen wordt dat de temperatuur overal in het stromende medium constant is (T_1 en T_2)

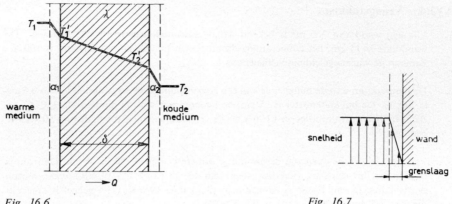

Fig. 16.6   Fig. 16.7

en dat het snelheidsverloop is zoals fig. 16.7 aangeeft. Bij de stroming zullen de deeltjes vlak langs de wand zich hieraan vasthechten. Hun snelheid t.o.v. de wand is nul en hun temperatuur is gelijk aan de wandtemperatuur.

In de ernaast liggende deeltjes worden temperatuur en snelheid steeds groter tot de aangenomen waarden bereikt zijn.

$T_1 - T_1'$ en $T_2' - T_2$ zijn dus de temperatuurverschillen in een zeer dunne laag, de z.g. grenslaag; de warmte-overgang hierin geschiedt uitsluitend door geleiding.

De dikte van de grenslaag ligt in de orde van grootte van enkele micrometers ($1 \, \mu m = 10^{-6}$ m).

De warmte-overgang wordt sterk beïnvloed door de warmtegeleidingscoëfficiënt en de dikte van de grenslaag. Hierdoor is het niet mogelijk de warmte-overdracht stap voor stap te berekenen.

Men stelt daarom de warmte-overdracht 1 evenredig met het temperatuur-verschil $T_1 - T_1'$ en met het oppervlak A. Men kan nu dus schrijven:

$$\Phi = \alpha_1 \, A (T_1 - T_1') \tag{a}$$

waarin α_1 een evenredigheidscoëfficiënt is die de *warmte-overdrachtscoëfficiënt* wordt genoemd.

De eenheid hiervan is W/m^2K, zoals direct uit (a) volgt:

In deze coëfficiënt zijn alle onbekende factoren die de warmte-overdracht bepalen, verwerkt, zoals de fysische eigenschappen van de vloeistof of het gas, de eigenschappen van de wand (b.v. ruw of glad), de stromingssnelheid en de zo belangrijke dikte van de grenslaag. Hoe groter de stromingssnelheid is, des te dunner is de grenslaag waardoor de warmte-overdracht gunstig wordt beïnvloed. De waarde van α is slechts voor één bepaalde situatie als een constante te beschouwen.

Voor stromende lucht varieert α van 10 tot 100 W/m^2K.

Voor stromende vloeistof varieert α van $20 \rightarrow 12\,000$ W/m²K.

Voor kokende vloeistof varieert α van $12\,000 \rightarrow 23\,000$ W/m²K.

In stationaire toestand wordt dezelfde warmtehoeveelheid die op de wand overgaat, door geleiding verder getransporteerd.

$$\Phi = \frac{\lambda\,A(T_1' - T_2')}{\delta} \tag{b}$$

en gaat vervolgens op het tweede medium over.

$$\Phi = \alpha_2\,A(T_2' - T_2) \tag{c}$$

Uit (a), (b) en (c) volgt:

$$T_1 - T_1' = \frac{\Phi}{\alpha_1\,A}$$

$$T_1' - T_2' = \frac{\Phi\,\delta}{\lambda\,A}$$

$$T_2' - T_2 = \frac{\Phi}{\alpha_2\,A}$$

$$\overline{\hspace{8cm}} +$$

Sommering levert: $T_1 - T_2 = \dfrac{\Phi}{A}\left(\dfrac{1}{\alpha_1} + \dfrac{\delta}{\lambda} + \dfrac{1}{\alpha_2}\right)$

of:

$$\Phi = \frac{A(T_1 - T_2)}{\dfrac{1}{\alpha_1} + \dfrac{\delta}{\lambda} + \dfrac{1}{\alpha_2}}$$

Noemt men $\dfrac{1}{\dfrac{1}{\alpha_1} + \dfrac{\delta}{\lambda} + \dfrac{1}{\alpha_2}} = k$

dan is:

$$\boxed{\Phi = kA(T_1 - T_2)} \tag{16.4}$$

De *warmtedoorgangs- of transmissiecoëfficiënt* k wordt uitgedrukt in W/m²K en heeft dus dezelfde dimensie als α.

Bestaat de wand uit meer lagen, variërend in dikte en geleidingscoëfficiënt, dan kan voor k worden geschreven:

$$\boxed{k = \frac{1}{\dfrac{1}{\alpha_1} + \dfrac{1}{\alpha_2} + \Sigma\,\dfrac{\delta}{\lambda}}} \tag{16.5}$$

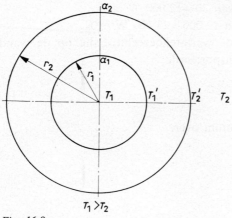

Fig. 16.8

Ook hier kan men, analoog aan de elektriciteitsleer, de term

$$\frac{1}{\alpha_1} + \Sigma \frac{\delta}{\lambda} + \frac{1}{\alpha_2}$$

beschouwen als de som drie, in serie geplaatste thermische weerstanden.

Wordt de scheiding tussen de beide media gevormd door een cilindrische wand, dan verloopt de berekening als volgt (fig. 16.8):

Per meter buislengte is de warmtestroom op de wand:

$$\Phi = \alpha_1 A_1 (T_1 - T_1') \rightarrow T_1 - T_1' = \frac{\Phi}{\alpha_1 A_1} \tag{d}$$

De warmtestroom door de wand:

$$\Phi = \frac{2\pi \lambda}{\ln (r_2/r_1)} (T_1' - T_2') \rightarrow T_1' - T_2' = \Phi \frac{\ln (r_2/r_1)}{2\pi \lambda} \tag{e}$$

De warmte-overgang op het koude medium:

$$\Phi = \alpha_2 A_2 (T_2' - T_2) \rightarrow T_2' - T_2 = \frac{\Phi}{\alpha_2 A_2} \tag{f}$$

Optellen van (d), (e) en (f) levert:

$$T_1 - T_2 = \Phi \left(\frac{1}{\alpha_1 A_1} + \frac{\ln (r_2/r_1)}{2\pi \lambda} + \frac{1}{\alpha_2 A_2} \right)$$

of:

$$\Phi = \frac{T_1 - T_2}{\dfrac{1}{\alpha_1 A_1} + \dfrac{\ln (r_2/r_1)}{2\pi \lambda} + \dfrac{1}{\alpha_2 A_2}} \quad \text{(in W/m)}$$

$$A_1 = 2\pi r_1 \cdot 1 \qquad A_2 = 2\pi r_2 \cdot 1$$

270

A wordt hier uitgedrukt in m²/m.

Bestaat de wand uit meer lagen dan kan men afleiden dat

$$\Phi = \cfrac{T_1 - T_2}{\dfrac{1}{\alpha_i\,A_i} + \dfrac{1}{\alpha_u\,A_u} + \Sigma\,\dfrac{\ln\,r_u/r_i}{2\pi\lambda}} \tag{16.6}$$

waarin r_i en r_u de in- en uitwendige straal van de betreffende laag voorstellen en λ de bijbehorende geleidingscoëfficiënt. Φ wordt uitgedrukt in W/m.

Toepassing

De muur van een koelcel (fig. 16.9) bestaat achtereenvolgens uit:
een stenen buitenmuur, dik 15 cm, $\lambda = 1{,}2$ W/mK, $\alpha = 20$ W/m²K;
een isolatielaag 25 cm dik, $\lambda = 0{,}02$ W/mK;
een specielaag van 2 cm, $\lambda = 0{,}9$ W/mK, $\alpha = 5$ W/m²K.
De temperatuur van de buitenlucht is 20 °C, de temperatuur in de koelcel -15 °C. Het muuroppervlak is 150 m². Bepaal de totale warmte-overgang in kJ/min en bereken het temperatuurverloop in de wand in °C.

Oplossing

$$k = \cfrac{1}{\dfrac{1}{\alpha_1} + \dfrac{1}{\alpha_2} + \Sigma\,\dfrac{\delta}{\lambda}} = \cfrac{1}{\dfrac{1}{20} + \dfrac{1}{5} + \dfrac{0{,}15}{1{,}2} + \dfrac{0{,}25}{0{,}02} + \dfrac{0{,}02}{0{,}9}} = 0{,}0776 \text{ W/m²K}$$

$\Phi = k\,A\,(t_1 - t_6) = 0{,}0776 \cdot 150 \cdot 35 = 407{,}5$ J/s

$\Phi = \mathbf{24{,}45}$ kJ/min

$\Phi = \alpha_1 A\,(t_1 - t_2) \rightarrow t_1 - t_2 = \dfrac{407{,}5}{20 \cdot 150} \approx 0{,}14$

$t_2 = 20 - 0{,}14 = \mathbf{19{,}86}$ °C.

$\Phi = \dfrac{\lambda\,A\,(t_2 - t_3)}{\delta} \rightarrow t_2 - t_3 = \dfrac{0{,}15 \cdot 407{,}5}{1{,}2 \cdot 150} = 0{,}34.$

$t_3 = t_2 - 0{,}34 = \mathbf{19{,}52}$ °C.

Op dezelfde wijze vindt men:

$t_3 - t_4 = \dfrac{0{,}25 \cdot 407{,}5}{0{,}02 \cdot 150} = 34{,}00$

$t_4 = 19{,}52 - 34{,}00 = -\mathbf{14{,}48}$ °C.

en

$t_4 - t_5 = \dfrac{0{,}02 \cdot 407{,}5}{0{,}9 \cdot 150} = 0{,}06.$

$t_5 = -\mathbf{14{,}54}$ °C.

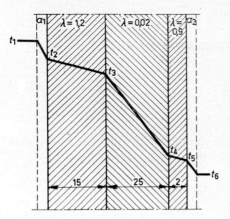

Fig. 16.9

Tenslotte:

$$t_5 - t_6 = \frac{\Phi}{\alpha_2\, A} = \frac{407,5}{5 \cdot 150} = 0,54.$$

$$t_6 = -\,15,08\,^\circ C.$$

Gegeven is dat $t_6 = -15\,^\circ C$. De berekening geeft dus een afwijking van $0,08\,^\circ C$.

XVI.6.   Vraagstukken

6. Bereken de temperatuur aan de binnenkant van een watergekoelde motorcilinder, als het volgende gegeven is:
    temperatuur verbrandingsgassen 1 050 °C;
    temperatuur van het koelwater 50 °C;
    wanddikte 2 cm, $\lambda = 50$ W/mK;
    $\alpha_i = 20$ W/m²K; $\alpha_u = 5\,000$ W/m² K.

7. Een bakstenen muur, 33 cm dik is aan de binnenzijde voorzien van 2 cm pleisterwerk ($\lambda = 0,6$ W/m K), waartegen een 10 mm dikke laag zachtboard is aangebracht.
    Bepaal de geleidingscoëfficiënt van het zachtboard als bekend is dat hierdoor bij gelijke omstandigheden het warmteverlies 20% minder is geworden.
    Voor baksteen is $\lambda = 0,75$ W/m K, terwijl verder gegeven is dat
    $\alpha_i = 7$ W/m²K en $\alpha_u = 20$ W/m²K.

8. Welke dikte moet een gemetselde buitenmuur minstens hebben als het warmteverlies per m² niet groter mag zijn dan van twee halfsteens muren op een afstand van 6 cm van elkaar geplaatst.
    Aangenomen mag worden dat de warmteovergang tussen de twee muren alleen door geleiding plaatsvindt ($\lambda = 0,3$ W/mK).
    De dikte van een éénsteensmuur is 22 cm. $\lambda = 0,5$ W/mK.
    Aan de binnenzijde van de muur is $\alpha = 6$ W/m²K, aan de buitenzijde $\alpha = 20$ W/m²K.
    Bereken de warmteoverdracht in W/m² als het temperatuurverschil tussen de lucht binnen en buiten 25 °C bedraagt.

272

9. Een ketelpijp beschouwd als een vlakke wand met een dikte van 8 mm ($\lambda = 50$ W/mK), vormt de scheiding tussen kokend water van 250 °C ($\alpha = 5\,000$ W/m²K) en rookgassen van 800 °C ($\alpha = 25$ W/m²K). Bepaal de temperaturen van de pijpwand.
Voer de berekening nogmaals uit voor de volgende twee gevallen:
a de pijp is aan de binnenzijde bedekt met een laag ketelsteen van 2 mm dikte ($\lambda = 1$ W/mK).
b de pijp is aan de buitenzijde bedekt met een laag roet van 2 mm ($\lambda = 0,1$ W/mK). De α-waarden blijven hierbij gelijk.

10. Bereken de warmte-overdracht van een ruit in W/m² als de dikte hiervan 5 mm is, de geleidingscoëfficiënt 0,8 W/mK en de warmte-overdrachtscoëfficiënt α van de luchtsnelheid afhangt volgens:
$\alpha = 7,0 \ c^{0,8}$ W/m²K indien $c > 5$ m/s en
$\alpha = 5,5 + 4,0 \ c$ W/m²K indien $c < 5$ m/s.
De circulatiesnelheid van de lucht aan de binnenzijde bedraagt 0,5 m/s, de windsnelheid aan de buitenzijde 10 m/s. De temperatuur binnen is 20 °C, de buitentemperatuur $- 10$ °C.
Bepaal het bovenstaande nogmaals indien op een afstand van 6 mm van de eerste ruit een tweede wordt geplaatst van gelijke dikte. Wordt de geleidingscoëfficiënt van de luchtlaag tussen de twee ruiten op 0,04 W/mK gesteld dan kan worden aangenomen dat deze luchtlaag volkomen in rust verkeert.

11. De zuigleiding van een koelinstallatie is 50 m lang, heeft een diameter van 50/58 mm en is geïsoleerd met een 5 cm dikke kurklaag waarvan $\lambda = 0,04$ W/mK. De temperatuur in de leiding is -20 °C, de temperatuur van de omgeving 20 °C. Verder is gegeven:
$\alpha_i = 40$ W/m²K
$\alpha_u = 10$ W/m²K
$\lambda_{\text{pijp}} = 50$ W/mK.
Bereken de warmtehoeveelheid die op het koelmedium overgaat in J/s.
Voer de berekening ook uit als de leiding niet is geïsoleerd en de waarde van α_u oploopt tot 100 W/m²K.

12. Door een pijpleiding van 250 m lengte stroomt verzadigde stoom met een temperatuur van 179 °C. $D_i = 150$ mm, $D_u = 162$ mm. Hoeveel condensaat ontstaat er in deze leiding per uur als $\alpha_i = 10\,000$ W/m²K, $\alpha_u = 25$ W/m²K, $\lambda = 50$ W/mK en de buitentemperatuur 29 °C is? De condensatiewarmte van de stoom bedraagt 2 011 kJ/kg. Wanneer om de pijp een isolatiemantel van 6 cm dikte wordt aangebracht, hoeveel condensaat ontstaat dan? Geleidingscoëfficiënt $\lambda = 0,05$ W/mK, $\alpha_u = 15$ W/m²K.

13. Door een vierkante leiding van 40 $\times$ 40 cm, vervaardigd uit 2 mm staalplaat ($\lambda = 50$ W/mK) stroomt lucht met een snelheid van 10 m/s en een temperatuur van 125 °C. De leiding is met een 3 cm dikke isolatielaag afgedekt ($\lambda = 0,02$ W/mK). Als de lucht aan het einde van de leiding 2 °C in temperatuur is gedaald, wat is dan de lengte van de leiding?
Gegeven: $\alpha_i = 50$ W/m²K, $\alpha_u = 10$ W/m²K.
De temperatuur van de omgevende lucht is 25 °C. De soortelijke massa van lucht bij 0 °C is 1,3 kg/m³, $c_p = 1,00$ kJ/kgK. De isolatie van de hoeken wordt buiten beschouwing gelaten.

WARMTESTROMING

XVI.7. Het gemiddelde temperatuurverschil

De formule voor de overgedragen warmtehoeveelheid tussen twee media
gescheiden door een wand, werd in XVI.5. afgeleid. Deze bleek o.a. afhankelijk
te zijn van het temperatuurverschil ΔT tussen de beide media ($\Delta T = T_1 - T_2$).
Hierbij werd verondersteld dat de temperatuur aan elke zijde van de wand
constant bleef. In elke warmte-uitwisselaar zal echter het warme medium
worden afgekoeld en het koude worden verwarmd. Het temperatuurverschil ΔT
is derhalve geen constante maar varieert van plaats tot plaats langs de stro-
mingsweg.

Om nu met $\Phi = kA\,\Delta T$ (16.4) de overgedragen warmte te kunnen berekenen,
moet voor ΔT een *gemiddelde* waarde (ΔT_m) worden ingevuld. Een uitdrukking
voor ΔT_m zal in XVI.8. en 9. worden afgeleid.

De meest eenvoudige warmtewisselaar bestaat uit een dubbelwandige buis
(fig. 16.10).

Het ene medium stroomt *door* de buis, het andere *om* de buis.

Stromen ze beide in dezelfde richting, dan spreekt men van *gelijkstroom*.

Zijn de stromingsrichtingen tegengesteld (stippellijn), dan noemt men dit
tegenstroom.

XVI.8. Gelijkstroom

Om het temperatuurverloop van het warme medium W en het koude medium K
te kunnen aangeven, is in fig. 16.11 op de verticale as de temperatuur en op
de horizontale as het afgelegde oppervlak uitgezet.

De indices w en k hebben betrekking op het warme, resp. koude medium,
de indices i en u op de intree-, resp. uittreetoestand.

Fig. 16.10

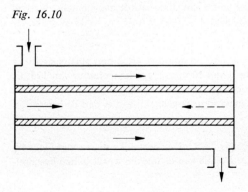

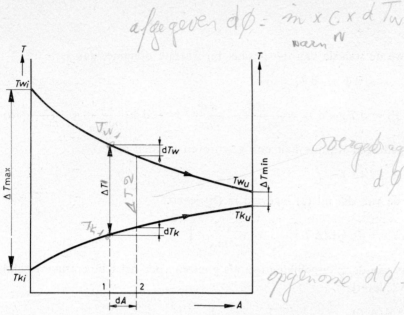

Handwritten annotations on figure:

afgegeven $d\phi = m \times c \times dT_w$
waarin W

overgedragen de
$d\phi = k \times dA \times \Delta T$
kiese ΔT_1 of ΔT_2

opgenome $d\phi = m_k \times c_k \times dT_k$

Figure labels: T, Twi, ΔT_{max}, Tki, J_W, ΔT_1, ΔT_2, T_k, dTw, dTk, Twu, Tku, T, ΔT_{min}, 1, 2, dA, A

Fig. 16.11

Het verloop van de temperaturen is in de figuur aangegeven.

Het verschil $T_{w_i} - T_{w_u}$ en $T_{k_u} - T_{k_i}$ is bij een bepaalde waarde van Φ afhankelijk van de per seconde doorstromende hoeveelheid m_w en m_k en van de soortelijke warmte c_w en c_k.

Naarmate het produkt van massa en soortelijke warmte ($m_w c_w$ of $m_k c_k$) groter is, is het betreffende temperatuurverschil kleiner. Op een willekeurige plaats 1 van het oppervlak is het temperatuurverschil

$$\Delta T_1 = T_{w1} - T_{k1}$$

Nadat een oneindig klein oppervlak dA bestreken is, is het temperatuurverschil

$$\Delta T_2 = (T_{w1} + \mathrm{d}\,T_w) - (T_{k1} + \mathrm{d}\,T_k)$$

De verandering van het temperatuurverschil tussen de twee media is:

$$\mathrm{d}(\Delta T) = \Delta T_2 - \Delta T_1 = \mathrm{d}\,T_w - \mathrm{d}\,T_k \qquad \text{(a)}$$

Bij de stroming langs het oppervlakte-element dA is de warmte-afgifte van W:

$$\mathrm{d}\,\Phi_w = m_w c_w \mathrm{d}\,T_w$$

De warmte die door het koude medium K wordt opgenomen, is in absolute waarde hieraan gelijk.

$$\mathrm{d}\,\Phi_k = m_k c_k \mathrm{d}\,T_k$$

Nemen we de waarde van $d\Phi$ positief bij warmte opname, dan is:

$$d\Phi_w = -d\Phi \text{ en } d\Phi_k = d\Phi$$

$$d(\Delta T) = d T_w - d T_k = \frac{-d\Phi}{m_w c_w} - \frac{d\Phi}{m_k c_k} = -d\Phi\left\{\frac{1}{m_w c_w} + \frac{1}{m_k c_k}\right\}\text{(b)}$$

De overgedragen warmte kan ook geschreven worden als:

$$d\Phi = kdA\Delta T \tag{c}$$

De waarde van $d\Phi$ uit (c) ingevuld in (b) levert:

$$d(\Delta T) = -kdA\Delta T\left(\frac{1}{m_w c_w} + \frac{1}{m_k c_k}\right)$$

Integratie van deze vergelijking met als grenzen voor het temperatuurverschil ΔT_i en ΔT_u levert:

$$\int_{\Delta T_i}^{\Delta T_u}\frac{d(\Delta T)}{\Delta T} = -k\left(\frac{1}{m_w c_w} + \frac{1}{m_k c_k}\right)\int_0^A dA$$

$$\ln\frac{\Delta T_u}{\Delta T_i} = -k\left(\frac{1}{m_w c_w} + \frac{1}{m_k c_k}\right)A \tag{d}$$

Tenslotte geldt dat de totale warmte-afgifte van W gelijk is aan de totale warmte-opneming van K.

$$\Phi_w = m_w c_w (T_{w_u} - T_{w_i})$$

$$\Phi_k = m_k c_k (T_{k_u} - T_{k_i})$$

Evenals in het voorafgaande stellen we $\Phi_w = -\Phi$ en $\Phi_k = \Phi$. Daarmee wordt:

$$\frac{1}{m_w c_w} + \frac{1}{m_k c_k} = \frac{T_{w_u} - T_{w_i}}{-\Phi} + \frac{T_{k_u} - T_{k_i}}{\Phi} = \frac{(T_{w_i} - T_{k_i}) - (T_{w_u} - T_{k_u})}{\Phi}$$

Substitutie hiervan in (d) levert:

$$\ln\frac{\Delta T_u}{\Delta T_i} = \frac{-kA}{\Phi}\{(T_{w_i} - T_{k_i}) - (T_{w_u} - T_{k_u})\} \tag{e}$$

Bij gelijkstroom (fig. 16.11) geldt:

$$T_{w_i} - T_{k_i} = \Delta T_i = \Delta T_{max} \quad \text{en}$$

$$T_{w_u} - T_{k_u} = \Delta T_u = \Delta T_{min} \quad \text{zodat:}$$

$$\boxed{\Phi = kA\frac{\Delta T_{max} - \Delta T_{min}}{\ln\dfrac{\Delta T_{max}}{\Delta T_{min}}}} \tag{16.7}$$

We kunnen dus de algemene formule $\Phi = kA \ \Delta T_m$ aanhouden als voor

$$\Delta T_m = \frac{\Delta T_{max} - \Delta T_{min}}{\ln \dfrac{\Delta T_{max}}{\Delta T_{min}}}$$

wordt ingevuld.

XVI.9. Tegenstroom

In onderstaande figuren is voor tegenstroom het mogelijke temperatuurverloop bij stroming langs een buiswand getekend. Nu kan echter $T_{wu} < T_{ku}$ worden, d.w.z. het warme medium kan worden afgekoeld tot beneden de eindtemperatuur van het koude medium (fig. 16.12). Bij gelijkstroom is dit natuurlijk nooit mogelijk.

Ook kan de situatie zijn zoals fig. 16.13 aangeeft.

Hoe het temperatuurverloop zal zijn is weer afhankelijk van m_w, c_w, m_k en c_k. Is nu $m_k \ c_k$ veel kleiner dan $m_w \ c_w$, dan zal het verloop overeenkomen met fig. 16.12.

Volgens deze figuur is de verandering van het temperatuurverschil over het oneindig kleine oppervlak dA, genomen in de stromingsrichting van W:

$$\mathrm{d}(\Delta T) = \Delta T_2 - \Delta T_1 = \mathrm{d} \ T_w - \mathrm{d} \ T_k$$

De afleiding van ΔT_m verloopt analoog met die van XVI.8.

Fig. 16.12

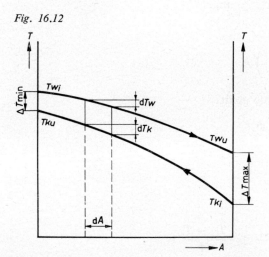

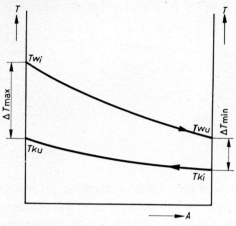

Fig. 16.13

Met $d\Phi$ als positieve waarde is nu echter niet alleen

$d\Phi_w = -d\Phi$, maar ook $d\Phi_k = -d\Phi$, zodat:

$$d\Phi_w = -d\Phi = m_w c_w \Delta T_w \text{ en}$$

$$d\Phi_k = -d\Phi = m_k c_k \Delta T_k$$

$$d(\Delta T) = d T_w - d T_k = \frac{-d\Phi}{m_w c_w} + \frac{d\Phi}{m_k c_k}$$

Verder geldt dat $d\Phi = k\, dA\, \Delta T$, zodat:

$$d(\Delta T) = k\ dA\ \Delta T \left(\frac{-1}{m_w c_w} + \frac{1}{m_k c_k}\right)$$

Integratie levert:

$$\ln\frac{\Delta T_u}{\Delta T_i} = k\left(\frac{-1}{m_w c_w} + \frac{1}{m_k c_k}\right) A \tag{a}$$

Voor de totaal overgedragen warmte geldt:

$$\Phi_w = m_w c_w (T_{w_u} - T_{w_i}) = -\Phi$$

en

$$\Phi_k = m_k c_k (T_{k_u} - T_{k_i}) = \Phi$$

zodat:

$$\frac{-1}{m_w c_w} + \frac{1}{m_k c_k} = \frac{T_{w_u} - T_{w_i}}{\Phi} + \frac{T_{k_u} - T_{k_i}}{\Phi}$$

278

Substitutie in (a) levert:

$$\ln \frac{\Delta T_u}{\Delta T_i} = \frac{kA}{\Phi}\{-(T_{w_i} - T_{k_u}) + (T_{w_u} - T_{k_i})\}$$

Volgens fig. 16.12 is $T_{w_i} - T_{k_u} = \Delta T_i = \Delta T_{min}$

en $\qquad\qquad\qquad T_{w_u} - T_{k_i} = \Delta T_u = \Delta T_{max}$, zodat:

$$\ln \frac{\Delta T_{max}}{\Delta T_{min}} = \frac{kA}{\Phi}(\Delta T_{max} - \Delta T_{min})$$

$$\boxed{\Phi = kA \, \frac{\Delta T_{max} - \Delta T_{min}}{\ln \dfrac{\Delta T_{max}}{\Delta T_{min}}}}$$

Volgens fig. 16.13 is:

$$T_{w_i} - T_{k_u} = \Delta T_i = \Delta T_{max}$$

$$T_{w_u} - T_{k_i} = \Delta T_u = \Delta T_{min}$$

Nu is:

$$\ln \frac{\Delta T_{min}}{\Delta T_{max}} = \frac{kA}{\Phi}(\Delta T_{min} - \Delta T_{max})$$

$$\Phi = kA \frac{\Delta T_{max} - \Delta T_{min}}{\ln \dfrac{\Delta T_{max}}{\Delta T_{min}}}$$

Ook deze formule is dezelfde als die welke bij gelijkstroom werd gevonden. De uitdrukking (16.7) kan dus zowel voor gelijkstroom als tegenstroom worden toegepast.

De bepaling van ΔT_m kan in sommige gevallen vereenvoudigd worden. Men berekent dan, uit de intree- en uittreetemperaturen, het rekenkundig gemiddelde van het warme en het koude medium en trekt deze van elkaar af.

$$\Delta T_m = \frac{T_{w_i} + T_{w_u}}{2} - \frac{T_{k_i} + T_{k_u}}{2} = \frac{\Delta T_{max} + \Delta T_{min}}{2}$$

Deze benadering, welke voor zowel gelijkstroom als tegenstroom geldig is is voldoende nauwkeurig zolang $\dfrac{\Delta T_{min}}{\Delta T_{max}} > 0{,}5$

XVI.10. Kruisstroom

Bij zuivere kruisstroom zoals in fig. 16.14 is getekend, zijn de uittreetemperaturen van het warme en koude medium van plaats tot plaats verschillend.

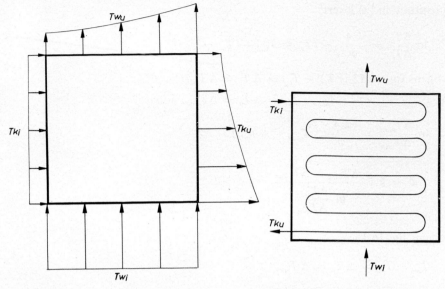

Fig. 16.14   Fig. 16.15

Het bepalen van een algemene formule voor ΔT_m is hier niet mogelijk. Met behulp van tabellen of grafieken kan een waarde voor ΔT_m worden gevonden. Zuivere kruisstroom komt zelden voor, evenmin als zuivere gelijk- of tegenstroom. Meestal vindt men een combinatie ervan zoals b.v. fig. 16.15.

Men zou dit een kruis-tegenstroom kunnen noemen. Ook de warmte-overdracht bij deze stromingen kunnen tot een oplossing worden gebracht, die echter buiten het bestek van dit boek valt. Wel kan men opmerken dat voor het overdragen van een zekere hoeveelheid warmte het benodigde oppervlak steeds tussen dat van zuivere gelijk- en tegenstroom in ligt.

Toepassing

In een oliekoeler wordt per uur 200 ton olie afgekoeld van 60 °C tot 50 °C. Hiervoor is beschikbaar 250 ton water van 30 °C. Soortelijke warmte van de olie is 1,89 kJ/kg K, die van water 4,19 kJ/kgK. Bereken het gemiddelde temperatuurverschil en het benodigde oppervlak van de koeler wanneer:
a de koeler in tegenstroom is geschakeld;
b de koeler in gelijkstroom is geschakeld.
$k = 250$ W/m²K.

Oplossing

a Uit $200 \cdot 10^3 (60 - 50) \cdot 1,89 = 250 \cdot 10^3 \cdot 4,19 \cdot x$ is de temperatuurstijging x van het water te bepalen.

$\qquad x = 3,6\,°C$

280

$$t_{w_i} - t_k{}^u \quad 60 - 33{,}6 = 26{,}4\,°\text{C} = \Delta T_{max},$$

$$t_{w_u} - t_{k_i} = 50 - 30 = 20\,°\text{C} = \Delta T_{min}.$$

$$\Delta T_m = \cfrac{26{,}4 - 20}{2{,}3 \log \cfrac{26{,}4}{20}} = \textbf{23 K}$$

$$A = \frac{\Phi}{k\,\Delta T_m} = \frac{200 \cdot 10^4 \cdot 1\,890}{250 \cdot 23 \cdot 3\,600} = \textbf{192}\ \text{m}^2$$

$$\frac{\Delta T_{min}}{\Delta T_{max}} = \frac{20}{26{,}4} > 0{,}5$$

ΔT_m berekend als rekenkundig gemiddelde levert 23,2 °C. Dit is dus inderdaad voldoende nauwkeurig.

$$_i - t_{k_i} = \Delta_{max}\ 60 - 30 = 30\,\text{K} = \Delta T_{max}$$

$$t_{w_u} - t_{k_u} = \Delta_{min}\ 50 - 33{,}6 = 16{,}4\,°\text{C} = \Delta T_{min}$$

$$\Delta T_m = \cfrac{30 - 16{,}4}{2{,}3 \log \cfrac{30}{16{,}4}} = \textbf{22,5 K}$$

$$A = \frac{\Phi}{k\,\Delta T_m} = \frac{200 \cdot 10^4 \cdot 1\,890}{250 \cdot 22{,}5 \cdot 3\,600} = \textbf{196}\ \text{m}^2$$

Het gemiddelde temperatuurverschil bij tegenstroom is wat groter dan bij gelijkstroom, hetgeen leidt tot een kleinere oliekoeler.

XVI.11. Vraagstukken

14. Een gasstroom van 400 °C stroomt langs een pijpenbundel waarin water moet worden verwarmd van 50 °C tot 150 °C. Als de gassen hierbij tot 200 °C afkoelen, wat is dan de verhouding van de oppervlakken benodigd voor tegenstroom resp. gelijkstroom als de k-waarden gelijk genomen kunnen worden?

15. In een condensor wordt per uur 50 ton verzadigde stoom tot water verdicht bij een druk van 0,043 bar en een temperatuur van 30 °C. De condensatiewarmte bedraagt 2 430 kJ/kg. Hoeveel koelwater van 23 °C is per uur nodig als dit 5 °C in temperatuur stijgt? Wat is het benodigd condensoroppervlak indien de watersnelheid $c = 1{,}8$ m/s en de transmissiecoëfficiënt van de watersnelheid afhangt volgens $k = 2\,500$ $\sqrt{c}$ W/m²K? Teken het temperatuursverloop van de stoom en het water.

16. In een oliekoeler van 244 m² wordt 250 ton olie per uur van 60 °C tot 50 °C afgekoeld m.b.v. 300 ton water van 30 °C. Wat is de k-waarde van de koeler als met zuivere tegenstroom gerekend mag worden?
$c_{\text{olie}} = 2{,}0$ kJ/kgK.

17. In een warmtewisselaar met een V.O. van 10 m² wordt het voedingwater van een ketel verwarmd d.m.v. verzadigde stoom. Deze voedingwatervoorwarmer wordt beproefd bij:
1 het in bedrijf nemen;
2 na 1 jaar bedrijf.

Het resultaat van de metingen is:

meting	1	2
Doorstromende waterhoeveelheid in kg/h	5 500	5 000
Intreetemperatuur van het water in °C	53	61
Uittreetemperatuur van het water in °C	85	89
Stoomdruk in bar; stoomtemperatuur in °C	1,4/110	2,7/130

Bereken in beide gevallen de overgedragen warmte in kJ/m^2s, de k-waarde en het stoomverbruik per uur, als de condensatiewarmte bij 1,4 bar 2 229 kJ/kg bedraagt en bij 2,7 bar 2 172 kJ/kg. Het condensaat wordt met de verzadigingstemperatuur afgevoerd.

18. Van een vloeistof met soortelijke warmte 3,0 kJ/kgK wordt per uur 25 ton in kruisstroom door een koeler geleid. De vloeistof koelt hierbij af van 100 °C tot 54 °C. Het koelwater wordt hierbij van 12 °C tot 50 °C opgewarmd. Hoeveel koelwater heeft men nodig en wat is het oppervlak van de koeler als het gemiddelde temperatuurverschil juist tussen dat van tegenstroom en gelijkstroom in ligt? Voor de k-waarde kan in beide gevallen 1 000 W/m^2K worden genomen.

19. In de tussenkoeler van een tweetrapscompressor wordt per uur 500 m^3 lucht (c_p = 1,00 kJ/kg K, ρ = 1,3 kg/m^3) van 150 °C in tegenstroom gekoeld met 1 500 kg water van 10 °C. De overgedragen warmtehoeveelheid bedraagt 65 000 kJ/h. Als de koeler in gelijkstroom zou worden geschakeld met hoeveel procent moet het koeleroppervlak dan toenemen als de k-waarde 5% lager is dan bij tegenstroom.

20. Een oliegestookte ketel met een rendement van 85% heeft een stoomproduktie van 45 t/h. De vormingswarmte van de stoom is 2 500 kJ/kg. Vóór de branders wordt de olie van 40 tot 120 °C verwarmd m.b.v. verzadigde stoom van 10 bar en 180 °C, waarvan de condensatiewarmte 2 015 kJ/kg bedraagt. Het condensaat wordt eveneens met 180 °C afgevoerd. Van de brandstof is de soortelijke warmte 1,9 kJ/kg K en de stookwaarde 39 MJ/kg. Bepaal de k-waarde van de voorwarmer en het stoomverbruik per uur als het verwarmend oppervlak 6 m^2 bedraagt.

XVI.12. Warmtestraling

Warmte-overdracht tussen twee lichamen van verschillende temperatuur kan ook door straling plaatsvinden.

De warmtestraling bestaat uit elektromagnetische golven van verschillende golflengte. Door het lichaam dat de uitgezonden stralingsenergie absorbeert, wordt deze weer in warmte omgezet. Voor de energie-overdracht is geen middenstof nodig; ook in vacuüm zendt een lichaam warmtestralen uit (zon-aarde). Worden de warmtestralen doorgelaten, dan noemt men het lichaam *diathermaan*. Dit komt echter zelden voor. Normaal is dat een deel A van de stralingsenergie die het lichaam treft, wordt geabsorbeerd en een deel R wordt gereflecteerd. Vanzelfsprekend moet hun som 1 zijn.

$$A + R = 1$$

A noemt men de *absorptiecoëfficiënt* van het lichaam, *R* de *reflectiecoëfficiënt*.
Bij de verschillende stralingswetten gaat men uit van een volkomen zwart
lichaam. Hieronder verstaat men een lichaam dat alle erop vallende straling
absorbeert (*A* = 1).
Het andere uiterste is een lichaam dat alle stralen reflecteert (*R* = 1). De in
de techniek voorkomende stoffen zullen eigenschappen hebben die hier tussenin
liggen.

Volgens de wet van *Stephan* en *Boltzmann* is de, per m² en per seconde uitgezonden stralingsenergie van een absoluut zwart lichaam, evenredig met de
vierde macht van de absolute temperatuur

$$\boxed{E_z = C_z \left(\frac{T}{100} \right)^4}$$ (16.8)

C_z noemt men het stralingsgetal van een volkomen zwart lichaam.
C_z = 5,75 W/m²K⁴. E_z wordt uitgedrukt in W/m².
Nu is deze totale hoeveelheid uitgezonden stralingsenergie niet over alle golflengten gelijk verdeeld. Hoe de verdeling is, wordt gegeven door de stralingswet
van *Planck*.
Wordt de uitgezonden stralingsenergie per golflengte, berekend volgens deze
wet, in een grafiek uitgezet, dan verkrijgt men fig. 16.16. Het oppervlak tussen
de kromme en de *λ*-as, hetwelk een maat is voor de totale hoeveelheid stralingsenergie, is natuurlijk groter naarmate de temperatuur toeneemt.

($T_1 > T_2 > T_3$).

Fig. 16.16

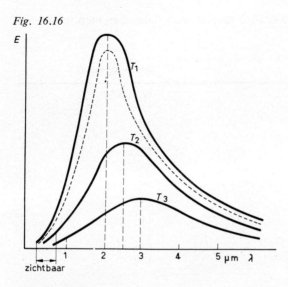

283

Tevens ziet men uit de figuur dat de golflengte waarbij de straling maximaal is, ook van de temperatuur afhangt en wel zó, dat bij hogere temperatuur het maximum verschuift naar het gebied van kortere golflengten. Dit verschijnsel is vastgelegd met de verschuivingswet van *Wien*, welke luidt:

$$\boxed{\lambda_{max}\, T = 2\,880}$$ (16.9)

Hierin vindt men de λ_{max} in μm (1 μm $= 10^{-6}$ m). Voor 300 K (kamertemperatuur) levert de formule 10 μm. Voor 6 000 K (zon) 0,5 μm. Aangezien de zichtbare straling een golflengte heeft tussen 0,4 en 0,8 μm, is de stralingsenergie van de zon voor het grootste deel zichtbaar. Bij gloeilampen is dit gedeelte vanwege de lagere temperatuur veel kleiner. De genoemde wetten gelden alleen voor volkomen zwarte oppervlakken.

Voor een niet zwart lichaam — de zogenaamde grauwe straler — wordt aangenomen dat de *energieverdeling* dezelfde is als voor een volkomen zwart lichaam. De totale hoeveelheid is echter kleiner. Hoeveel kleiner wordt aangegeven met de emissiefactor ε.

$$\varepsilon = \frac{E}{E_z} = \frac{\text{stralingsen. uitgezonden door het beschouwde opp.}}{\text{stralingsen. uitgezonden door een zwart opp. met dezelfde temp.}}$$

Voor een grauwe straler geldt de wet van Stephan en Boltzmann maar dan geschreven als

$$\boxed{E = C\left(\frac{T}{100}\right)^4}$$ (16.10)

Hierin is C het stralingsgetal van het willekeurige lichaam.

$C = \varepsilon\, C_z$. De waarde van C voor diverse materialen kan men in tabellen opzoeken.

materiaal	stralingsgetal C
	W/m^{2}K^4
Volkomen zwart lichaam	5,75
Roet, metselwerk	5,3
Gietijzer, menie	5,3
Hout	5,1
Olieverf (ook wit)	5,1...5,6
Staal, geroest	5,0
Staal, blank	1,75
Koper, ruw oppervlak	3,6
Koper, gepolijst	0,7
Aluminium, ruw oppervlak	1,45
Aluminium, gepolijst	0,30

Tenslotte zegt de wet van *Kirchoff* dat, wanneer een lichaam niet volkomen zwart is en daardoor slechts een fractie A van de straling die het lichaam treft, absorbeert, dan ook de totaal uitgestraalde energie A maal die van de zwarte straler bedraagt.

Korter geformuleerd:

emissiefactor = absorptiefactor

$$\varepsilon = A$$

Voor blanke metalen varieert A van 2 tot 10%. Voor roestige metalen en de meeste andere stoffen ligt A tussen 80 en 95% (controleer dit met de C-waarden uit de tabel).

De genoemde stralingswetten worden vaak samengevat tot de *technische stralingswet*:

$$E = C_{1 \cdot 2} \left\{ \left(\frac{T_1}{100} \right)^4 - \left(\frac{T_2}{100} \right)^4 \right\} \tag{16.11}$$

T_1 en T_2 zijn de temperaturen van de beide oppervlakken. In het stralingsgetal $C_{1 \cdot 2}$ kan bij grauwe stralers de absorptiecoëfficiënt A worden opgenomen. Bovendien kan men ook de geometrische ligging van de oppervlakken erin verwerken.

$C_{1 \cdot 2}$ wordt uitgedrukt in W/m^2K^4.

XVI.13. Straling tussen twee evenwijdige vlakken

In fig. 16.17 zijn twee evenwijdige vlakken getekend met temperaturen T_1 en T_2.

Fig. 16.17

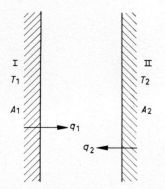

Volgens de wet van Stephan en Boltzmann is de uitgezonden warmte-straling:

$$E_1 = C_1 \left(\frac{T_1}{100} \right)^4 = A_1 \, C_z \left(\frac{T_1}{100} \right)^4 \qquad \text{(a)}$$

$$E_2 = C_2 \left(\frac{T_2}{100} \right)^4 = A_2 \, C_z \left(\frac{T_2}{100} \right)^4 \qquad \text{(b)}$$

De totaal uitgezonden stralingsenergie q_1 van oppervlak I is groter dan E_1, omdat ook nog een gedeelte van de totaal door II uitgezonden straling q_2 gereflecteerd wordt.

$$q_1 = E_1 + (1 - A_1) \, q_2 \qquad \text{(c)}$$

$(1 - A_1) \, q_2$ is het gereflecteerde gedeelte van de door II uitgezonden straling. Zo geldt voor oppervlak II:

$$q_2 = E_2 + (1 - A_2) \, q_1 \qquad \text{(d)}$$

De stralingsenergie q die tenslotte van I op II overgaat is dus als volgt te schrijven:

$$q = q_1 - q_2 \qquad \text{(e)}$$

Oplossen van q_1 en q_2 uit (c) en (d) en substitutie in (e) levert:

$$q = \frac{A_2 \, E_1 - A_1 \, E_2}{A_1 + A_2 - A_1 \, A_2} \qquad \text{(f)}$$

Door het invullen van E_1 en E_2 uit (a) en (b) in (f) verkrijgt men:

$$q = \frac{C_z}{\dfrac{1}{A_1} + \dfrac{1}{A_2} - 1} \left\{ \left(\frac{T_1}{100} \right)^4 - \left(\frac{T_2}{100} \right)^4 \right\}$$

Nu is $C_1 = A_1 C_z$ en $C_2 = A_2 C_z$, zodat:

$$\frac{C_z}{\dfrac{1}{A_1} + \dfrac{1}{A_2} - 1} = \frac{1}{\dfrac{1}{C_1} + \dfrac{1}{C_2} - \dfrac{1}{C_z}}$$

$$q = \frac{1}{\dfrac{1}{C_1} + \dfrac{1}{C_2} - \dfrac{1}{C_z}} \left\{ \left(\frac{T_1}{100} \right)^4 - \left(\frac{T_2}{100} \right)^4 \right\}$$

Voor twee evenwijdige vlakken geldt dus de technische stralingswet wanneer voor $C_{1\cdot2}$ wordt ingevuld

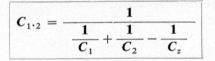

$$C_{1\cdot2} = \frac{1}{\dfrac{1}{C_1} + \dfrac{1}{C_2} - \dfrac{1}{C_z}}$$

(16,21)

De afstand van de vlakken heeft geen invloed op de waarde van $C_{1\cdot2}$, mits de vlakken groot zijn t.o.v. hun onderlinge afstand.

Opmerking

Voor twee oppervlakken die elkaar geheel omsluiten (fig. 16.18), kan men op soortgelijke wijze afleiden dat de algemene stralingswet opgaat wanneer voor $C_{1\cdot2}$ wordt ingevuld:

$$C_{1\cdot2} = \frac{1}{\dfrac{1}{C_1} + \dfrac{A_1}{A_2}\left(\dfrac{1}{C_2} - \dfrac{1}{C_z}\right)}$$

(16.13)

Voor A_1 en A_2 moeten hier oppervlakken worden ingevuld!

De index 1 heeft betrekking op het omsloten oppervlak. Is de temperatuur van dit oppervlak lager dan van het buitenoppervlak, dan is de uitkomst van (16.11) dus negatief.

Is A_1 zeer klein t.o.v. A_2 (b.v. een kleine oven in een grote ruimte) dan is $\dfrac{A_1}{A_2} = 0$, zodat:

$$C_{1.2} = C_1$$

Toepassing

In een gesloten ruimte met 100 m² wandoppervlak en een temperatuur van 20 °C bevindt zich een oven met een oppervlak van 1,5 m² en een oppervlaktetemperatuur van 257 °C.

Fig. 16.18

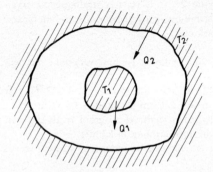

De absorptiefactor van de oven is 0,75, die van de wand 0,90. Hoeveel stralingswarmte wordt per uur door de oven aan de wand overgedragen?
Bereken dit ook voor het geval de oven met aluminiumplaat is afgedekt, waarvan de absorptiefactor 0,24 bedraagt en de oppervlaktetemperatuur dezelfde is.

Oplossing

Voor de oven is:

$$C_o = A_o\, C_z = 0{,}75 \cdot 5{,}75 = 4{,}32 \text{ W/m}^2\text{K}^4$$

Voor de wand is:

$$C_w = A_w\, C_z = 0{,}90 \cdot 5{,}75 = 5{,}17 \text{ W/m}^2\text{K}^4$$

Volgens (16.15) is dan:

$$C_{1\cdot 2} = \cfrac{1}{\cfrac{1}{4{,}32} + \cfrac{1{,}5}{100}\left(\cfrac{1}{5{,}17} - \cfrac{1}{5{,}75}\right)} = 4{,}32 \text{ W/m}^2\text{K}^4$$

Uit de berekening blijkt dat men inderdaad, indien $A_2 \ll A_1$, kan schrijven $C_{1\cdot 2} = C_1$

$$\Phi = 1{,}5 \cdot 4{,}32\,(5{,}3^4 - 2{,}93^4) = 6{,}48 \cdot 715{,}3 = \mathbf{4\,630} \text{ J/s}$$

Na de afdekking met plaat is:

$$C_{1\cdot 2} = C_1 = 0{,}24 \cdot 5{,}75 = 1{,}38 \text{ W/m}^2\text{K}^4$$

$$\Phi = \mathbf{1\,480} \text{ J/s}$$

XVI.14. Vraagstukken

21. Bereken de hoeveelheid stralingsenergie die per m^2 en per uur overgaat tussen twee zeer grote vlakke wanden als $t_1 = 227\,°C$, $C_1 = 4{,}0$ W/m^{2}K^4, $t_2 = 27\,°C$, $C_2 = 2{,}5$ W/m^{2}K^4.

22. Door een ongeïsoleerde stoomleiding met diameter 250 mm en stralingsgetal 3,8 W/m^{2}K^4 stroomt verzadigde stoom met een verdampingswarmte van 2 300 kJ/kg. Hoeveel condensaat ontstaat per uur als de pijptemperatuur 327 °C bedraagt, de pijplengte 75 m is en de leiding is gelegen in een grote fabriekshal waarvan de wandtemperatuur 27 °C bedraagt? Wanneer de leiding wordt geïsoleerd, hoeveel condensaat ontstaat er dan als de oppervlaktetemperatuur van de isolatie 77 °C is en het stralingsgetal ervan 0,4 W/m^{2}K^4? Verondersteld wordt dat de warmte-overgang alleen door straling plaatsvindt en de isolatiedikte kan worden verwaarloosd.

23. Op het rooster van een ketel wordt per m^2 200 kg kolen per uur verstookt met een stookwaarde van 30 MJ/kg.
De temperatuur van de brandstoflaag is 1 227 °C, die van de ketelwand 227 °C. Het stralingsgetal van de brandstoflaag is 4,0 W/m^{2}K^4, dat van de wanden 3,8 W/m^{2}K^4.
Als het oppervlak van de omringende ketelwanden viermaal zo groot is als dat van het rooster, bereken dan de warmteoverdracht door straling in kJ/m^{2}s.
Bepaal tevens hoeveel procent van de totaal ontwikkelde warmte door straling wordt overgebracht.

24. Midden in een ruimte van $5 \times 5 \times 5$ m bevindt zich een bol met een straal van 1,5 m, een temperatuur van 1 427 °C en een stralingsgetal van 4,0 W/m²K⁴. De wandtemperatuur van de ruimte is 227 °C. Bepaal de absorptiecoëfficiënt van de wanden als bekend is dat per uur 1 138 MJ/m² door straling wordt overgedragen.

Tabellen

Tabel I   Gassen

gas	symbool	molaire massa m	soort. massa ρ bij 0 °C en 76 cm Hg	R	c_p en c_v bij 20 °C, 1 bar		$k = \dfrac{c_p}{c_v}$
					c_p	c_v	
		kg/kmol	kg/m^3	J/kg K	kJ/kg K		
helium	He	4,002	0,178	2079	5,274	3,181	1,66
argon	A	39,95	1,782	208,5	0,532	0,322	1,66
lucht	—	(28,95)	1,293	287,0	1,005	0,716	1,402
zuurstof	O_2	32,00	1,429	259,9	0,913	0,653	1,400
stikstof	N_2	28,02	1,251	296,7	1,047	0,746	1,400
waterstof	H_2	2,016	0,0899	4125,0	14,266	10,130	1,407
koolmonoxyde	CO	28,00	1,250	297,0	1,047	0,754	1,40
kooldioxyde	CO_2	44,00	1,977	189,0	0,837	0,653	1,30
methaan	CH_4	16,03	0,717	518,8	2,225	1,700	1,31
ammoniak	NH_3	17,03	0,771	488,3	2,219	1,680	1,32
freon 12	CF_2Cl_2	120,92	—	68,7	0,532	0,465	1,148

Tabel II Water

p	t_v	v_{vl}	v_d	h_{vl}	h_d	r	s_{vl}	s_d
bar	°C	m³/kg	m³/kg	kJ/kg	kJ/kg	kJ/kg	kJ/kg K	kJ/kg K
0,01	6,98	0,001000	129,2	29,4	2513,4	2484,0	0,1061	8,9734
0,03	24,10	0,001003	45,68	101,0	2544,7	2443,8	0,3543	8,5754
0,05	32,90	0,001005	28,20	137,7	2560,7	2423,0	0,4761	8,3930
0,1	45,84	0,001010	14,68	191,7	2583,9	2392,2	0,6489	8,1480
0,2	60,09	0,001017	7,65	251,3	2608,9	2357,6	0,8316	7,9060
0,4	75,89	0,001027	3,99	317,5	2635,7	2318,3	1,0255	7,6667
0,6	85,95	0,001033	2,73	359,7	2652,2	2292,5	1,1449	7,5280
0,8	93,51	0,001039	2,09	391,5	2664,3	2272,7	1,2324	7,4300
1	99,63	0,001044	1,694	417,3	2673,8	2256,5	1,3022	7,3544
1,5	111,37	0,001053	1,159	467,0	2691,6	2224,7	1,4331	7,2177
2	120,23	0,001061	0,8852	504,5	2704,6	2200,1	1,5295	7,1212
4	143,63	0,001084	0,4621	604,4	2736,5	2132,1	1,7757	6,8902
6	158,84	0,001101	0,3155	670,1	2755,2	2085,1	1,9300	6,7555
8	170,41	0,001115	0,2403	720,6	2768,0	2047,5	2,0447	6,6594
10	179,88	0,001128	0,1944	762,2	2777,5	2015,3	2,1370	6,5843
14	195,04	0,001149	0,1408	829,5	2790,2	1960,7	2,2823	6,4689
18	207,11	0,001168	0,1104	884,0	2798,0	1914,0	2,3961	6,3802
20	212,37	0,001177	0,09964	908,0	2800,6	1892,6	2,4453	6,3422
30	233,84	0,001217	0,06667	1007,7	2805,5	1797,9	2,6438	6,1890
40	250,33	0,001252	0,04973	1086,7	2802,4	1715,7	2,7949	6,0714
50	263,92	0,001286	0,03937	1153,8	2794,6	1640,8	2,9190	5,9735
60	275,56	0,001319	0,03236	1213,1	2783,9	1570,8	3,0257	5,8880
80	294,98	0,001384	0,02346	1316,4	2756,9	1440,4	3,2059	5,7412
100	310,96	0,001451	0,01803	1407,0	2725,6	1318,2	3,3582	5,6155
150	342,12	0,001658	0,01034	1608,9	2610,5	999,7	3,6818	5,3104
200	365,71	0,00206	0,00591	1826,7	2416,0	589,3	4,0151	4,9375
220	373,70	0,00264	0,00385	2009,7	2218,0	208,4	4,2802	4,6023

Tabel III Enthalpie van oververhitte stoom

stoomdruk in bar	bij een stoomtemperatuur van:							
	150 °C	200 °C	250 °C	300 °C	350 °C	400 °C	450 °C	500 °C
bar	kJ/kg	kJ/kg	kJ/kg	kJ/kg	kJ/kg	kJ/kg	kJ/kg	kJ/kg
1	2776,8	2874,9	2973,6	3073,5	3174,7	3277,3	3381,4	3487,2
2	2770,2	2870,4	2970,3	3071,0	3172,7	3275,7	3380,1	3486,1
4	2753,1	2861,4	2963,7	3065,8	3168,6	3272,4	3377,4	3483,9
6	—	2852,0	2957,0	3060,7	3164,6	3269,1	3374,8	3481,7
8	—	2841,8	2950,2	3055,5	3160,5	3265,9	3372,1	3479,5
10	—	2830,8	2943,2	3050,4	3156,4	3262,6	3369,4	3477,2
12	—	2818,7	2936,1	3045,1	3152,4	3259,3	3366,8	3475,0
14	—	2805,2	2928,9	3039,8	3148,3	3256,1	3364,1	3472,8
16	—	—	2921,3	3034,5	3144,2	3252,8	3361,4	3470,6
18	—	—	2913,5	3029,1	3140,0	3249,5	3358,7	3468,3
20	—	—	2905,5	3023,6	3135,9	3246,2	3356,0	3466,1
24	—	—	2888,3	3012,4	3127,5	3239,6	3350,7	3461,7
30	—	—	2859,4	2994,8	3114,7	3229,6	3342,6	3455,0
40	—	—	—	2962,9	3092,5	3212,7	3329,0	3443,8
50	—	—	—	2926,9	3069,1	3195,3	3315,3	3432,5
60	—	—	—	2885,7	3044,2	3177,4	3301,3	3421,2
80	—	—	—	2783,9	2988,2	3139,5	3272,7	3398,3
100	—	—	—	—	2922,3	3098,2	3242,8	3374,8

Tabel IV Soortelijke warmte c_p van stoom

stoomdruk	bij een stoomtemperatuur van:								
	220 °C	260 °C	300 °C	340 °C	360 °C	380 °C	400 °C	420 °C	440 °C
bar	kJ/kg K	kJ/kg K	kJ/kg K	kJ/kg K	kJ/kg K	kJ/kg K	kJ/kg K	kJ/kg K	kJ/kg K
10	2,250	2,154	2,127	2,120	2,121	2,124	2,128	2,134	2,141
20	3,010	2,423	2,282	2,227	2,213	2,204	2,198	2,196	2,196
30		2,871	2,489	2,352	2,316	2,290	2,273	2,261	2,253
40		3,587	2,775	2,505	2,435	2,388	2,354	2,330	2,313
50			3,164	2,694	2,577	2,499	2,444	2,405	2,377
60			3,682	2,928	2,747	2,627	2,545	2,487	2,445
80			5,206	3,567	3,192	2,951	2,790	2,678	2,599
100				4,489	3,812	3,384	3,104	2,915	2,784
120				5,757	4,645	3,952	3,505	3,208	3,005
150					6,367	5,102	4,298	3,773	3,420

Tabel V Ammoniak

t	p	v_{vl}	v_d	h_{vl}	r	h_d	s_{vl}	s_d
°C	bar	dm³/kg	m³/kg	kJ/kg	kJ/kg	kJ/kg	kJ/kg K	kJ/kg K
− 40	0,718	1,4493	1,550	237,74	1386,7	1624,4	3,4719	9,4216
− 35	0,932	1,4623	1,215	259,84	1372,6	1632,5	3,5660	9,3312
− 30	1,195	1,4757	0,630	282,19	1358,2	1640,3	3,6590	9,2458
− 25	1,516	1,4895	0,7712	304,62	1343,3	1647,9	3,7502	9,1646
− 20	1,904	1,5037	0,6235	327,18	1328,0	1655,2	3,8398	9,0867
− 15	2,099	1,5185	0,5087	349,87	1312,3	1662,2	3,9281	9,0122
− 10	2,909	1,5338	0,4185	372,64	1296,0	1668,6	4,0152	8,9411
− 5	3,549	1,5496	0,3469	395,53	1279,3	1674,8	4,1010	8,8728
0	4,294	1,5660	0,2897	418,55	1262,0	1680,6	4,1855	8,8067
5	5,157	1,5831	0,2435	441,74	1244,2	1685,9	4,2692	8,7431
10	6,150	1,6008	0,2058	465,05	1225,7	1690,7	4,3517	8,6811
15	7,283	1,6193	0,1749	488,53	1206,6	1695,1	4,4333	8,6213
20	8,572	1,6386	0,1494	512,22	1186,8	1699,0	4,5141	8,5631
25	10,027	1,6588	0,1283	536,12	1166,3	1702,5	4,5940	8,5066
30	11,665	1,6800	0,1107	560,19	1145,1	1705,3	4,6731	8,4509
35	13,499	1,7023	0,0959	584,51	1123,1	1707,6	4,7514	8,3965
40	15,544	1,7257	0,0833	609,07	1100,2	1709,2	4,8292	8,3430

Tabel VI Zwavelig zuur

t	p	v_{vl}	v_d	h_{vl}	r	h_d	s_{vl}	s_d
°C	bar	dm³/kg	m³/kg	kJ/kg	kJ/kg	kJ/kg	kJ/kg K	kJ/kg K
− 40	0,216	0,6523	1,3872	364,14	415,25	779,38	3,970	5,751
− 35	0,288	0,6575	1,0586	371,00	411,06	782,06	4,000	5,726
− 30	0,381	0,6627	0,8183	377,83	406,83	784,66	4,028	5,701
− 25	0,495	0,6680	0,6406	384,65	402,60	787,25	4,056	5,678
− 20	0,636	0,6739	0,5071	391,47	398,33	789,80	4,083	5,656
− 15	0,807	0,6798	0,4058	398,25	394,06	792,32	4,110	5,636
− 10	1,401	0,6859	0,3280	404,99	389,80	794,78	4,142	5,616
− 5	1,261	0,6916	0,2675	411,81	385,36	797,17	4,161	5,598
0	1,554	0,6974	0,2200	418,55	380,96	799,51	4,186	5,580
5	1,899	0,7035	0,1824	425,37	376,44	801,82	4,211	5,564
10	2,302	0,7097	0,1523	432,07	371,92	803,99	4,234	5,547
15	2,768	0,7163	0,1280	438,85	367,32	806,17	4,258	5,532
20	3,300	0,7231	0,1084	445,55	362,67	808,22	4,281	5,518
25	3,320	0,7301	0,0923	451,99	357,99	809,98	4,304	5,504
30	4,620	0,7375	0,0790	458,94	353,21	812,15	4,325	5,490
35	5,411	0,7453	0,0680	465,68	348,36	814,04	4,347	5,478
40	6,303	0,7536	0,0588	472,25	343,59	815,84	4,367	5,465

Tabel VII   Freon 12

t	p	v_{vl}	v_d	h_{vl}	r	h_d	s_{vl}	s_d
°C	bar	dm³/kg	m³/kg	kJ/kg	kJ/kg	kJ/kg	kJ/kg K	kJ/kg K
− 40	0,642	0,660	0,2440	382,97	170,9	553,91	4,04642	4,77959
− 35	0,810	0,666	0,1973	387,36	169,1	556,46	4,06416	4,77360
− 30	1,003	0,674	0,1613	391,72	167,0	558,72	4,08183	4,76825
− 25	1,237	0,680	0,1330	395,91	165,3	561,23	4,09932	4,76482
− 20	1,510	0,687	0,1107	400,43	163,2	563,66	4,11682	4,76138
− 15	1,824	0,694	0,0927	404,65	161,1	565,80	4,13419	4,75783
− 10	2,192	0,702	0,0781	409,38	159,0	568,43	4,15147	4,75506
− 5	2,609	0,709	0,0664	413,95	157,0	570,90	4,16855	4,75368
0	3,079	0,717	0,0566	418,55	154,9	573,41	4,1855	4,75264
5	3,630	0,726	0,0486	423,24	152,4	575,59	4,20233	4,75063
10	4,232	0,734	0,0420	427,97	149,8	577,81	4,21911	4,74899
15	4,913	0,743	0,0365	432,78	147,7	580,95	4,23577	4,74849
20	5,668	0,753	0,0317	437,64	144,4	582,04	4,25238	4,74544
25	6,502	0,763	0,0277	442,62	141,5	584,09	4,26892	4,74313
30	7,424	0,774	0,0243	447,64	138,5	586,18	4,28532	4,74196
35	8,463	0,785	0,0213	452,75	135,6	588,36	4,30173	4,74163
40	9,581	0,797	0,0188	457,89	131,8	589,74	4,31805	4,73870

Tabel VIII   Koolzuur

t	p	v_{vl}	v_d	h_{vl}	r	h_d	s_{vl}	s_d
°C	bar	dm³/kg	dm³/kg	kJ/kg	kJ/kg	kJ/kg	kJ/kg K	kJ/kg K
− 56,6	5,178	0,849	72,220	301,23	347,90	649,13	3,7188	5,3256
− 55	5,551	0,853	67,520	283,02	345,30	649,67	3,7322	5,3156
− 50	6,835	0,867	55,407	313,95	337,18	651,14	3,7753	5,2867
− 45	8,326	0,881	45,809	323,54	328,94	652,48	3,8172	5,2591
− 40	10,052	0,897	38,164	333,12	320,53	653,65	3,8582	5,2331
− 35	12,013	0,913	32,008	342,71	311,86	654,57	3,8984	5,2080
− 30	14,269	0,931	27,001	352,38	302,90	655,28	3,9377	5,1837
− 25	16,809	0,950	22,885	362,17	293,57	655,74	3,9766	5,1599
− 20	19,672	0,971	19,466	372,22	283,74	655,95	4,0156	5,1364
− 15	22,889	0,994	16,609	382,72	273,15	655,87	4,0557	5,1138
− 10	26,468	1,019	14,194	393,81	261,64	655,45	4,0963	5,0908
− 5	30,450	1,048	12,141	405,62	249,04	654,65	4,1395	5,0682
0	34,853	1,081	10,383	418,55	234,93	653,48	4,1855	5,0456
5	39,717	1,120	8,850	431,53	219,11	650,64	4,2286	5,0163
10	45,062	1,166	7,519	445,76	201,28	647,04	4,2767	4,9879
15	50,926	1,223	6,323	460,82	180,27	641,09	4,3278	4,9535
20	57,323	1,298	5,258	477,15	155,28	632,43	4,3814	4,9113
25	64,322	1,417	4,167	497,24	119,41	616,65	4,4483	4,8489
30	71,922	1,677	2,990	526,95	62,99	589,95	4,5429	4,7510
31	73,511	2,156	2,156	558,76	0,00	558,76	4,6451	4,6451

Uitkomsten van de vraagstukken

Hoofdstuk I

1   116,2 cm.
2   109 kN/m^2.
3   1,585 $kJ/kg\ K$.
4   3120 kJ.
5   424 W; 1,66 l/min.
6   3,68 kg/h.
7   84,7 t/h.
8   35,8 MJ.
9   8380 kW.
10 41,6%.
11 22,2%.
12 1600 l; 1940 l.
13 16,8 m^3_n; 3,84 MJ/m^3_n.
14 5900 kW; 5300 kW; 2500 kg/h.

Hoofdstuk II

1   2,6 bar.
2   1,94 m^3.
3   78,6%; 34%.
4   5 m/s.
5   244 $J/kg\ K$; 100 bar.
6   76,9%.
7   11,25 kJ; 3 kg/m^3.
8   9,95 kg; 348 K; 75 bar; 70,5 bar; 99,5 kg/m^3.
9   2430 K; 60 m^3_n; 7,75 kg/m^3; 510 K.
10 16400 kJ/m^3.
11 3980 kg/h; 1,325 kg/m^3; 0,835 kg/m^3; 0,33 m^2; 2130 kg/h.
12 350 m^3/h; 0,139 m^3_n/MJ; 24%.
13 54,6 m^3; 2080 $J/kg\ K$.
14 17,2 bar.
15 38 bar.
16 0,428; 0,283; 0,428; 211 $J/kg\ K$; 49,7 kN/m^2; 115,8 kN/m^2.
17 288,5 $J/kg\ K$; 43,2 kN/m^2; 156,8 kN/m^2; 0,276.
18 309 $J/kg\ K$; 0,715 kg; 6,50 kg; 1,12 kg/m^3.
19 1,15; 371 $J/kg\ K$; 1,0 kg/m^3; 1,07 bar; 0,93 bar.
20 2 bar; 8 bar; 0,165; 0,25; 203 $J/kg\ K$; 70,5 MJ/m^3_n; 1,965 kg/m^3.

Hoofdstuk IV

1 3,64 m³; 272,9 K; 111,3 kJ/kg.
2 330 kJ.
3 450 K; 1,535 m³; 107,2 kJ.
4 − 142,6 kJ.
5 280 K; 47,9 kJ; 13,7 kJ.
6 377 kJ.
7 3,48 bar; 364 K; 1,06 m³$_n$.
8 0,6 m³; 60 kJ; $\Delta U = 0$.
9 890 kJ; 4,3 m³; 6,1 m³.
10 − 2 k; 287 kJ.
11 92 kJ.
12 1 bar; 0,05 m³.
13 0,255 m; 0,201 m³/kg; 17,2 kJ.
14 103,5 kJ; 74 kJ/m³$_n$; 150 kJ; 1,64.
15 402 kJ; 667 kJ.
16 3,96 bar; 439,2 K.
17 0,753 m³; 0,166; 170 kJ/m³.
18 153 kJ/kg; 279 kJ/kg; 82,5 %.
19 7,6 bar; 571 K; 2710 kJ; 2710 kJ; 195 kJ/kg; 252 kJ/m³$_n$.
20 2,5 bar.
21 40 bar; 12; 287 J/kg K.
22 170,5 kJ; − 170,5 kJ.
23 1,287.
24 1,19; − 0,805 kJ/kg K; 107 kJ/kg.
25 1,79; 101 kJ.
26 1,23; 3840 kJ.
27 − 138,5 kJ; 129,2 kJ; $n = − 1$.
28 286 kJ.

Hoofdstuk V

1 175 kJ/kg; 238 kJ/kg.
2 −1500 kJ; 1,285; 1510 kJ.
3 6,87 kW; 4750 kJ/h.
4 275 kJ/kg; 30 MJ; 1,28 kJ/s.
5 320 m³/h; 10 °C.
6 151,5 kJ/kg; 21,9 kJ/slag; 153,0 kJ/m³; 196 kJ/m³$_n$; 0,106 m³/s; 0,990 m³/kg; 0,367 m³/kg; 43,7 kW.
7 $W_{i\,max} = 555$ kJ bij $p_c = 0,37$ bar.
8 1135 kW; 13100 MJ/h; 2470 kW.
9 4,18 bar; 138,0 kJ/m³$_n$; 0,985 m³/MJ.
10 21,1 kW; 38,3 W/m³$_n$; 1,74 %; 26,2 %.
11 114 %;
12 2,5 kW; − 31,5 kJ/min; 15,4 kJ/min.
13 272 kJ/m³$_n$; 16 kW; 15,5 kW; 228 kJ/m³.
14 $n = 1,3$; 5,25 kW.
15 328 kJ/kg; 425 kJ/m³$_n$; 22,9 MJ/h; 42,55 MJ/h; 18,2 kW.

296

16 30,4 kW; 11,8 MJ/h; 52,5 MJ/h; 4,47 MJ/h.

17 500,4 K; 401,0 K; 20,2 MJ/h; 17,9 MJ/h; 493 kJ/m^{3}n.

Hoofdstuk VI

1 $p_2 = 3,83$ bar; $\eta = 12,7\%$.

2 $p_4 = 1,385$ bar; $\eta = 26,5\%$.

3 $n = 0,229$; $\eta = 19,5\%$.

4 $p_3 = 1,55$ bar; $\eta = 27\%$.

5 $p_2 = 7,6$ bar; $\eta = 15,5\%$.

6 $$\eta = 1 - \frac{(k-1)(n-1)\ln\varepsilon}{(k-n)(1-\beta^{k-I})}.$$

7 $T_4 = 477,3$ K; $\eta = 22,0\%$.

8 $V_3 = 0,238$ m^3; $n = 1,25$; $\eta = 16,4\%$.

9 $V_3 = 0,243$ m^3; $p_4 = 2,43$ bar; $\eta = 20,1\%$.

10 $\eta = 16,4\%$.

11 $\eta = 57,5\%$; $c = 17$; $p_i = 10^5$ N/m^2.

12 $\eta = 83,5\%$; 297,5 kJ/kg; $c = 176$; $p_i = 3,47 \cdot 10^5$ N/m^2.

13 52,5%.

14 47,7%; 8,82 bar; 7,50 bar.

15 $\varepsilon = 4,56$; 16400 kJ/kWh; 1010 m^{3}n.

16 $\varepsilon = 2,5$; 3,24; 214 K; 5 K.

17 $\varepsilon = 2,71$; 20,5 kW; 273,8 MJ/h; 3940 kg/h.

Hoofdstuk VII

1 72,25 dm^3; 323 K; 4,54 kJ; 70,4 dm^3; 314 K.

2 275,6 K; 94250 Nm.

3 2 bar; 0,971 m^3; 243 K; 0,876 m^3; 219 K.

4 0,127 m^3; 351 K; 0,1 m.

5 240 K; 1,21 bar; 1,93 bar.

6 $$T_2 = T_1\left\{\frac{1}{k} + \frac{p_2}{p_1}(1 - \frac{1}{k})\right\}.$$

Hoofdstuk VIII

1 2700 kJ/kg; 1415 m/s.

2 1200 kJ/kg.

3 $c = \sqrt{2gh}$.

4 301,5 kJ/kg; 71,3%.

5 10046,9 kW.

6 $-$ 75 kJ/kg.

7 0,8 bar; 50 J/kg.

Hoofdstuk IX

1   0,9567 kJ/K; 0,6697 kJ/K.
2   0,4436 kJ/K; − 0,685 kJ/kg.
3   300 K; 50 MJ; − 135 kJ/K; − 50 MJ.
4   1045,3 K; 450 kJ; 1576,8 kJ; 1126,8 kJ; 2,087 kJ/K.
5   83,4 kJ/kg; 208,5 J/kg K; 0.
6   390 K; 322,2 kJ; 0; 322,2 kJ; 0.
7   384 kJ; 144 kJ; − 240 kJ; 0,122 kJ/K.
8   − 0,1097 kJ/K.
9   —.
10 379 kJ/min; 299 kJ/min; 303 kJ/min.
11 0,202 kJ/K.
12 − 2557,97 kJ/K; 2936,64 kJ/K; 378,67 kJ/K.
13 0.
14 5,80 kJ/kg K.
15 1,1555 kJ/kg K.
16 7,024 kJ/K.
17 0,8404 kJ/K.
18 7,6%.
19 60 °C; 20,8%.
20 639,8 K.
21 213,7 °C.
22 8,7%.

Hoofdstuk X

1   2735 kg; 7,81 cm; 8,3%.
2   15%; 82,7 m³; 116,3 m³; 2,36 kJ/kg K.
3   2620 t/h.
4   0,164 kg/kg; 60,8%.
5   4,15 kg.
6   584 kJ/kg; 1080 kg.
7   83,5 kg/h; 15550 m³.
8   48,55 t/h.
9   5550 kg/h.
10 630,6 kJ/kg; 1,96 kJ/kg; 1694,6 kJ/kg; 198 kJ/kg.
11 919 kJ/kg; 10,2%; 13780 kW.
12 515 °C; 1245 kJ/kg; 2,69 kJ/kg K; 2033,3 kJ/kg; 81.
13 5,203 kJ/kg K; 707,6 kJ/kg.
14 143,2 kJ/kg; − 0,150 kJ/kg K; 201 kJ/kg; − 57,8 kJ/kg; − 258 kJ/kg.

Hoofdstuk XI

1   2150 kJ/kg; 17 MW; 1,25%.
2   577 m/s.
3   875 m/s; 982 m/s.
4   8,22 kW; 10,3 kW; 8,21 kW.

5   88%; 28,1%; 7370 kg/h.

6   2,7 bar; 132 °C; 3780 kW.

7   0,131 kJ/kg K; − 332 kJ/kg.

8   84,5%; 2,43 kJ/kg K.

9   16,85%.

10 0,4 bar; 1,06; 1,11.

11 3,7%.

12 3,0%.

13 52,4 MW; 32,9%; 4,8%; 647 kJ/kg.

14 18 t/h; 2 t/h; 18,75 t/h; 1,25 t/h; 65,2%; 2150 kW.

15 5,97%; 2315 kW.

16 0,418 kJ/kg K; 529,6 kJ/kg; 0,660 kJ/kg K; 0; 0.

17 17,248 MJ.

18 44,74 MJ — 44,29 MJ = 0,45 MJ.

Hoofdstuk XII

1   33,3%; 1,75 kg/MJ; 0,785.
     41,5%; 1,40 kg/MJ; 0,750.

2   47,7%; 1,59 kg/MJ; 0,620.
     52,1%; 3,28 kg/MJ; 0,335.

3   27,1%; 2,26 kg/MJ.
     24,8%; 3,38 kg/MJ.

4   35,8%; 1,05 kg/MJ.
     39,2%; 0,985 kg/MJ.
     40,0%; 1,10 kg/MJ.

5   28,6%; 1,31 kg/MJ.
     31,4%; 1,23 kg/MJ.
     32,0%; 1,37 kg/MJ.

6   36,2%; 0,985 kg/MJ.
     37,4%; 0,87 kg/MJ.
     38,7%; 0,78 kg/MJ.

7   28,9%; 1,22 kg/MJ.
     29,9%; 1,09 kg/MJ.
     31,0; 0,975 kg/MJ.

8   37,7%; 0,745 kg/MJ.
     37,3%; 0,712 kg/MJ.

9   42,2%; 22,5%; 43,5%; 10%; 23%; T_{m_I} = 528 K, 542 K $T_{m_{II}}$ = 306 K.

10 172 MJ/s; 0,715 kg/MJ; 58,2 MW.

11 10 MW; 28,0%; 6,3%; 1755 kJ/s.

12 4,8 bar; 21·1 °C; 9,3 MW; 29,7%.

13 114 t/h; 12,8 t/h; 11,6 t/h; 8,25 t/h; 32,7%; 101,5 t/h; 30,1%.

14 80%; 32,5%; 32,8%; 12 bar.

15 11,45 MW; 4,45 °C; 88%.

16 88,5%; 10,10 t/h; 6,32 t/h; 6,81 t/h; 42,83 MW; 35,0% 34,0%.

Hoofdstuk XIII

1 37,0%; 4715 kW; 48,2%; 4640 kW; 54,0%; 4040 kW.
2 19,3%; 2280 kW; 14,9%; 1215 kW; 0%; 0 kW.
3 $\varepsilon = 6,84$; 42,1%; 4800 kW.
4 84%; 88%; 28,6%; 24,9%.
5 18,4%; 136 g/MJ; 27,3%.
6 22,6%; 2070 kW; 22,8%; 30,4%; 2715 kW.
7 36,8%; 33,4%; 24,8%; 37,0%.

Hoofdstuk XIV

1 Bij $- 20$ °C, $- 15$ °C, $- 10$ °C, $- 5$ °C, 0 °C en 5 °C is ε respectievelijk 6,3, 7,4, 8,75
   10,7, 13,65 en 18,5.
2 Bij 0 °C; 10 °C, 20 °C en 30 °C is ε respectievelijk 26,3, 13,15, 8,8 en 6,6.
3 343 kg/h; 346 kg/h; 350 kg/h; 355 kg/h; 360 kg/h.
4 1190; 2030; 3100; 18400.
5 0,203; 0,876; 13,4; 13400 kJ/MJ; 1195 kg/h; 0,222; 9,1; 9100 kJ/MJ; 1230 kg/h.
6 355 K; 1845 kJ/kg; 1308,9 kJ/kg, 10,9%; 12,6%; 6,43; 23200 kJ/kWh; 530 kg/h.
7 8,25; 384 kg/h; 13,5 kW; 8,40; 377 kg/h; 13,2 kW; 8,93.
8 69590 kJ/h; 9100 kJ; 3640 kg/h.
9 2,65 kJ/kg K; 0,1077; 1156,4 kJ/kg; 6.37,
10 $p_1 = 8,57$ bar; $p_2 = 1,195$ bar; $p_3 = 1,195$ bar; $p_4 = 8,57$ bar; $p_5 = 8,57$ bar;
   $T_1 = 293$ K; $T_2 = 243$ K; $T_3 = 243$ K; $T_4 = 337$ K; $T_5 = 293$ K;
   $s_1 = 4,5141$ kJ/kg K; $s_2 = 4,6060$ kJ/kg K; $s_3 = 8,9106$ kJ/kg K; $s_4 = 8,9106$ kJ/kg K;
   $s_5 = 8,5631$ kJ/kg K;
   $h_1 = 512,22$ kJ/kg; $h_2 = 512,22$ kJ/kg; $h_3 = 1558,81$ kJ/kg; $h_4 = 1809,81$ kJ/kg;
   $h_5 = 1699,0$ kJ/kg;
   $x_1 = 0$; $x_2 = 0,1695$; $x_3 = 0,94$; $x_4 = -$; $x_5 = 1$;
   66,6 kW, 4,16.

Hoofdstuk XV

1 0,528; 1,58; 408 m/s.
2 5,77 bar; 440 m/s; 0,314 m³/kg.
3 1,082; 1,033; 1,062.

4 $0,686\ A \sqrt{\dfrac{p_2}{v_2}}$ kg/s; $0,634\ A \sqrt{\dfrac{p_2}{v_2}}$ kg/s; $0,668\ A \sqrt{\dfrac{p_2}{v_2}}$ kg/s

5 42,8 kg/h; (constant).
6 456 m/s; 456 m/s; 564 m/s; 1130 m/s.
7 5,4 g/s.
8 20,1 m³/s.

30 | stoom condenseert | 30
23 | water wordt warme | 28

$\Delta T_{mse} = 7.$
$\Delta T_{min} = 9.$

$\phi = K \times A \times$ φ

$\times \dfrac{\Delta T_{max} \cdot \Delta T_{min}}{\ln \dfrac{\Delta T_{max}}{\Delta T_{min}}}$

$2430 \times \dfrac{50000}{3600} = 2500 \cdot 1,8 \times \dfrac{A}{1,99} \times \dfrac{7-2}{\ln \dfrac{7}{2}} \times 1000$

$A = 3527 \, m^2.$

17.

1,85
370
185
55

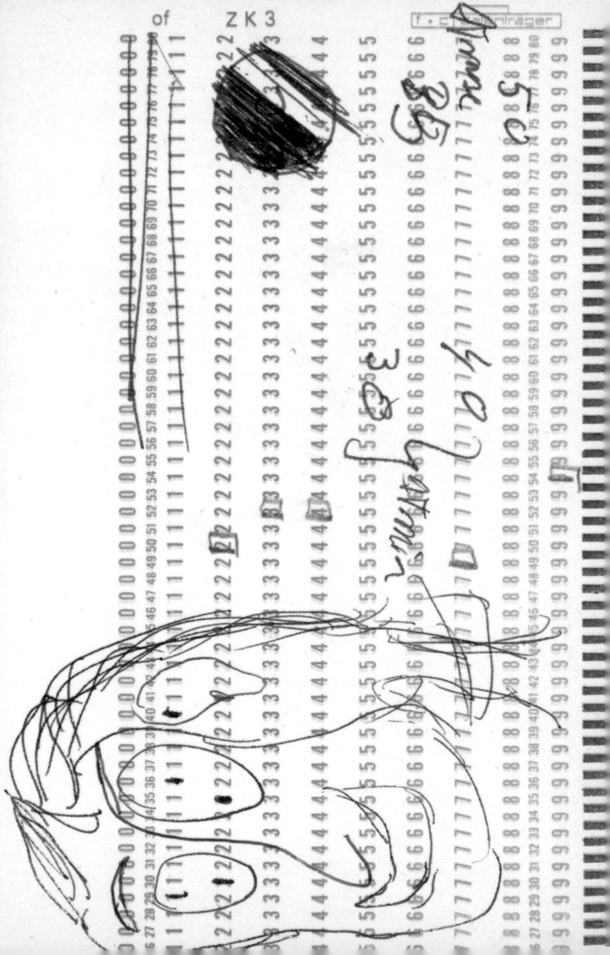

of
ZK3
f + c Datenträger

Hoofdstuk XVI

1   0,075 W/m K.
2   196 kJ/m²s.
3   487 J/s.
4   25,1 mm.
5   7,2 cm; Neen.
6   62 °C.
7   0,06 W/m K.
8   32 cm; 29,2 W/m².
9   255,0 °C, 252,7 °C; 280,6 °C, 278,5 °C; 253,3 °C, 251,8 °C.
10 184 W/m²; 94 W/m².
11 460 W; 9300 W.
12 850 kg/h; 36,6 kg/h.
13 29,2 m.
14 0,786.
15 5800 t/h; 2520 m².
16 249 W/m² K.
17 20,5 kW/m²; 16,3 kW/m²; 527 W/m² K; 303 W/m² K; 331 kg/h; 270 kg/h.
18 21,7 t/h; 26,2 m².
19 13%.
20 254 W/m² K; 257 kg/h.
21 4113 kJ.
22 425 kg/h; 2,55 kg/h.
23 183,5 kW/m²; 11,0%.
24 0,73.